ELEMENTARY RUSSIAN READER

SECOND EDITION

BY

GEORGE Z. PATRICK, Ph.D.

LATE PROFESSOR OF RUSSIAN
UNIVERSITY OF CALIFORNIA

REVISED BY

LUDMILLA A. PATRICK, M.A.

LECTURER IN RUSSIAN
UNIVERSITY OF CALIFORNIA

D1246826

PITMAN PUBLISHING CORPORATION
NEW YORK   TORONTO   LONDON

Associated Companies

SIR ISAAC PITMAN & SONS, LTD.
London   Melbourne   Johannesburg
SIR ISAAC PITMAN & SONS (CANADA), LTD.
Toronto

PREFACE TO SECOND EDITION

THE revision of this textbook is confined mainly to the First Part which contains selections of general interest. A considerable amount of new material has been added, and many stories have been supplied with questions.

The new material that has been incorporated deals with the present-day life, and contains idioms and expressions of today. It is hoped that the simple questions at the end of the stories will provide an opportunity for classroom conversation in Russian and encourage the students to use the vocabulary they have acquired.

The notes have been reduced to the bare essentials since the vocabulary at the end of the book fully covers the needs of the text.

(Mrs.) LUDMILLA A. PATRICK

BERKELEY, CALIFORNIA

PREFACE TO FIRST EDITION

THE growing interest in the Russian language and the scarcity of elementary textbooks in this field are responsible for the present reader. The selections have been made with the purpose of giving in the form of simple narrative some information on Russian life, customs, and history. The stories of Tolstoy, Dostoyevsky, and Chekhov found here have been abridged and slightly changed, so as to make them suitable for beginners.

It is my earnest hope that the matter presented here will be an incentive to the student to continue his work in the Russian language, and that it will serve as a foundation for later reading of historical and literary texts.

The notes, although few in number, afford the explanations necessary for a clearer understanding of the stories. In order to avoid tiresome cross-references, it has been thought expedient to provide this book with a vocabulary as complete as possible.

The orthography adopted in this book is based on the Soviet Government's "Decree of the Introduction of the New Orthography," dated 10th October, 1934.

To Professor G. R. Noyes, my friend and colleague, I owe a debt of gratitude for his valuable suggestions in the preparation of this reader.

G. Z. P.

Berkeley, California

CONTENTS

СОРДЕРЖАНИЕ

Часть Первая.

v

Часть Вторая

ELEMENTARY
RUSSIAN READER

ЧАСТЬ ПЕРВАЯ

СССР.

Есть на све́те больша́я страна́. Э́та страна́—СССР.

Е́сли итти́ по ней пешко́м из конца́ в коне́ц, ну́жно итти́ четы́ре го́да.

Е́сли спроси́ть жи́телей э́той страны́, всех сра́зу, по ра́дио: "Како́е у вас вре́мя дня?" 5

Оди́н отве́тит: у нас у́тро. Друго́й—у нас по́лдень. Тре́тий—у нас ве́чер. Четвёртый—у нас ночь.

Е́сли спроси́ть жи́телей э́той страны́: "Како́е у вас вре́мя го́да?"

Оди́н отве́тит: у нас весна́. Друго́й ска́жет: у 10 нас зима́.

Е́сли спроси́ть их: "Чем вы бога́ты?"

Оди́н ска́жет: мы желе́зом. Друго́й: мы бога́ты хле́бом. Тре́тий: мы—ка́менным углём. Четвёртый: мы—хлопко́м. Пя́тый: мы—не́фтью. 15

❀❀❀❀❀

Дере́вня.

Вот и дере́вня, в кото́рой мы бу́дем отдыха́ть. Она́ нахо́дится на берегу́ небольшо́й реки́. У реки́— водяна́я ме́льница, а да́льше мост. На одно́м берегу́ стои́т часо́вня, а на друго́м—шко́ла. Вдоль дере́вни идёт широ́кая у́лица. По обе́им сторона́м у́лицы стоя́т 20

1

крестья́нские и́збы. По́дле ка́ждой избы́ двор с
сара́ями для лошаде́й и скота́. За двора́ми нахо́-
дятся огоро́ды и ра́зные постро́йки: хле́бные ам-
ба́ры, сенны́е сара́и и ба́ни. Круго́м поля́ и поко́сы.
5 Недалеко́, на са́мом высо́ком ме́сте, стои́т ве́тряная
ме́льница. Дере́вня не велика́, но все и́збы в ней
о́чень чисты́ и дворы́ в большо́м поря́дке. Кры́ши
изб бо́льшей ча́стью кры́ты соло́мой. Ви́дно, что в
э́той дере́вне крестья́не живу́т без нужды́.

10   1. Где мы бу́дем отдыха́ть? 2. Где нахо́дится
дере́вня? 3. Что вы ви́дите у реки́? 4. Где стоя́т
крестья́нские и́збы? 5. Что нахо́дится за двора́ми?
6. Как живу́т крестья́не э́той дере́вни?

❧❧❧❧❧

Наш огоро́д.

Всё ле́то наш огоро́д корми́л нас. Мы собра́ли с
15 него́ запа́сы на́ зиму.

Ра́но ле́том мы на́чали есть зелёный лук. Е́ли
его́ с ква́сом, с хле́бом и с карто́шкой.

Вско́ре и огурцы́ ста́ли поспева́ть. Вкусны́ огурцы́
пря́мо с гряды́! Мы их и в обе́д и в у́жин е́ли.
20   Пото́м поспе́ла карто́шка. Мы нары́ли молодо́й
карто́шки, вы́мыли да испекли́ её. Вкусна́ печёная
карто́шка!

Покрасне́ли помидо́ры. Эх, хороши́ они́! Вку́сные,
со́чные! Хорошо́ положи́ть их в щи и́ли пое́сть с
25 карто́шкой, а то про́сто посоли́ть и есть их с хле́бом.

Наступи́л сентя́брь, на́до бы́ло с огоро́да всё
убира́ть. Снача́ла собра́ли мы помидо́ры, потому́
что они́ боя́тся моро́за.

Пото́м снесли́ в по́греб ре́пу, морко́вь и свёклу.
30   Зате́м мы собра́ли капу́сту и карто́шку, кото́рой

у нас бы́ло мно́го. Хорошо́, что пого́да была́ я́сная, и карто́шка суха́я—мо́жно бы́ло пря́мо в по́греб класть.

Мы запасли́ всё и не должны́ боя́ться зимы́.

1. Что мы собра́ли на́ зиму? 2. Что растёт у нас на огоро́де? 3. Вку́сная ли печёная карто́шка? 4. Лю́бите ли вы помидо́ры? 5. Когда́ собира́ют капу́сту? 6. Куда́ кладу́т запа́сы на́ зиму?

❧❧❧❧

Карау́льщик.

Коне́ц ле́та. В колхо́зном саду́ видны́ кру́пные со́чные я́блоки и гру́ши. Ка́ждую ночь дед Игна́т сторожи́т сад. Ка́ждый ве́чер про́сит его́ Се́ня. "Возьми́ меня́ с собо́й карау́лить, возьми́ дед!"— "Да ведь уснёшь ты," ворчи́т дед.—"Нет, не усну́, ты то́лько возьми́!" Наконе́ц дед согласи́лся.

"Ну пойдём! Посмотрю́, како́й ты бу́дешь карау́льщик!"

Ти́хо в саду́. Све́тит луна́. Дед пошёл в шала́ш и сказа́л вну́ку чтобы он позва́л его́, е́сли услы́шит что-нибу́дь.

Се́ня стал ду́мать, что за́втра он расска́жет свои́м това́рищам, как он не спал всю ночь и сторожи́л с де́дом сад.

Ду́мал Се́ня и смотре́л на луну́. Смотре́л он, смотре́л, и ста́ла луна́ уж не луна́, а больша́я жёлтая ды́ня. Он хо́чет доста́ть ды́ню, тя́нется к ней рука́ми, но ника́к не мо́жет дотяну́ться.

Вдруг его́ кто́-то толкну́л. "Хоро́ш карау́льщик!" —слы́шит Се́ня го́лос де́да. "Что тако́е?"—Вскочи́л Се́ня и протира́ет глаза́: Пе́ред ним дед Игна́т, а на не́бе уже́ не луна́, а со́лнце.

Дед смеётся: "Вот так карау́льщик!"

1. Где расту́т я́блоки и гру́ши ? 2. Кто сторожи́т сад ? 3. Кто хоте́л сторожи́ть с де́дом ? 4. Согласи́лся ли дед взять Се́ню ? 5. Хоро́ший ли карау́льщик Се́ня ?

❧❧❧❧

Письмо́ Красноарме́йца.

5   Здра́вствуйте, дороги́е оте́ц и мать! Шлю я вам из Кра́сной А́рмии приве́т. Сейча́с прочита́л ва́ше письмо́. Напра́сно вы меня́ жале́ете. Я до́лжен защища́ть на́шу ро́дину.

Вы спра́шиваете, как мы живём ?

10   Мы встаём в шесть часо́в утра́. По́сле умыва́ния де́лаем гимна́стику для укрепле́ния те́ла. Пото́м за́втракаем и обе́даем в столо́вой. У ка́ждого свой прибо́р. Ко́рмят нас три ра́за в день. Пи́ща всегда́ хоро́шая.

15   Оде́ты мы то́же хорошо́. В на́шей каза́рме о́чень чи́сто. Мы за́няты во́семь часо́в в день. Нас у́чат гра́моте и мы чита́ем газе́ты.

Когда́ у нас нет рабо́ты мы игра́ем в ша́шки и́ли в ша́хматы. Мы ча́сто ста́вим спекта́кли. Наш коман-
20 ди́р то́же с на́ми на сце́не игра́ет. На слу́жбе он наш нача́льник и мы должны́ слу́шаться его́, а в свобо́дное вре́мя он наш това́рищ и друг.

Ваш сын Пётр Нефе́дов.

1. Кому́ писа́л письмо́ красноарме́ец ? 2. Отку́да
25 он шлёт приве́т ? 3. В кото́ром часу́ он встаёт ? 4. Ско́лько раз в день их ко́рмят ? 5. Как они́ оде́ты ? 6. Что они́ де́лают когда́ у них нет рабо́ты ?

❧❧❧❧

Спор домашних живо́тных.

Коро́ва, ло́шадь и соба́ка ста́ли спо́рить, кого́ из них хозя́ин бо́льше лю́бит.

"Коне́чно меня́,"—говори́т ло́шадь. "Я ему́ соху́ и борону́ тащу́; дрова́ из лесу вожу́; сам он на мне в го́род е́здит. Пропа́л бы он совсе́м без меня́." 5

"Нет, хозя́ин лю́бит меня́ бо́льше,"—говори́т коро́ва. "Я всю семью́ его́ молоко́м кормлю́."

"Нет, меня́ бо́льше,"—ворчи́т соба́ка. "Я его́ добро́ сторожу́."

Услы́шал хозя́ин э́тот спор и говори́т: "Не на́до 10 спо́рить по-пусто́му: все вы мне нужны́, и ка́ждый из вас хоро́ш на своём ме́сте."

1. Кто стал спо́рить? 2. Что говори́т ло́шадь?
3. Что даёт коро́ва? 4. Кто сторожи́т дом? 5.
Нужны́ ли хозя́ину дома́шние живо́тные? 15

⁎⁎⁎⁎

Чле́ны челове́ческого те́ла.

Одна́жды чле́ны челове́ческого те́ла бы́ли в ссо́ре и не хоте́ли служи́ть друг дру́гу.

"Не хоти́м ходи́ть, не хоти́м носи́ть вас всех," говоря́т но́ги,—"ходи́те са́ми!"

"Не хоти́м рабо́тать для вас, рабо́тайте са́ми," 20 говоря́т ру́ки.

"Что я за дура́к," ворчи́т рот. "Заче́м я бу́ду корми́ть вас? Не хочу́ пи́щу жева́ть для желу́дка!"

"А мы что за сторожа́ для вас," сказа́ли глаза́, "не хоти́м смотре́ть!" 25

Так все чле́ны переста́ли служи́ть друг дру́гу. Что же вы́шло из э́того? Так как но́ги не хоте́ли ходи́ть, ру́ки рабо́тать, рот ку́шать, глаза́ смотре́ть, то все чле́ны на́чали слабе́ть, всё те́ло худе́ть. Тогда́ они́ по́няли, что глу́по быть в ссо́ре, что ну́жно помога́ть друг дру́гу. На́чали они́ тогда́ дру́жно рабо́тать и сно́ва ста́ли кре́пнуть.

5   1. Что говоря́т но́ги ? 2. Хотя́т ли ру́ки рабо́тать ? 3. Что говори́т рот ? 4. До́лго ли они́ бы́ли в ссо́ре ? 5. Как они́ рабо́тают тепе́рь ?

Четы́ре жела́ния.

Была́ зима́. Ми́тя ката́лся на са́нках с ледяно́й 10 горы́, прибежа́л домо́й румя́ный и говори́т отцу́ : " Как ве́село зимо́й ! Я бы хоте́л, чтобы всегда́ была́ зима́." Оте́ц записа́л слова́ Ми́ти в свою́ карма́нную кни́жку.

Пришла́ весна́. Ми́тя бе́гал за пёстрыми ба́боч- 15 ками, нарва́л цвето́в, прибежа́л к отцу́ и говори́т : " Что за пре́лесть э́та весна́ ! Я бы жела́л, чтобы постоя́нно была́ весна́." Оте́ц записа́л э́то жела́ние сы́на.

Наста́ло ле́то. Ми́тя с отцо́м пое́хали на сеноко́с. 20 Весь дли́нный день весели́лся ма́льчик : набра́л грибо́в, я́год, игра́л в души́стом се́не, а ве́чером сказа́л отцу́ : " Я бы жела́л, чтобы ле́ту не́ было конца́ ! " Оте́ц записа́л и э́ти слова́ Ми́ти.

Наста́ла о́сень. В саду́ бы́ли плоды́ : кра́сные 25 я́блоки и жёлтые гру́ши. Ми́тя был в восто́рге и говори́л отцу́ : " О́сень лу́чше всех времён го́да ! " Оте́ц откры́л свою́ записну́ю кни́жку и показа́л Ми́те, что он то́ же са́мое говори́л о зиме́, весне́ и ле́те.

1. Как игра́л Ми́тя зимо́й ? 2. Что он де́лал когда́ пришла́ весна́ ? 3. Почему́ Ми́тя люби́л ле́то ? 4.

Когда́ бы́ли плоды́ в саду́ ? Что показа́л ма́льчику оте́ц ?

❧❧❧❧

Ка́мень и цвето́к.

Лежа́л среди́ лу́га просто́й се́рый ка́мень, а ря́дом росла́ кра́сная гвозди́ка. Весно́й ка́мень с за́вистью говори́л гвозди́ке: "Кака́я ты счастли́вая! Как бы́- 5 стро ты растёшь! Каки́е у тебя́ краси́вые цветы́! Все тебя́ лю́бят, все замеча́ют. О́коло тебя́ лета́ют ба́бочки, жучки́ и золоты́е пчёлы. А я лежу́ здесь, не по́мню с каки́х пор, всегда́ се́рый, некраси́вый, и никто́ меня́ не ви́дит." Гвозди́ка небре́жно слу́шала 10 его́ и повора́чивала свои́ цветы́ к со́лнцу.

Прошло́ ле́то. Наста́ла суро́вая о́сень. Се́рый ка́мень хоте́л сно́ва посмотре́ть на прекра́сный цвето́к, но смотре́ть бы́ло не́ на что. О́коло него́ шурша́ла лишь суха́я, бу́рая трава́. 15

1. Где лежа́л ка́мень ? 2. Где росла́ гвозди́ка ? 3. Что говори́л ка́мень гвозди́ке ? 4. Слу́шала ли его́ гвозди́ка ? 5. Где была́ гвозди́ка когда́ наста́ла о́сень ?

❧❧❧❧

Ла́сточка.

С конца́ апре́ля весна́ была́ во всей свое́й красоте́. 20 Уже́ появи́лись по́чки на берёзах и трава́ на луга́х. Пти́цы и насеко́мые лета́ют в во́здухе. Пе́сни птиц наполня́ют леса́, поля́ и доли́ны рек. Да́же угрю́мый лес рад в э́ти мину́ты.

Посмотри́те вверх, в э́ту чи́стую лазу́рь не́ба. 25 "Дя́дя дя́дя, ла́сточка прилете́ла!"—кричи́т ма́ль- чик. Действи́тельно, сло́вно тень, мелькну́ла в

воздухе первая ласточка . . . и исчезла. Так ли
это? Да! Вот ещё одна, ещё и ещё.

Ждал крестьянин ласточку, давно ждал; но не
было её—сидел он около дома на скамейке, смотрел,
5 как играют дети на улице. "Сеять пора!"—"Нет,
рано ещё, надо подождать!" Пока он сидит и смотрит
на небо. Но чирикнула над домами ласточка и
мужик идёт работать в поле: везёт зерно, сеет и
пашет. Он давно знает, что ласточка прилетает
10 тогда, когда наступает настоящая весна и когда
утренние морозы не могут уже погубить нежных
всходов.

1. Когда была весна? 2. Что кричит мальчик?
3. Когда прилетела ласточка? 4. Почему крестьянин
15 ждал ласточку?

❧❧❧❧❧

Старшая.

Наступило тёплое лето, весело стало на улице.
Крестьянские дети весь день пропадают то в лесу,
то у реки, то в поле: в избу они не хотят итти; по
вечерам слышится под окнами их болтовня и смех;
20 они затевают шумные игры.

Только Даше некогда веселиться: заболела её
мать; вот уже целую неделю она лежит, головы не
может поднять. Грустно стало у них в избе: отец
ходит угрюмый, дети плачут, мать тоскует, что везде
25 беспорядок, что о детях и о скотине позаботиться
некому. Даша хлопочет с утра до ночи, мать заме-
няет.

Много у неё работы: надо и в комнате прибрать,
и обед приготовить, и отцу рубаху починить, и
30 скотине корм дать, и кур выпустить утром, а вечером
загнать; надо за детьми присмотреть: того умыть,

накорми́ть, э́того уте́шить, позаба́вить. Ведь кро́ме Да́ши никто́ не мо́жет э́того сде́лать.

Вот почему́ де́ти о́чень лю́бят её. И когда́ Да́ша захо́дит к ма́тери узна́ть, не на́до ли ей чего́ нибу́дь, мать смо́трит на неё ла́сково, обнима́ет, кре́пко 5 целу́ет и говори́т: "Ах, ты, моя́ ста́ршая!"

1. Что де́лают крестья́нские де́ти ле́том? 2. Почему́ Да́ше не́когда? 3. Мно́го — ли у неё рабо́ты? 4. Кого́ она́ заменя́ет? 5. Почему́ де́ти её лю́бят?

ꙮꙮꙮꙮꙮ

Ле́тняя рабо́та.

По́сле сеноко́са начина́ется жа́тва. Рожь, корми́- 10 лица ру́сского челове́ка, поспе́ла. От мно́жества зёрен ко́лос стал тяжёлым и нагну́лся к земле́; е́сли ещё его́ оста́вить в по́ле, то зерно́ пропадёт без по́льзы. Броса́ют ко́сы, беру́т серпы́. Жнецы́ и жни́цы ре́жут высо́кую рожь, кладу́т её в краси́вые 15 снопы́. Пройду́т две неде́ли тако́й рабо́ты, и на ни́ве, где неда́вно была́ рожь, бу́дет повсю́ду лежа́ть соло́ма.

Не успе́ли отвезти́ рожь домо́й, как пришла́ пора́ убира́ть пшени́цу, ячме́нь и овёс; уже́ покрасне́ла 20 гречи́ха и её ну́жно сжать. Пора́ та́кже дёргать лён. Вот и конопля́ гото́ва, воробьи́ ста́ями лета́ют над ней и достаю́т масляни́чное зерно́. На́до и карто́- фель копа́ть, а я́блоки уже́ давно́ па́дают на высо́кую траву́. 25

Всё спе́ет. Всё на́до убра́ть во́-время. Лю́ди воз- враща́ются с рабо́ты по́здно ве́чером. У́тром, вме́сте с со́лнышком, крестья́не опя́ть начина́ют рабо́тать. А ле́том со́лнышко встаёт о́чень ра́но!

Ле́тняя рабо́та ко́рмит крестья́нина це́лый год. 30

На́до по́льзоваться хоро́шей пого́дой, ина́че мо́жно оста́ться без хле́ба. Крестья́нин ко́рмит свои́м трудо́м не одну́ его́ семью́, а весь мир: и вы, и я, и други́е, кото́рые иногда́ с презре́нием смо́трят на
5 крестья́нина,—мы все получа́ем хлеб из дере́вни.

❧❧❧❧❧

Гроза́.

Когда́ я был ма́леньким, меня́ посла́ли в лес за гриба́ми. Я пришёл туда́, набра́л грибо́в и хоте́л итти́ домо́й. Вдруг ста́ло темно́, пошёл дождь и загреме́ло. Я испуга́лся и сел под большо́й дуб.
10 Блесну́ла мо́лния, така́я све́тлая, что мои́м глаза́м ста́ло бо́льно и я зажму́рился. Над мое́й голово́й что́-то затреща́ло и загреме́ло. Пото́м что́-то уда́рило мне в го́лову. Я упа́л и лежа́л до тех пор, пока́ переста́л дождь.
15 Когда́ я очну́лся, по всему́ ле́су ка́пало с дере́вьев, пе́ли пти́чки, и игра́ло со́лнышко. Большо́й дуб слома́лся и из него́ шёл дым. Вокру́г меня́ лежа́ли оско́лки от ду́ба. Пла́тье на мне бы́ло всё мо́крое и ли́пло к те́лу. На голове́ была́ ши́шка, и бы́ло не-
20 мно́жко бо́льно.
Я нашёл свою́ ша́пку, взял грибы́ и побежа́л домо́й. До́ма никого́ не́ было! Я взял кусо́к хле́ба, и лёг на пе́чку.
Когда́ я просн́улся, я уви́дел с пе́чки, что грибы́
25 мои́ зажа́рили, поста́вили на стол и уже́ хотя́т есть.
Я закрича́л: "Что вы без меня́ еди́те?"
Они́ говоря́т: "Что-ж ты спишь? Иди́ скоре́й есть!"

1. Куда́ меня́ посла́ли?　2. Почему́ ста́ло темно́?
30 3. Куда́ я сел?　4. Почему́ я упа́л?　5. Когда́ я

очну́лся ? 6. Что лежа́ло о́коло меня́ ? 7. Что бы́ло у меня́ на голове́ ? 8. Куда́ я побежа́л ? 9. Куда́ я лёг ? 10. Что я закрича́л ?

❧❧❧❧❧

Ру́сская о́сень.

С конца́ а́вгуста начина́ет холоде́ть : свежо́ осо́- бенно по утра́м. Уже́ в сентябре́ быва́ют иногда́ 5 лёгкие моро́зы. Когда́ вы просыпа́етесь у́тром, вы ви́дите, как побеле́ла трава́ и́ли кры́ша сосе́днего до́ма. Дожди́ иду́т ча́сто. Лу́жи, кото́рых о́сенью дово́льно мно́го, начина́ют замерза́ть по ноча́м. Ме́лкие осе́нние до́ждики совсе́м не похо́жи на ле́тние 10 грозовы́е ли́вни : они́ иду́т беспреста́нно, и земля́ уже́ не просыха́ет так ско́ро как ле́том. Ве́тер ду́ет непреры́вно и далеко́ разно́сит семена́ трав.

Лист на дере́вьях начина́ет ко́е-где желте́ть и в сентябре́ вы замеча́ете, как на берёзе появля́ются 15 там и сям золоти́стые ве́тки. С ка́ждым днём вы ви́дите всё бо́льше и бо́льше жёлтых ли́стьев. Ско́ро и тре́петная оси́на бу́дет вся кра́сная, багро́вая, золоти́стая. Но поры́вистый ве́тер срыва́ет и э́тот после́дний наря́д. 20

Поля́ ма́ло-по́-малу пусте́ют ; одни́ высо́кие стога́ се́на остаются на луга́х. Цветы́ исчеза́ют и мы ви́дим ко́е-где бу́рую траву́. Одна́ то́лько о́зимь стои́т, как зелёный ба́рхат. Но ско́ро погиба́ют и э́ти молоды́е побе́ги. 25

Всё пусте́ет, темне́ет, теря́ет я́ркие цвета́ ле́та, и приобрета́ет однообра́зный, се́рый вид о́сени. В э́то вре́мя го́да приро́да похо́жа на уста́лого челове́ка, кото́рого одолева́ет сон. Че́рез не́сколько дней она́ заснёт на це́лую зи́му. 30

В города́х о́сенью нельзя́ вы́йти на у́лицу без

зо́нтика, пальто́ и кало́ш. Идёт ме́лкий холо́дный
дождь. Лу́жи и грязь повсю́ду. Везде́ мо́ют о́кна и
вставля́ют двойны́е ра́мы. В ко́мнатах стано́вится
темно́. По вечера́м свисти́т и завыва́ет в тру́бах
5 ве́тер и нагоня́ет тоску́.

※※※※※

Зима́.

Наста́ла зима́. Опусте́ли окре́стности; молча́т
поля́ и леса́, то́лько га́лки лета́ют в моро́зном
во́здухе и воробьи́ чири́кают. Скот спря́тался в
хлева́х. Мужики́ и ба́бы сидя́т до́ма.
10 Снег давно́ оку́тал всю зе́млю. На река́х и озёрах
лёд. Давно́ уже́ дереве́нские де́ти ката́ются на са́нках
и игра́ют в снежки́.
Зима́ для ру́сского крестья́нина хоро́шее вре́мя:
он отдыха́ет от тяжёлой полево́й рабо́ты. Дли́нные
15 зи́мние но́чи даю́т ему́ бо́льше вре́мени для сна и
поко́я. Хлеб, кото́рый он собра́л в амба́р, и корм для
скота́ в сара́ях, освобожда́ют его́ от забо́ты о насу́щ-
ном пропита́нии. Зимо́й крестья́нин ест лу́чше и
спит бо́льше, поэ́тому он веселе́е, бодре́е и приве́т-
20 ливее. Не да́ром наро́д зовёт зиму́ "ма́тушкой."
В зи́мние вечера́ сложи́лись те погово́рки и посло́-
вицы, кото́рыми бога́та ру́сская речь и кото́рые
ука́зывают на большу́ю наблюда́тельность ру́сского
наро́да. Зи́мние вьюги, холода́ и жесто́кие моро́зы
25 для крестья́нина ничто́: он к ним привы́к с де́тства.
Для крестья́нских дете́й зима́ непреры́вный пра́зд-
ник. Рабо́ты не мно́го, и рабо́та, по их мне́нию,
лёгкая: принести́ дрова́ в избу́ и дать корм скоту́.
А пото́м мо́жно погуля́ть. Пра́вда, для э́того гуля́нья
30 не заку́тывают ребёнка в тёплую шу́бу, не надева́ют
на него́ фуфа́йку, а позволя́ют ему́ бе́гать по снегу́,

на моро́зе, в той же руба́хе, в кото́рой он сиде́л в избе́, а иногда́ даю́т ему́ ста́рый полушу́бок, рва́ную ша́пку и ва́ленки отца́.

1. Мно́го ли рабо́ты у крестья́нина зимо́й ? 2. Что де́лают де́ти ? 3. Хоро́шее ли э́то вре́мя ? Почему́ ? 5
4. Почему́ наро́д зовёт зиму́ "ма́тушкой" ?

❧❧❧❧❧

Зи́мний Пра́здник.

Свя́тки весёлый, са́мый дре́вний пра́здник ; лю́ди пра́зднуют его́ с незапа́мятных времён. На́ши пре́дки бы́ли язы́чниками и поклоня́лись бо́гу Со́лнцу.

Свя́тки пра́здновались среди́ зимы́, когда́ по наро́д- 10
ной посло́вице "со́лнце повора́чивает на ле́то." Хотя́ и стоя́т холода́, но дни стано́вятся длинне́е. Э́тот пра́здник в честь бо́га Со́лнца называ́лся "Коля́дой."

На́ши пре́дки приноси́ли бо́гу Со́лнцу же́ртвы, 15
зака́лывали теля́т, ягня́т, сжига́ли их и пе́ли пе́сни.

Впосле́дствии пре́дки на́ши ста́ли христиа́нами и пра́здник бо́гу Со́лнцу совпа́л с пра́здником Рождества́ Христо́ва. Лю́ди по́мнят свой язы́ческие обря́ды. До сих пор в сёлах пою́т пе́сни, кото́рые 20
называ́ют коля́дками. Ю́ноши и де́вушки хо́дят по селу́, у ка́ждого до́ма пою́т пе́сню, в кото́рой хва́лят хозя́ина до́ма. Им даю́т: кусо́к колбасы́, пря́ник, хлеб, са́ло, ватру́шку и т.д. (и так да́лее).

Други́е язы́ческие наро́ды ве́шали же́ртвы бога́м 25
на дере́вьях: на дуба́х и еля́х. Ёли украша́лись в честь Со́лнца огня́ми. До сих пор лю́ди по́мнят э́тот обы́чай и зажига́ют све́чи на ёлках.

1. Како́й са́мый дре́вний пра́здник ? 2. Когда́

пра́здновались Свя́тки ? 3. Каки́е же́ртвы приноси́ли на́ши пре́дки ? 4. Что де́лают лю́ди тепе́рь в праздник Рождества́ Христо́ва ?

❧❧❧❧❧

Гада́нье на свя́тках.

В на́шей дере́вне Светла́на счита́лась пе́рвой 5 краса́вицей. Она́ была́ до́брая и приве́тливая де́вушка и за что ни взяла́сь бы всё де́лала хорошо́ : она́ уме́ла ткать, прясть, шить, плести́ кружева́. На дереве́нских вечери́нках она́ пе́ла и танцова́ла в хорово́де и была́ на́шей люби́мицей. У неё бы́ло 10 мно́го женихо́в, но она́ не хоте́ла выходи́ть за́муж.

Наступи́ли свя́тки. Светла́на захоте́ла погада́ть- посмотре́ть в зе́ркало и узна́ть кто бу́дет её жени́х. Наступи́л ве́чер. Все ушли́ спать. Уже́ про́било оди́ннадцать часо́в. Светла́на накры́ла стол ска́- 15 тертью, положи́ла два прибо́ра пе́ред зе́ркалом, по бока́м его́ поста́вила две свечи́.

Ти́хо круго́м. Жу́тко . . . се́рдце замира́ет . . . . Наконе́ц, она́ сказа́ла слова́ : "Мой жени́х, приди́ со мной у́жинать," се́ла за стол и на́чала смотре́ть 20 в зе́ркало. Оди́н из её женихо́в проходи́л ми́мо избы́ и уви́дел свет в окне́. Он реши́л напуга́ть Светла́ну. Побежа́л к себе́ домо́й, доста́л рога́, привяза́л их на лоб, вы́мазал лицо́ са́жей, вы́вернул шу́бу ме́хом вверх, и вошёл потихо́ньку в избу́, где гада́ла 25 де́вушка. Вот по́лночь, про́било двена́дцать и про- пе́л пету́х. . . . Молодо́й челове́к ти́хо подошёл и взгляну́л в зе́ркало из-за спины́ Светла́ны. Де́вушка вскри́кнула в у́жасе и упа́ла на́ пол. . . .

По́сле э́того она́ до́лго боле́ла. Все ду́мали, что 30 она́ умрёт. Когда́ она́ вы́здоровела, она́ никому́ не рассказа́ла о том что она́ уви́дела в зе́ркале. С ка́ждым днём она́ станови́лась заду́мчивее и ча́сто ходи́ла в це́рковь. Ско́ро она́ ушла́ в монасты́рь. В дере́вне говори́ли, что она́ уви́дела домово́го.

1. Кака́я де́вушка была́ Светла́на? 2. Что захоте́ла сде́лать Светла́на? 3. Почему́ она́ хоте́ла погада́ть? 4. Как она́ гада́ла? Когда́? 5. Что сде́лал оди́н крестья́нин? 6. Испуга́лась ли Светла́на? 7. Куда́ она́ ушла́? 8. Что говори́ли о ней в дере́вне?

Ночь на Но́вый Год.

Над больши́м го́родом я́рко горя́т звёзды в я́сном безо́блачном не́бе.

Румя́ная заря́ уже́ давно́ пропа́ла на за́паде. Холо́дный ве́чер перехо́дит в моро́зную ночь. У́личные фонари́ давно́ горя́т. Усы́ и бо́роды прохо́жих побеле́ли, а щёки и носы́ покрасне́ли. Сего́дня большо́е движе́ние. О́кна магази́нов все за́литы све́том. Лю́ди загля́дывают в них, ку́таются в меха́ и шарфы́ и спеша́т домо́й. Сего́дня но́чью, три́дцать пе́рвого декабря́, когда́ часова́я стре́лка подойдёт к двена́дцати, все э́ти лю́ди ска́жут и́ли, по кра́йней ме́ре, поду́мают: "Ста́рый год прошёл; начнём жить но́вый!"

Во́здух тих, и я́сно слы́шится в нём скрип сане́й по́ снегу, го́вор, стук двере́й.

Оди́н из лу́чших клу́бов я́рко освещён. Вся у́лица пе́ред ним полна́ сане́й.

"Вот так Но́вый Год! Како́й моро́з!"—покри́кивают кучера́.

В за́лах клу́ба толпи́тся большо́е о́бщество. Часова́я стре́лка стои́т на двена́дцати. Знако́мые поздравля́ют друг дру́га с Но́вым Го́дом, жела́ют

друг дру́гу сча́стья, а всего́ бо́льше жела́ют вся́кого благополу́чия сами́м себе́. Про́бки хло́пают. Шампа́нское льётся из бока́лов че́рез край. Му́зыка игра́ет вальс. Молодёжь танцу́ет. Старики́ смо́трят
5 на молоды́х люде́й и слегка́ присту́кивают нога́ми. Они́ мы́сленно сно́ва пережива́ют в те мину́ты свою́ ю́ность.

Все э́ти лю́ди о́чень ве́селы, дово́льны, почти́ сча́стливы. Все они́, повиди́мому, твёрдо убеждены́,
10 что Но́вый Год испо́лнит их жела́нья,—даст им всё, что на́до.

Мо́жет-быть, э́то и ве́рно.

Филипо́к.

Жил в одно́й дере́вне ма́льчик. Его́ зва́ли Филипо́к. Одна́жды де́ти пошли́ в шко́лу и Филипо́к хоте́л
15 пойти́ с ни́ми. Но его́ мать сказа́ла ему́: "Куда́ ты собра́лся? Ты ещё мал. Не ходи́!"

Де́ти ушли́ в шко́лу, оте́ц уе́хал в лес, мать была́ на рабо́те, а Филипо́к с ба́бушкой оста́лись до́ма. Ему́ бы́ло ску́чно. Ба́бушка засну́ла, а он нашёл
20 ша́пку отца́ и пошёл в шко́лу. Когда́ он был о́коло шко́лы, он стал ду́мать: "Что е́сли учи́тель меня́ прого́нит?" Шла ми́мо него́ же́нщина; она́ останови́лась и сказа́ла ему́: "Все у́чатся, а ты стои́шь здесь. Иди́ в шко́лу." Филипо́к вошёл.
25 В шко́ле бы́ло мно́го дете́й. Учи́тель ходи́л по ко́мнате. "Кто ты?"—спроси́л он Филипка́. Но Филипо́к испуга́лся и не мог сказа́ть ни сло́ва. Он посмотре́л на учи́теля и запла́кал.

Учи́тель был до́брый челове́к. Он погла́дил ма́ль-
30 чика по голове́ и спроси́л дете́й, кто он. Де́ти сказа́ли: "Э́то Филипо́к, брат Ко́сти. Он уже́ давно́

хо́чет итти́ в шко́лу, но его́ мать ему́ не позволя́ет.”
Учи́тель сказа́л: “Ну, сади́сь на скаме́йку о́коло
бра́та. Я попрошу́ твою́ мать, чтобы она́ пуска́ла
тебя́ в шко́лу.”

Учи́тель стал пока́зывать Филипку́ бу́квы, но он   5
уже́ уме́л немно́го чита́ть. “Ну́-ка, сложи́ своё и́мя.”
Филипо́к сказа́л: “Хве́-и-хви, ле́-и-ли, пе́-ок-пок.”
Все засмея́лись. “Молоде́ц,” сказа́л учи́тель. С тех
пор Филипо́к стал ходи́ть в шко́лу.

1. Где жил ма́льчик? 2. Как его́ зва́ли? 3. Куда́   10
пошли́ де́ти? 4. Что хоте́л сде́лать Филипо́к? 5. Что
сказа́ла его́ мать? 6. С кем он оста́лся до́ма? 7. Куда́
он пошёл? 8. Где бы́ло мно́го дете́й? 9. Что спроси́л
учи́тель? 10. Зна́ли-ли де́ти э́того ма́льчика? 11.
Уме́л-ли он чита́ть? 12. Что сказа́л учи́тель?   15

❀❀❀❀❀

Электри́чество.

В на́шем селе́ устро́или электри́чество. Мы то́же две
ла́мпочки пове́сили в свое́й избе́. Когда́ наш де́душка
уви́дел, что мы ве́шаем ла́мпочки, он стал руга́ться.

“Вы,—говори́т,—чо́рта те́шите, и пузырьки́ ва́ши
не бу́дут горе́ть.”   20

Я то́же не ве́рил, пока́ устра́ивали. О́чень уж
стра́нно бы́ло. Кероси́на не на́до и спи́чек не на́до.

Когда́ пусти́ли свет в о́бе ла́мпочки, мы все о́чень
обра́довались.

Тут оте́ц сказа́л нам: “Вот, де́ти, что приду́мали   25
лю́ди: све́та мно́го, и ко́поти нет. Мо́жно и пе́чку
дрова́ми не топи́ть—на электри́честве мо́жно свари́ть
любу́ю пи́щу. И лошадьми́ не на́до по́ле паха́ть,
мо́жно плуг электри́ческий сде́лать: сам он бу́дет
ходи́ть.   30

Когда́ все ушли́ из избы́ я о́чень захоте́л узна́ть жжёт и́ли не жжёт волосо́к в пузырьке́. Над пузырько́м приде́лана чёрная голо́вка, а в голо́вке ма́ленькая ру́чка.

5 Поверну́л я э́ту ру́чку напра́во—ого́нь появи́лся и ста́ло светло́. Поверну́л ещё раз, то́же напра́во— темно́ ста́ло.

Вот чу́до!

Тогда́ я отвинти́л пузырёк от голо́вки. Свет пога́с.

10 Когда́ я стал щу́пать голо́вку сни́зу, где приви́нчивается пузырёк, меня́ си́льно уда́рило по па́льцам. Я испуга́лся и закрича́л: "Кто э́то меня́ уда́рил?" Я тро́нул то же ме́сто ещё раз, меня́ опя́ть уда́рило.

В избу́ вошёл оте́ц и спроси́л: "Ты что кричи́шь?"

15 Я сказа́л ему́: "По па́льцам меня́ уда́рил кто́-то."

Оте́ц сказа́л мне в отве́т: "Ты отвинти́л ла́мпочку, а электри́чество не вы́ключил. В про́воде, на кото́ром виси́т ла́мпочка, нахо́дится электри́ческий ток. Вот в нём та си́ла, кото́рая уда́рила тебя́ по рука́м.

20 Бо́льше не отви́нчивай ла́мпочек без меня́, а то мо́жет быть беда́. Электри́ческий ток да́же ло́шадь убива́ет."

1. Что устро́или в на́шем селе́? 2. Кто стал руга́ться? 3. Что сказа́л де́душка? 4. Как объяс-
25 ни́л электри́чество оте́ц? 5. Что хоте́л узна́ть ма́льчик? 6. Испуга́лся ли он? Почему́? 7. Где нахо́дится электри́ческий ток?

❧❧❧❧❧

Вчера́ и Сего́дня.

I

Ла́мпа пла́кала в углу́,
За дрова́ми на полу́:
—Я голо́дная,
Я холо́дная!
Высыха́ет мой фити́ль.   5
На стекле́ густа́я пыль.
    Почему́—
    Я не пойму́—
Не нужна́ я никому́?

А быва́ло, зажига́ли   10
Ра́нним ве́чером меня́.
В о́кна ба́бочки влета́ли
И кружи́лись у огня́.

Я гляде́ла со́нным взгля́дом
Сквозь тума́нный абажу́р,   15
И шуме́л со мно́ю ря́дом
Ста́рый ме́дный балагу́р.

Познако́милась в столо́вой
Я сего́дня с ла́мпой но́вой.
Говори́ли, бу́дто в ней   20
Пятьдеся́т гори́т свече́й.

Ну и ла́мпа! На́смех ку́рам!
Пузырёк под абажуром.
В середи́не пузырька́—
Три-четы́ре волоска́.   25

Говорю́ я: —Вы, гражда́нка,
Вероя́тно, иностра́нка?
Любопы́тно посмотре́ть,
Как вы бу́дете горе́ть.
Пузырёк у вас запа́ян.
Как зажжёт его́ хозя́ин?

А гражда́нка мне в отве́т
Говори́т: —Вам де́ла нет!

Я, коне́чно загуде́ла:
—Почему́ же нет мне де́ла?
В э́том до́ме де́сять лет
Я дава́ла лю́дям свет
И ни ра́зу не копте́ла!
Почему́ же нет мне де́ла?

Да при э́том, —говорю́, —
Я без хи́трости горю́.
По стари́нке, по привы́чке
Зажига́юсь я от спи́чки,
Вот как све́чка и́ли печь.
Ну, а вас нельзя́ заже́чь.
Вы, гражда́нка, самозва́нка!
Вы не ла́мпочка, а скля́нка!

А она́ мне говори́т:
—Глу́пая вы ба́ба!
Фитилёк у вас гори́т
Чрезвыча́йно сла́бо,
Ме́жду тем как от меня́
Льётся свет чуде́сный,
Потому́ что я родня́
Мо́лнии небе́сной!

Я — электри́ческая
Экономи́ческая
   Ла́мпа!

Мне не на́до кероси́на.
Мне со ста́нции маши́на   5
Шлёт по про́волоке ток.
Не просто́й я пузырёк!

Е́сли вы соедини́те
Выключа́телем две ни́ти,
Зажига́ется мой свет.   10
Вам поня́тно и́ли нет?

II

Стеари́новая све́чка
Ро́бко вста́вила слове́чко:
—Вы сказа́ли, бу́дто в ней
Пятьдеся́т гори́т свече́й?   15
Обману́ли вас бессты́дно:
Ни одно́й свечи́ не ви́дно!

III

Перо́ в пусто́й чернильни́це,
Скрипя́ заговори́ло:
— В чернильни́це-корми́лице   20
Конча́ются черни́ла.

Я, ста́рое и ржа́вое,
Живу́ тепе́рь в отста́вке.
В мои́х черни́лах пла́вают
Рога́тые козя́ки.   25

У нашего хозяина
Теперь другие перья.
Стучат они отчаянно,
Палят, как артиллерия,

5   Запятые,
Точки,
Строчки.
Бьют кривые молоточки.
Вдруг разъедется машина—
10   Едет вправо половина . . .
Что такое ? Почему ?
Ничего я не пойму !

❧❧❧❧❧

Радио-любитель.

Целыми днями Гриша был занят : резал проволоку, бил молотком какие-то металлические части.

15   “Вот неугомонный,” сердилась на него бабушка.

“Что это ты придумал? Сор только разводишь в комнате ”

По вечерам отец спрашивал : “Ну, как дела?”

“Хорошо,” весело отвечал Гриша. “Только нет 20 у меня телефонной трубки.”

“Придётся купить трубку. . . . А тебе помощь не нужна?”

“Не надо, не надо,” отвечает Гриша, “я хочу устроить всё сам.”

25   Прошло десять дней. Гриша собрал свой аппарат. На другой день он полез на крышу чтобы установить антенну.

Вечером в квартире было много гостей. Пробило восемь часов. В трубке что-то захрипело. Гриша бросился к аппарату и крикнул: "Тише, товарищи, уже начинается!"

Из рупора кто-то сказал громко: "Доклад." А затем другой голос заговорил о событиях в Китае. После доклада рупор начал говорить такие забавные 5 вещи, что все хохотали. Потом послышалась музыка.

"Хорошо!"—воскликнул Семён. "Вот теперь сиди дома да слушай."

Гости уходили неохотно. Все ждали продолжения, но рупор молчал. Гриша объявил, что радио-вечер 10 закончился.

1. Был ли занят Гриша? 2. Что он делал? 3. Что ему говорила бабушка? 4. Нужна ли помощь Грише? 5. Что он сделал? 6. Кто пришёл к Грише? Что они услышали? 15

✤✤✤✤✤

Телефон.

Лёня Трифонов раскрыл задачник, подвинул чернильницу, осмотрел перо. Задача не казалась трудной, но . . . взгляд его упал на телефон.

—Что там раздумывать, позвоню-ка Коле Васильеву, он встаёт рано и, наверное, уже решил. 20

Номер телефона был долго занят. Лёня набирал цифры и громко кричал в трубку: "Алло! Алло!"

Наконец раздался весёлый голос Коли:

—Слушаю! А, это ты? Здравствуй! Что? Нет, ещё не решил. Позвони мне через полчасика. Я 25 думаю, что. . . .

Но Лёня не стал разговаривать. Он уже набирал другой номер. Он решил позвонить Юре Иванчикову. Тот бодро ответил:

—Конечно, решил! Но придётся перерешать. 30 Бабушка сказала, что я поторопился.

Лёня рассмеялся в трубку: — Эх, ты, "решил!" . . . Позвони мне через полчаса: я скорее тебя буду знать ответ!

А сам подумал: "Позвоню-ка я Вите, сыну нашей
5 учительницы Марии Яковлевны. Если он не решил сам, спросит у неё . . . Витя, правда, сейчас один, его мама в школе, занимается с первой сменой, но, может быть, он ещё вечером решил задачу."

По телефону слышались короткие гудки: номер
10 был занят. Только минут через сорок освободился номер. Но слышно было очень плохо.

—Говорит Трифонов! Трифонов! Я тебя не слышу, —кричал Лёня. —Если слышишь меня хорошо, постучи два раза карандашом по трубке!
15 Так! Слышу! Я буду говорить, а ты отвечай стуком! Я никак не могу решить задачу! Вот уже целый час звоню всем: Коле, Иванчикову. . . . Если ты уже решил, стучи: сколько раз постучишь, значит такая цифра в ответе! Что? Не слышу!
20 Почему ты не стучишь? Ага, значит ноль? Да нет, ноль . . . не может быть! Ты сам посуди, если мы сложим первое число со вторым и разделим . . . Нет, делить не надо . . . Позволь, если не складывать, а вычесть из того результата, который . . .
25 Постучи два раза, если я правильно думаю! Значит, после вычитания умножаем и . . . получается. . . . так, так . . . пятнадцать Ура! Решили! Ой, вот теперь слышно хорошо!

В телефонной трубке ясно звучал голос, но не
30 Вити, а его мамы, учительницы Марии Яковлевны:

—Да, Трифонов, ты правильно решил: пятнадцать. Но скажи мне, зачем тебе надо было терять время, целый час звонить своим приятелям, когда ты сам решил эту задачу в десять минут? Сегодня я
35 в школе не буду, больна, а вот во вторник ты мне объяснишь. . . .

Лёня ужé не слу́шал. Не мог слу́шать: он полéз под стол за телефóнной тру́бкой, котóрую невóльно уронúл от такóго неожúданного разговóра.

1. Что сдéлал Лёня Трúфонов? 2. Почему́ он хотéл позвонúть Кóле? 3. Решúл ли Кóля задáчу? 5 Что он сказáл? 4. Почему́ Лёня рассмея́лся? 5. Кто мать Вúти? 6. Как Лёня говорúл с Вúтей по телефóну? 7. Чей гóлос звучáл я́сно? 8. Что онá сказáла Лёне?

♣♣♣♣♣

Смелéе вперёд.

Сегóдня начáло нóвого учéбного гóда и пéрвый 10 день моегó учéнья в стáршем отделéнии. Когдá я собирáлся в шкóлу, отéц мне сказáл:

"Тепéрь все у́чатся, рабóчие пóсле девятú часóв рабóты хóдят в шкóлу по вечерáм; кому́ нельзя́ учúться в бу́дни, те у́чатся в воскресéнье; солдáты, 15 пóсле марширóвки, беру́тся за кнúги.

"Когдá ты идёшь в шкóлу, в э́ту сáмую мину́ту, в э́том сáмом гóроде нéсколько ты́сяч детéй тóже иду́т учúться. Бóльше тогó, бесчúсленное мнóжество детéй всех стран кáждое у́тро иду́т в шкóлы, и в 20 тúхих деревня́х, и в шу́мных городáх, на берегáх морéй и озёр, под жáрким сóлнцем, и в стрáнах хóлода и снéга.

"Э́ти дéти одéты по-рáзному, онú говоря́т на рáзных языкáх; но все э́ти миллиóны детéй хотя́т учúться. 25

"Однú из них пешкóм, другúе на саня́х по снéгу, трéтьи на колёсах, четвёртые на лóдках по канáлам, пя́тые в трамвáях и в вагóнах желéзных дорóг, но все онú с кнúгами в рукáх направля́ются в шкóлы.

"В Сибúри шкóлы стоя́т в снегу́, а в Арáвии онú 30 стоя́т под навéсами пальм; но вездé в них у́чатся такие же дети, как ты, учатся на разный лад, но в сущности одному и тому же. Вообрази эту великую армию учеников всех народов. И ты в ней участвуешь. Если бы этого не было, люди забыли бы 5 все науки и все искусства, они вернулись бы к дикому состоянию, стали бы дикарями. В учении свет, в нём вся наша надежда и всё наше счастье. Смелее вперёд, маленький воин великой армии!"

✣✣✣✣✣

Классная комната.

В нашей классной комнате налево от двери были 10 две полки. Одна была наша, детская, а другая принадлежала нашему учителю. На нашей полке были разные книги, учебники и не учебники; одни стояли, другие лежали. Два больших тома "Истории Путешествий," в красных переплётах, стояли около 15 стены; дальше следовали длинные, толстые, большие и маленькие книги, переплёты без книг и книги без переплётов. Когда нам приказывали, перед каникулами, привести в порядок нашу библиотеку— как называл эту полку учитель—мы складывали 20 на неё всё что попадалось под руку.

На другой стене висели географические карты, все почти изорванные, но искусно подклеенные рукой нашего учителя. На третьей стене, в середине которой была дверь в другую комнату, с одной 25 стороны висели две линейки: одна старая, наша, другая новая, собственность нашего учителя, которую он употреблял более для поощрения чем для линования. С другой стороны висела чёрная доска, на которой кружками отмечались наши большие 30 проступки и крестиками наши маленькие. Налево от доски был угол, в который ставили нас на колени.

В середи́не ко́мнаты стоя́л стол, покры́тый чёрной клеёнкой. Около стола́ бы́ло не́сколько табуре́тов.

❧❧❧❧❧

Ва́нька Жу́ков.

Ва́ньку Жу́кова, ма́льчика лет девяти́, о́тдали в уче́нье к сапо́жнику.

Одна́жды, когда́ хозя́ин и подмасте́рья ушли́, он 5 доста́л из хозя́йского шка́па буты́лку с черни́лами и ру́чку с перо́м. Он положи́л пе́ред собо́ю помя́тый лист бума́ги и стал писа́ть.

Пре́жде чем написа́ть пе́рвую бу́кву, он не́сколько раз пугли́во огляну́лся на дверь и о́кна. Бума́га 10 лежа́ла на скамье́, а сам он стоя́л пе́ред скамьёй на коле́нях.

"Ми́лый де́душка, Константи́н Мака́рович!—писа́л он,—я пишу́ тебе́ письмо́. Нет у меня́ ни ма́тери, ни отца́, то́лько ты у меня́ оди́н оста́лся."   15

Ва́нька вздохну́л, обмакну́л перо́ и продолжа́л писа́ть.

"Вчера́ меня́ поби́ли за то, что я кача́л ребёнка в лю́льке и неча́янно засну́л. Подмасте́рья надо мно́й смею́тся, хозя́ин бьёт, а еды́ ма́ло. Утром даю́т 20 хле́ба, в обе́д ка́ши и к ве́черу то́же хле́ба. Спать мне веля́т в сеня́х. Когда́ ребёнок пла́чет, я во́все не сплю, а кача́ю лю́льку.

"Ми́лый де́душка, сде́лай ми́лость, возьми́ меня́ отсю́да домо́й, в дере́вню. Нет у меня́ бо́льше сил 25 жить здесь. Прошу́ тебя́, возьми́ меня́ отсю́да, а то умру́."

Ва́нька покриви́л рот, потёр свои́м чёрным кулако́м глаза́ и запла́кал.

"Приезжа́й, ми́лый де́душка," продолжа́л Ва́нька. 30 "Пожале́й ты меня́, сироту́ несча́стного, возьми́ меня́

отсю́да. Меня́ все бьют, и ку́шать о́чень хочу́, а
ску́ка така́я, что и сказа́ть нельзя́, всё пла́чу. Я
кла́няюсь Алёне, Его́ру и ку́черу. Гармо́нию мою́
никому́ не отдава́й. Твой внук Ива́н Жу́ков. Ми́лый
5 де́душка, приезжа́й.”

Ва́нька сверну́л письмо́ и вложи́л его́ в конве́рт,
кото́рый он купи́л накану́не за копе́йку. Он поду́мал
немно́го, обмакну́л перо́ и написа́л а́дрес: “В де-
ре́вню де́душке.”

10 Пото́м почеса́лся, поду́мал и приба́вил: “Кон-
станти́ну Мака́ровичу.”

1. У кого́ учи́лся Ва́нька Жу́ков? 2. Что он
доста́л? 3. Кому́ он писа́л письмо́? 4. Куда́ он
хоте́л уе́хать? 5. Почему́ Ва́нька запла́кал? 6.
15 Куда́ он вложи́л письмо́? 7. Ско́лько сто́ила ма́рка?
8. Како́й он написа́л а́дрес?

❦❦❦❦❦

Откры́тая доро́га.

Оте́ц Ва́си рабо́тает на о́бувной фа́брике. Пришёл
он с рабо́ты домо́й. Ви́дит, что Ва́ся чита́ет кни́жку.
Он спроси́л его́, что он чита́ет.
20 “Расска́з про Ва́ньку Жу́кова.”—“Интере́сно?”
“Интере́сно, то́лько о́чень гру́стно.”

“Почита́й вслух, я с удово́льствием послу́шаю.”

Стал Ва́ся чита́ть, как Ва́нька Жу́ков жил у
сапо́жника, как хозя́ин его́ бил и как Ва́нька писа́л
25 письмо́ в дере́вню к де́душке.

“Э́то всё ве́рно. Так и меня́ смо́лоду учи́ли,”
сказа́л оте́ц Ва́си. Пото́м он улыбну́лся и приба́вил.
“Ну, что же, ско́ро и твоя́ о́чередь придёт. Ты уже́
зна́ешь гра́моту; пора́ и тебя́ научи́ть ремеслу́. Вот
30 возьму́ тебя́ из шко́лы и отда́м ма́стеру. И тебя́ так
же бу́дут учи́ть.”

Вася отвечает: "Ну, нет! Нам говорили в школе, что теперь дети должны учиться до восемнадцати лет. Я не позволю себя бить. Я скоро в пионеры запишусь, мой товарищи заступятся за меня."

Отец улыбается: "Правду ты говоришь! Теперь 5 не те времена. Советская власть не позволяет детей мучить. Теперь совсем не так рабочих готовят."

"А как?"

"Вот как! Школу ты должен кончить. А когда кончишь, то поступишь в Фабзауч. Фабзауч—это 10 такая школа при заводе, где дети учатся ремеслу. Если будешь хорошо учиться, можешь и до инженера дойти. Теперь рабочему дорога открыта, только учись и не ленись."

1. Где работает отец Васи? 2. Куда он пришёл? 15 3. Какую книжку читает Вася? 4. Что сказал отец? 5. Что он хочет сделать с Васей? 6. Как ответил ему Вася? 7. Куда поступит Вася?

❧❧❧❧

Володя газетчик.

Володя потерял отца и мать и переехал в город к дяде, который занимался продажей газет. Дядя 20 начал брать с собой племянника и они вместе продавали газеты. Володя скоро привык, он ловко прыгал в трамваи, усердно кричал тоненьким голоском: "Газеты! Газеты! Газет не желаете-ли?" и до тех пор не шёл домой, пока не продавал послед- 25 него номера.

Как-то раз он подошёл к трамваю. Почти около самого вагона его остановил барин в шубе, взял у него газету, торопливо достал из кармана деньги, сунул их в руку мальчику и вскочил в вагон, 30

который проходи́л ми́мо. На снегу́ о́коло ног Воло́ди
что́-то черне́ло. Он нагну́лся и по́днял бума́жку;
смо́трит—де́ньги. Вот беда́! Это, наве́рно, ба́рин в
большо́й шу́бе вы́ронил из карма́на. Воло́дя побежа́л
5 и стал крича́ть во всё го́рло: "Стой! . . . По-до-
жди́! . . . . Стой!" Трамва́й останови́лся. Воло́дя
вскочи́л в ваго́н и уви́дел ба́рина. "Вот . . . на
снегу́ . . . " мог то́лько вы́говорить ма́льчик, потому́
что он о́чень запыха́лся. Он по́дал бума́жку ба́рину.
10 Тот улыбну́лся, взял от Воло́ди де́ньги, сказа́л
"спаси́бо" и дал ему́ полти́нник.

Ма́льчик прибежа́л домо́й. Он ра́достно рассказа́л
об э́том происше́ствии и показа́л дя́де но́вый полти́н-
ник. "А кака́я была́ бума́жка?" спроси́ла хозя́йка.
15 "Не зна́ю, тётя, я таки́х никогда́ не ви́дел," отвеча́л
ма́ленький газе́тчик. "Она́ была́ разноцве́тная. . . ."
—"Сто рубле́й!" воскли́кнула хозя́йка и всплесну́ла
рука́ми. "Дура́к ты, дереве́нщина! . . . " Воло́дя
рази́нул рот от удивле́ния и не мог поня́ть за что
20 его́ тётя руга́ется. Но за племя́нника заступи́лся
дя́дя, кото́рый сказа́л: "Так на́до, молоде́ц Воло́дя,"
и погла́дил его́ по голове́.

1. Почему́ Воло́дя перее́хал в го́род? 2. Чем
занима́лся его́ дя́дя? 3. Что де́лал Воло́дя? 4.
25 Привы́к-ли Воло́дя продава́ть газе́ты? 5. Как он их
продава́л? 6. Кто раз подошёл к трамва́ю? 7. Что
уви́дел Воло́дя на снегу́? 8. Что сде́лал ма́льчик?
9. Куда́ он вскочи́л? 10. Что он сказа́л ба́рину?
11. Что сде́лал ба́рин? 12. Кому́ рассказа́л Воло́дя
30 о происше́ствии? 13. Что он показа́л дя́де? 14.
Почему́ ма́льчик рази́нул рот? 15. Что сказа́л
дя́дя?

❀❀❀❀❀

Мать.

Ми́ша был горба́тый, некраси́вый ма́ленький ма́льчик. Прохо́жие по у́лице всегда́ сбора́чивались на него́ и де́лали свои́ замеча́ния ему́ вслед. Ма́льчик проходи́л всегда́ торопли́во: он был рад, когда́ его́ никто́ не замеча́л. 5

Шёл как-то Ми́ша из шко́лы. Уви́дели его́ ма́льчики и погна́лись за ним; они́ дёргали его́ за пальто́, вы́рвали су́мку с кни́гами, дразни́ли его́. "У-у-у . . . Горбу́н . . . Како́й смешно́й!" Ми́ша мо́лча шёл ме́жду ни́ми. Лицо́ его́ станови́лось всё бо́лее 10 и бо́лее кра́сным, гу́бы дрожа́ли, глаза́ блесте́ли от слёз, се́рдце стуча́ло так си́льно что гото́во бы́ло вы́скочить. "Оста́вите-ли вы меня́?" прошепта́л Ми́ша дрожа́щим го́лосом и заме́длил шаги́. "Что я вам сде́лал?"—"У-у-у . . . Горбу́н!"—крича́ли 15 ма́льчики. Ми́ша весь дрожа́л от оби́ды. Шко́льники до́лго дразни́ли его́. Но вот заверну́л он в переу́лок, и шаловли́вая толпа́ оста́вила его́. Ма́льчик останови́лся и вздохну́л глубоко́ и печа́льно. "За что? За что меня́ не лю́бят? За что смею́тся надо мной?" 20 поду́мал он. "За что меня́ обижа́ют, когда́ я никому́ не сде́лал ничего́ дурно́го?"

Вдруг из-за угла́ показа́лась молода́я же́нщина с гру́стным и кро́тким лицо́м. Она́ и́здали улыба́лась ему́, приба́вила ша́гу, и Ми́ша ско́ро был у неё в 25 об'я́тиях. Она́ его́ целова́ла, прижима́ла к себе́ и уча́стливо загля́дывала в глаза́. "Ми́лый, родно́й, голу́бчик мой! Хоте́ла тебя́ встре́тить пора́ньше, да за́нята была́, так мне доса́дно! —"Ма́ма, я сего́дня хорошо́ учи́лся . . . Учи́тельница опя́ть похвали́ла 30 меня́. Ах, ма́мочка, как я рад тебя́ ви́деть!" Всё тяжёлое ста́ло куда́-то уходи́ть далеко́-далеко́ от Ми́ши. Ра́достно, споко́йно, хорошо́ ста́ло в ма́ленькой душе́ ребёнка от не́жного приве́та и ла́сковых слов. Он припа́л голово́й к груди́ ма́тери. Он забыва́л и проща́л несправедли́вость люде́й и станови́лся добре́е.

1. Почему́ прохо́жие всегда́ обора́чивались на
5 Ми́шу? 2. Кто раз уви́дел его́? 3. Что де́лали ма́льчики? 4. Что прошепта́л Ми́ша? 5. Куда́ он заверну́л? 6. Почему́ он вздохну́л печа́льно? 7. Кто показа́лся из-за угла́? 8. Почему́ Ми́ша был сча́стлив?

❧❧❧❧

Приме́ты.

10   Собира́ясь на экза́мен,
Ва́ля говори́ла:
—Е́сли то́лько па́лец ма́мин
Обмакну́ть в черни́ла,

Е́сли я пе́ред доско́ю
15   Как-нибу́дь укра́дкой
Ухитрю́сь одно́й руко́ю
Взять себя́ за пя́тку,

Е́сли, сняв боти́нок в шко́ле,
Повторю́ закля́тье,
20   А пото́м мешо́чек со́ли
Прицеплю́ на пла́тье,

Е́сли я в тролле́йбус но́вый
Ся́ду на Садо́вой,
А в тролле́йбусе вожа́тый
25   Бу́дет борода́тый,

Если я в пути не встречу
Ни единой кошки
Или во-время замечу
И сверну с дорожки,

Не покажется священник   5
В нашем переулке
И дадут мне дома денег
На кино и булки,

Если я зашью монеты
В фартук под оборки,—   10
То, по всем моим приметам,
Получу по всем предметам
Круглые пятёрки! . . .

Но едва успела Валя
Кончить эту фразу,   15
Болтовню её прервали
Три подруги сразу:

—Хорошо, давай поспорим!
Верь в свои приметы,
Ну, а мы пока повторим   20
Школьные предметы!

Наконец настал экзамен,
Мама уступила,
И несчастный палец мамин
Погружён в чернила.   25

И не встретился священник
По дороге в школу,
И достала Валя денег,
Чтоб пришить к подолу.

И она́ в тролле́йбус но́вый
Се́ла на Садо́вой,
И в ваго́не был вожа́тый
О́чень борода́тый,

5

И пред кла́ссною доско́ю
Удало́сь укра́дкой
Ей свобо́дною руко́ю
Взять себя́ за пя́тку, —

10

Но други́е учени́цы
Сда́ли все предме́ты,
А у Ва́ли—едини́цы . . .
Вот вам и приме́ты!

❧❧❧❧❧

Мо́дница.

Лёля к ма́ме пристава́ла,
Добива́лась це́лый год

15

И доби́лась—побыва́ла
В ателье́ после́дних мод.

Там пальто́ тако́е бы́ло,
Что совсе́м её плени́ло,
Так что ма́ме в тот же час

20

Оформля́ть пришло́сь зака́з.

Ах, пальто́, пальто́-регла́н!
Скла́дки, пу́говки, карма́н,
Шля́пка с ба́нтом и перча́тки!
Всё на ме́сте, все в поря́дке!

Наша модница довольна,
Стала кудри завивать
И в своей тетрадке школьной
Шляпку с бантом рисовать.

Все тетрадки исчертила   5
Модами, моделями,
А уроки не учила
Целыми неделями.

Нашу модницу наряды
Всё забыть заставили,   10
Ну, а двойки очень рады—
Поселились в табеле.

❧❧❧❧❧

Книжка про книжки.

I

У Скворцова
Гришки   15
Жили-были
Книжки—
Грязные,
Лохматые,
Рваные,   20
Горбатые,
Без конца
И без начала,
Переплёты—
Как мочала,   25
На листах—
Каракули.
Книжки
Горько
Плакали.   30

II

Дрался Гришка с Мишкой,
Замахнулся книжкой,
Дал разок по голове—
Вместо книжки стало две.

III

5 Горько жаловался Гоголь:
Был он в молодости щёголь,
А теперь, на склоне лет,
Он растрёпан и раздет.

У бедняги Робинзона
10 Кожа содрана с картона,
У Крылова вырван лист,
А в грамматике измятой
На странице тридцать пятой
Нарисован трубочист.

15 В географии Петрова
Нарисована корова
И написано: "Сия
География моя.
Кто возьмёт её без спросу,
20 Тот останется без носу!"

IV

—Как нам быть? —спросили книжки.—
Как избавиться от Гришки?
И сказали братья Гримм:
—Вот что, книжки, убежим!

Растрёпанный задáчник,
Ворчýн и неудáчник,
Прошáмкал им в отвéт:
—Девчóнки и мальчи́шки
Вездé калéчат кни́жки.   5
Кудá бежáть от Гри́шки?
Нигдé спасéнья нет!

—Умóлкни, стáрый ми́нус,—
Сказáли брáтья Гримм,—
И бóльше не серди́ нас   10
Брюзжáнием сво́йм!

Бежи́м в библиотéку,
В центрáльный наш прию́т, —
Там кни́жку человéку
В оби́ду не даю́т!   15

—Нет, —сказалá "Хи́жина
Дя́ди Тóма."—
Гри́шкой я оби́жена,
Не остáнусь дóма!

—Вперёд! —восклики́нул Дон-Кихóт,   20
И кни́жки дви́нулись в похóд.

V

Беспризóрные калéки
Вхóдят в зал библиотéки.
Свéтят лáмпы над столóм,
Блéщут пóлки за стеклóм.   25

В переплётах тёмной кóжи,
Размести́вшись вдоль стены́,
Слóвно зри́тели из лóжи,
Кни́жки смóтрят с вышины́.

Вдруг
Задáчник—
Неудáчник
Побледнéл
5 И стал шептáть:
—Шéстью вóсемь—
Сóрок вóсемь.
Пя́тью дéвять—
Сóрок пять!

10 Геогрáфия в тревóге
К двéри ки́нулась, дрожá.
В э́то врéмя на порóге
Появи́лись сторожá.

Принесли́ они́ метёлки,
15 Стáли зáлы убирáть,
Подметáть полы́ и пóлки,
Переплёты вытирáть.

Чи́сто вы́мели повсю́ду
И за вéшалкой, в углý,
20 Кни́жек пóрванную грýду
Увидáли на полý—
Без концá и без начáла,
Переплёты—как мочáла,
На листáх—карáкули . . .
25 Сторожá заплáкали:

—Бесприю́тные вы кни́жки,
Истрепáли вас мальчи́шки!
Отнесём мы вас к врачý,
К Митрофáну Кузьмичý.
30 Он вас бéдных пожалéет,
И подчи́стит, и подклéит,
И обрéжет, и сошьёт,
И одéнет в переплёт!

VI

Пе́сня Библиоте́чных Книг.

К нам, беспризо́рные
Кни́жки-кале́ки,
В за́лы просто́рные
Библиоте́ки!

Кни́жки-бродя́ги,   5
Кни́жки-неря́хи,
Здесь из бума́ги
Сошью́т вам руба́хи.

Из коленко́ра
Ку́ртки сошью́т,   10
Вы́лечат ско́ро
И па́спорт даду́т.

К нам, беспризо́рные
Кни́жки-кале́ки,
В за́лы просто́рные   15
Библиоте́ки!

VII

Вы́шли кни́жки из больни́цы,
Почини́ли им страни́цы,
Перепёты, корешки́,
Налепи́ли ярлыки́.   20
А пото́м в просто́рном за́ле
Ка́ждой по́лку указа́ли.

Отосла́ли бра́тьев Гримм
К заграни́чным их родны́м.
По сосе́дству у коло́нны   25
Оказа́лись Робинзо́ны.
Не прошло́ ещё и дня,
Как у всех нашла́сь родня́.

VIII

А у Гри́шки неуда́ча:
Гри́шке за́дана зада́ча.
Стал зада́чник он иска́ть.
Загляну́л он под крова́ть,
5 Под столы́, под табуре́тки,
Под дива́ны и куше́тки.
И́щет в пе́чке, и в ведре́,
И в соба́чьей конуре́.

Гри́шке го́рько и оби́дно,
10 А зада́чника не ви́дно.
Что тут де́лать ? Как тут быть ?
Где зада́чник раздобы́ть ?
Остаётся—с моста́ в ре́ку
Иль бежа́ть в библиоте́ку !

IX

15 Говоря́т, в чита́льный зал
Ма́льчик ма́ленький вбежа́л
И спроси́л у стро́гой тёти:
—Вы тут кни́жки выдаёте ?

А в отве́т во всех сторо́н
20 Закрича́ли кни́жки: —Вон !

Кале́ка и скрипа́ч.

В большо́м го́роде, в обще́ственном саду́, по вече-
ра́м сиде́л больно́й, хромо́й ни́щий и игра́л на
скри́пке. О́коло него́ всегда́ была́ соба́ка; она́ дер-
жа́ла во рту его́ ша́пку, в кото́рую лю́ди, когда́
25 проходи́ли ми́мо, броса́ли ме́дные де́ньги.

Но однажды вечером, когда в саду было гулянье, никто не обращал внимания на бедного калеку, и шапка его оставалась пустой. Только один молодой человек остановился возле несчастного, долго слушал его игру и с жалостью смотрел на него. Нищий продолжал играть, но вскоре рука его так устала, что он не мог более держать смычка, сел на камень и грустно опустил голову.

В эту самую минуту молодой человек подошёл к нищему и попросил у него скрипку. "Пока ты отдыхаешь, я поиграю за тебя," сказал незнакомец, настроил скрипку и начал играть. Все были так поражены этой музыкой, что сразу остановились и замерли на месте.

В одну минуту толпа народа окружила музыканта, и шапка нищего, которую держала собака, быстро наполнилась не медными монетами, а серебром и золотом.

Когда скрипач кончил, он положил скрипку па колени нищего и незаметно скрылся из сада. "Кто это?" спрашивали люди. "Это знаменитый музыкант," сказал кто-то в толпе.

1. Где сидел нищий? 2. Что он делал? 3. Что держала собака? 4. Кто остановился около нищего раз вечером? 5. Мог ли играть нищий? 6. Кто стал играть? 7. Почему все были поражены этой музыкой?

❧❧❧❧❧

Буква Ты.

Учил я когда-то одну маленькую девочку читать и писать. Девочку звали Иринушка, было ей четыре года пять месяцев, и была она большая умница. За десять дней она уже выучила почти всю русскую а́збуку и могла́ уже́ свобо́дно чита́ть и "па́па," и "ма́ма," и "Са́ша," и "Ма́ша." Остава́лась то́лько одна́ бу́ква, кото́рую она́ ещё не зна́ла, то́лько са́мая после́дняя бу́ква—"я."

5   И тут вот, на э́той после́дней бу́кве, мы с Ири́нуш-кой и споткну́лись.

Я, как всегда́, показа́л ей бу́кву и сказа́л: —А э́то вот, Ири́нушка, бу́ква "я."

Ири́нушка на меня́ с удивле́нием посмоте́ла и 10 говори́т:

Ири́нушка: Ты?

Ма́льчик: Почему́ "ты"? Что за "ты"? Я же тебе сказа́л: э́то—бу́ква "я."

Ири́нушка: Бу́ква "ты"?

15   Ма́льчик: Да не ты, а "я"!

Она́ ещё бо́льше удиви́лась и говори́т:

—Я и говорю́: ты.

Ма́льчик: Да не я, а бу́ква "я"!

Ири́нушка: Не ты, а бу́ква "ты"?

20   Ма́льчик: Ох, Ири́нушка, голу́бушка! Неуже́ли ты в са́мом де́ле не понима́ешь, что э́то не я, а что э́то бу́ква так называ́ется: "я"?

Ири́нушка: Нет, почему́ не понима́ю? Я понима́ю.

Ма́льчик: Что ты понима́ешь?

25   Ири́нушка: Э́то не ты; а э́то бу́ква так назы-ва́ется: "ты."

Ма́льчик: Фу! Ну в са́мом де́ле, что мне с ней де́лать? Как ей объясни́ть, что я—э́то не я, ты—не ты, она́—не она́, и что вообще́ "я"—э́то то́лько 30 бу́ква? Ну вот что,—сказа́л я, наконе́ц. Ну, дава́й скажи́ как бу́дто про себя́ "я." Понима́ешь? Про себя́. Как ты про себя́ говори́шь.

Она́ поняла́ как бу́дто. Пото́м спра́шивает . . .

Ири́нушка: Говори́ть?

35   Ма́льчик: Ну-ну . . . Коне́чно. (Ви́жу—молчи́т. Губа́ми шевели́т.) Ну, что же ты?

Иринушка: Я сказа́ла.

Ма́льчик: А я не слы́шал, что ты сказа́ла.

Иринушка: Ты же мне веле́л про себя́ говори́ть. Вот я потихо́ньку и говорю́.

Ма́льчик: Что же ты говори́шь?   5

Она́ огляну́лась и шёпотом—на́ ухо мне:

Иринушка: Ты!

Я не вы́держал, схвати́лся за́ голову и забе́гал по ко́мнате. Внутри́ у меня́ уже́ всё кипе́ло, как вода́ в ча́йнике. А бе́дная Иринушка сиде́ла и склони́лась 10 над букварём. Ей, наве́рно, бы́ло сты́дно, что она́ така́я бестолко́вая. Но и мне то́же бы́ло сты́дно, что я не могу́ научи́ть ма́ленького челове́ка пра́вильно чита́ть таку́ю просту́ю бу́кву, как бу́ква "я."

Наконе́ц я приду́мал. Я бы́стро подошёл к 15 Иринушке, ткнул её па́льцем и спра́шиваю: Это кто?

Иринушка: Это я.

Ма́льчик: Ну вот . . . Понима́ешь? А э́то бу́ква "я."

Иринушка: Понима́ю . . . Понима́ю, что э́то я. 20

Ма́льчик: Пра́вильно! Молоде́ц! А вот э́то бу́ква "я." Ясно?

Иринушка: Ясно. Это бу́ква "ты."

Ма́льчик: Да не ты, а "я."

Иринушка: Не я, а ты. Не ты, а бу́ква "ты." 25

Ма́льчик: Не бу́ква "ты," го́споди бо́же мой, а бу́ква "я."

Иринушка: Не бу́ква "я," го́споди бо́же мой, а бу́ква "ты."

Я опя́ть вскочи́л и забе́гал по ко́мнате. —Нет 30 тако́й бу́квы! —закрича́л я. —Пойми́ ты, бестолко́вая девчо́нка! Нет и не мо́жет быть тако́й бу́квы! Есть бу́ква "я." Понима́ешь? "Я"! Бу́ква "я"! Повторя́й за мно́й: я! я! я!

Ты! Ты! Ты! проговори́ла она́ и запла́кала, да 35 так гро́мко, что мне ста́ло жа́лко её. —Хорошо́,

—сказа́л я. Возьми́ свои́ кни́ги и тетра́ди. Ты мо́жешь идти́ гуля́ть.

Она́ ни сло́ва мне не сказа́ла и вы́шла из ко́мнаты.

А я заду́мался: что же де́лать? Как же мы в
5 конце́ концо́в перешагнём че́рез э́ту прокля́тую бу́кву "я"?

—Ла́дно, —реши́л я. —Забу́дем о ней. Начнём сле́дующий уро́к пря́мо с чте́ния. Мо́жет быть, так лу́чше бу́дет.

10 И на друго́й день, Ири́нушка, весёлая раскрасне́вшаяся по́сле игры́, пришла́ на уро́к. Я не стал ей напомина́ть о вчера́шнем, а про́сто откры́л пе́рвую страни́цу букваря́ и сказа́л:

—А ну, суда́рыня, дава́йте-ка почита́йте мне что-
15 нибу́дь . . .

Она́ пошевели́ла губа́ми и бе́гло прочла́:

Ири́нушка: Ты́кову да́ли ты́блоко.

Ма́льчик: От удивле́ния я да́же на сту́ле под-
скочи́л: —Что тако́е? Како́му Ты́кову? Како́е
20 ты́блоко? Что ещё за ты́блоко? Посмотре́л в буква́рь, а там чёрным по бе́лому: "Я́кову да́ли я́блоко." Я засмея́лся. —Я́блоко, Ири́нушка! Я́блоко, а не ты́блоко!

Она́ удиви́лась и говори́т: —Я́блоко? Так зна́чит,
25 э́то бу́ква "я"?

Я уже́ хоте́л сказа́ть: Ну, коне́чно, "я"! Но поду́мал: Нет, голу́бушка! Зна́ю я тебя́! И я сказа́л: —Да, пра́вильно.

Э́то бу́ква "ты." Ну, а тепе́рь иди́ гуля́й!

30 Коне́чно, не о́чень-то хорошо́ говори́ть непра́вду. Да́же о́чень нехорошо́ говори́ть непра́вду. Но что же де́лать! Е́сли бы я сказа́л "я", а не "ты," кто зна́ет, чем э́то ко́нчилось. И, мо́жет быть, бе́дная Ири́нушка так всю жизнь и говори́ла бы: вме́сто
35 "я́блоко"—"ты́блоко" и вме́сто "язы́к"—"тызы́к."

А Ири́нушка, сла́ва бо́гу, вы́росла больша́я, вы́говáривает все бýквы прáвильно и пи́шет мне пи́сьма без однóй оши́бки.

1. Когó мáльчик учи́л читáть и писáть? 2. Как её звáли? 3. Скóлько ей бы́ло лет? 4. Какýю бýкву онá ещё не знáла? 5. Как мáльчик объясни́л ей 5 бýкву "я"? 6. Понялá ли Ири́нушка? 7. Как онá отвéтила? 8. Что тогдá сказáл ей мáльчик? 9. Что Ири́нушка прошептáла емý нá ухо? 10. Почемý он схвати́лся зá голову? 11. Почемý онá заплáкала? 12. Почемý мáльчику стáло жаль её? 13. Как 10 Ири́нушка читáла на другóй день? 14. Научи́лась ли онá прáвильно читáть и писáть?

Дворéц Культýры.

В вечéрние часы́ трýдно попáсть в трамвáй, котó-рый направля́ется к дворцý Культýры. Ежеднéвно собирáются сюдá рабóчие из окрéстностей Ленин- 15 грáда с жёнами и детьми́, чтобы послýшать лéкцию и́ли концéрт, посмотрéть нóвую карти́ну и́ли спек-тáкль, почитáть кни́гу и́ли газéту, поигрáть в шáх-маты и́ли в шáшки. Дворéц Культýры люби́мое мéсто óтдыха всегó Ленингрáда. Все знáют, что 20 здесь мóжно получи́ть всесторóннее образовáние. Огрóмный теáтр Дворцá Культýры, котóрый вме-щáет две ты́сячи человéк, ви́дел на своéй сцéне лýчших арти́стов Москвы́ и Ленингрáда, лýчшие произведéния клáссиков и пролетáрских драматýргов. 25

Во Дворцé Культýры два концéртных зáла, из котóрых кáждый вмещáет по шестисóт человéк. Там же нахóдятся два ки́но-теáтра, оди́н звуковóй, на пятьсóт зри́телей кáждый. Крóме теáтров во Дворцé есть анти-религиóзный кабинéт, тáкже и библиотéка, 30

в которой около двадцати тысяч книг. Во Дворце
находятся читальни, хорошо устроенные, и комнаты
для отдыха, которые украшены картинами лучших
художников. Во всевозможных аудиториях можно
5 найти несколько тысяч человек ежедневно.

❧❧❧❧❧

Город будущего.

М. Ильин.   (Маршак.)

Как строился старый город?

В центре города—крепость, кремль, укреплённое
гнездо. Вокруг кремля—кольцо рынков, лавок и
10 мастерских—торговая и ремесленная часть. А когда
стали строить фабрики, они опоясали город третьим
кольцом—фабричным. И среди этих лавок, рынков
и фабрик—жилые дома, получше в центре, похуже
на окраинах.

15 Новый город будет строиться не так. Сердце
нового города—не крепость и не рынок, а завод
или электростанция.

Около каждой большой электростанции, около
каждой большой фабрики или союза фабрик возни-
20 кает город.

Не крепостная стена с бойницами . . ., а зелёная
стена парков будет отделять сердце города—фабрику
—от жилых кварталов. Эта зелёная стена будет
защищать город от дыма и копоти заводских труб.

25 И самые кварталы будут совсем другие. От цент-
ральной площади лучами разбегутся во все стороны
улицы—аллеи, улицы—бульвары. Здания домов не
будут стоять, как солдаты, все лицом в одну сторону.
Каждый дом повернётся к солнцу, чтобы как можно
30 больше лучей взять у него. Белые дома коммун,

школ, библиоте́к, больни́ц бу́дут окружены́ цветни-
ка́ми. К ка́ждому вхо́ду бу́дут вас провожа́ть зелё-
ные велика́ны—со́сны, ли́пы, дубы́.

Весёлое пе́ние птиц и протя́жный, споко́йный,
ободря́ющий го́лос дере́вьев—вот что вы услы́шите   5
на у́лицах го́рода вме́сто гу́ла, зво́на и гро́хота. На
у́лицах не бу́дет э́той делово́й суеты́, э́той утоми́-
тельной возни́, кото́рая так надое́ла нам, жи́телям
городо́в. Учрежде́ния бу́дут расположены́ вдали́ от
жилья́. Там, где лю́ди живу́т, должно́ быть ти́хо и   10
ми́рно. И движе́ния на у́лицах бу́дет ме́ньше, не
бу́дет таки́х колосса́льных городо́в, как сейча́с.

Сто ты́сяч жи́телей в го́роде—э́то бу́дет уже́ мно́го.

Ка́ждый бу́дущий го́род—э́то рабо́чий посёлок при
. . . заво́де, а заво́ды и сою́зы заво́дов не бу́дут все   15
вме́сте, они́ бу́дут распределены́ по всей стране́.
Ведь и сырьё то́же у нас не в одно́м ме́сте, а в ты́сяче
мест.

Так бу́дет стро́иться го́род. А что же с дере́впей?

Дере́вни не бу́дет. Хлеб, мя́со, молоко́ мы бу́дем   20
добыва́ть на фа́бриках—в совхо́зах и колхо́зах.
О́коло ка́ждой тако́й се́льско-хозя́йственной фа́брики
бу́дут стро́иться и други́е фа́брики—пищевы́е, муко-
мо́льные, консе́рвные, бо́йни, холоди́льники. И все
они́ бу́дут в сою́зе. Э́то бу́дет то́же сою́з заво́дов   25
. . . но не промы́шленный, а земледе́льческий. И
о́коло ка́ждого тако́го . . . сою́за возни́кнет го́род
—се́льско-хозя́йственный го́род. Зна́чит не бу́дет
разли́чия ме́жду го́родом и дере́вней, ме́жду кресть-
я́нином и рабо́чим.   30

❧❧❧❧❧

Ма́льчик у Христа́ на ёлке.

Ма́ленький ма́льчик, лет шести́, просну́лся у́тром
в сыро́м подва́ле. Оде́т он был в хала́тик и дрожа́л.

Он о́чень хоте́л ку́шать. Он не́сколько раз подходи́л
к углу́, где лежа́ла его́ больна́я мать. Как она́ здесь
очути́лась? Вероя́тно она́ прие́хала с свои́м сы́ном
из чужо́го го́рода и вдруг заболе́ла. Ма́льчик уже́
5 вы́пил немно́го воды́, но не мог нигде́ найти́ хле́ба и
в деся́тый раз уже́ подходи́л разбуди́ть свою́ ма́му.
Жу́тко ста́ло ему́, наконе́ц, в темноте́. Давно́ уже́
наступи́л ве́чер, но огня́ не зажига́ли. Он пощу́пал
лицо́ ма́мы и удиви́лся, что она́ не дви́гается и ста́ла
10 така́я же холо́дная, как стена́. “О́чень здесь хо́лод-
но,” поду́мал он, постоя́л немно́го, пото́м взял свою́
ша́пку и потихо́ньку вы́шел из подва́ла.

Како́й го́род! Никогда́ он ещё не ви́дел ничего́
тако́го. Там, отку́да он прие́хал, по ноча́м о́чень
15 темно́ : оди́н фона́рь на всю у́лицу. На у́лице никого́
нет, все сидя́т до́ма, и то́лько соба́ки ла́ют всю ночь.
Но там бы́ло так тепло́ и ему́ дава́ли ку́шать, а здесь...
Хоть бы поку́шать! И како́й здесь стук и гром,
како́й свет и лю́ди, ло́шади и каре́ты, и моро́з,
20 моро́з! “Как я хочу́ есть! Хоть бы кусо́чек хле́ба!”
Как бо́льно ста́ло вдруг па́льчикам!

Вот и опя́ть у́лица. Кака́я широ́кая! Как все
крича́т, бегу́т и е́дут! А э́то что? Како́е большо́е
стекло́! За стекло́м—ко́мнаты, а в ко́мнате де́рево
25 до потолка́ : это ёлка. На ёлке ско́лько огне́й, ско́ль-
ко золоты́х бума́жек и я́блок, а круго́м ку́клы,
ма́ленькие лоша́дки и други́е игру́шки. В ко́мнате
бе́гают наря́дные де́ти. Они́ смею́тся и игра́ют, и
едя́т и пьют что́-то. Вот э́та де́вочка начала́ танцова́ть
30 с ма́льчиком. Кака́я хоро́шенькая! Вот и му́зыка,
сквозь окно́ слы́шно. Ма́льчик смо́трит и удивля́ется.
Он смеётся, но у него́ боля́т уже́ па́льчики и· на
но́жках, а на ру́чках ста́ли совсе́м кра́сные и бо́льно
их пошевели́ть. Он на́чал пла́кать от бо́ли и побежа́л
35 да́льше. . . .

Вдруг большо́й ма́льчик схвати́л его́ и на́чал его́

бить. Бедный мальчик упал, потом вскочил и побежал, быстро, быстро. Он прибежал на чужой двор и спрятался за дровами: "Тут не найдут, темно!"

Он сел, а сам от страху едва дышит. Вдруг ему 5 стало совсем хорошо. Ручки и ножки перестали болеть. Стало так тепло, как на печке. Вот он вздрогнул: "Ах, да я почти заснул! Как хорошо тут заснуть!" Ему показалось, что над ним его мама запела песенку. "Мама, я сплю, ах, как тут 10 спать хорошо!"

"Пойдём ко мне на ёлку, мальчик," прошептал над ним тихий голос.

Он сначала подумал, что это его мать. Но нет, не она. Кто же его позвал? Он не видит, но кто-то 15 обнял его в темноте. Он протянул ему руку и . . . вдруг. . . . Какой свет! О какая ёлка! Он не видел таких деревьев. Где он теперь? Всё блестит, всё сияет и кругом мальчики и девочки. Они все такие добрые и ласковые. Они летают около него, 20 целуют и несут его с собой. И сам он летает. Он видит: его мама смотрит на него и смеётся.

"Мама, мама! Ах, как хорошо тут, мама!"— кричит ей мальчик. "Кто вы, мальчики? Кто вы, девочки?" спрашивает он. 25

"Это Христова ёлка," отвечают ему они. У Христа всегда в этот день ёлка для тех маленьких детей, у которых на земле её нет. . . ."

На утро дворники нашли маленький трупик мальчика, который ночью замёрз за дровами. . . . 30

1. Где проснулся мальчик? 2. Как он был одет? 3. Что он подумал о маме? 4. Куда он пошёл? 5. Было ли ему тепло на улице? 6. Где он остановился? 7. Что он увидел в окне большого дома? 8. Что делали дети в комнате? 9. Кто начал бить мальчика? 35

10. Куда́ он побежа́л ?   11. Где он спря́тался ?   12. Кто позва́л его́ и запе́л пе́сенку ?   13. Кто лета́ет о́коло ёлки ?   14. Что отвеча́ют ему́ де́ти ?   15. Кто нашёл тру́пик ма́льчика ?

Заутреня.

5   Пе́рвая за́утреня ! Моё се́рдце о́чень си́льно стуча́ло, когда́ меня́ в пе́рвый раз мать взяла́ с собо́ю к за́утрене. Наря́дно оде́тый, я шёл по тёмной у́лице. Не звони́ли ещё, но це́рковь была́ уже́ полна́ наро́дом. Вся́кий спеши́л заня́ть своё ме́сто. Все

10 стоя́ли с но́выми свеча́ми. Вот кто́-то перекрести́лся, когда́ услы́шал уда́р ко́локола. В са́мом де́ле— уда́рили, друго́й, тре́тий раз, и я услы́шал чу́дные зву́ки. Как хорошо́ стоя́ть во́зле ма́тери, бра́тьев и сестёр и слу́шать и смотре́ть вокру́г себя́.

15   Вот вы́несли из алтаря́ ста́рые ико́ны и запе́ли. Две́ри закры́ли. Все зажгли́ свой све́чи. У всех таки́е споко́йные, ва́жные ли́ца. Все стоя́т ти́хо-ти́хо и не говоря́т ни сло́ва. Ста́рая ня́ня стои́т о́коло меня́ и де́ржит свечу́. Она́ мо́лится и пла́чет.

20 Бра́тья и сёстры и мать смо́трят мне пря́мо в глаза́ и не улыба́ются. Так ти́хо вокру́г, как бу́дто никого́ нет в це́ркви. Вдруг я услы́шал за дверя́ми го́лос свяще́нника и пе́ние хо́ра. Лю́ди на́чали крести́ться и моли́ться. Наконе́ц отвори́ли две́ри и свяще́нник

25 гро́мко сказа́л: "Христо́с воскре́с !" Наро́д отве́тил: "вои́стину !" Ско́ро вся це́рковь запе́ла вме́сте с хо́ром ра́достные пе́сни воскресе́ния в све́тлую ночь Па́схи. Когда́ мы возврати́лись из це́ркви домо́й, мы разгове́лись кра́шеным яи́чком с кулич́ём

30 и па́схой.

Су́мка почтальо́на.

Ко́ля был до́брый, но о́чень рассе́янный ма́льчик. Он написа́л о́чень ми́лое письмо́ к свое́й ба́бушке в Москву́: поздравля́л её с пра́здником, опи́сывал свою́ дереве́нскую жизнь, чему́ он у́чится, как прово́дит вре́мя,—сло́вом, письмо́ бы́ло инте-   5 ре́сное. Но вме́сто письма́ Ко́ля вложи́л в конве́рт лист чи́стой бума́ги, а письмо́ оста́лось лежа́ть на столе́. Конве́рт запеча́тан, а́дрес напи́сан, почто́вая ма́рка накле́ена, и пусто́й лист бума́ги отпра́вился в Москву́.   10

Вёрст пятьсо́т прое́хал конве́рт Ко́ли. Вот он и в Москве́, а че́рез не́сколько мину́т и в су́мке почталь-о́на, кото́рый бежи́т по у́лицам, зво́нит у под'е́здов и раздаёт пи́сьма по адреса́м. Конве́рт Ко́ли не лежа́л споко́йно; он, как все пусты́е существа́, был   15 о́чень болтли́в и любопы́тен.

"Вы куда́ отправля́етесь, и что в вас напи́сано?" спроси́л он у своего́ сосе́да, то́лстого, краси́вого кон-ве́рта из дорого́й бума́ги, с большо́й ге́рбовой печа́тью.

Сосе́д отвеча́л не сра́зу; он снача́ла посмотре́л, с   20 кем име́ет де́ло, и, когда́ он заме́тил, что тот кто вступи́л с ним в разгово́р, был хоро́шенький, чи́стень-кий конве́рт, удосто́ил его́ отве́та: "По моему́ а́дресу, мой ми́лый малю́тка, вы уже́ мо́жете за-ключи́ть, что я е́ду к о́чень ва́жному лицу́. Пред-   25 ста́вьте же себе́, каково́ мне лежа́ть в э́той тёмной су́мке. ря́дом с таки́ми паке́тами, как наприме́р, мой сосе́д с ле́вой стороны́. Жаль, что вы не ви́дите э́того се́рого запа́чканного уро́да, с солда́тской пу́говицей вме́сто печа́ти; и а́дрес-то како́й на нём?   30 —кара́кульки! и е́дет-то он куда́?—в немощёную у́лицу, и ещё в подва́л. Нево́льно испа́чкаешься о́коло него́!"

"Я не винова́т, что нас положи́ли ря́дом," отве́тил

суро́во солда́тский паке́т. "И мне, признаю́сь, ску́чно лежа́ть во́зле тако́го глу́пого ба́рина, как ты. Обёртка-то твоя́ хороша́, но что в середи́не? Всё пусты́е фра́зы, в кото́рых нет ни сло́ва пра́вды. Тот,
5 кто писа́л тебя́, терпе́ть не мо́жет того́, к кому́ ты напи́сан."

"Неве́жа, · как ты сме́ешь! Я удивля́юсь, почему́ почтальо́н не вы́кинет тебя́ на у́лицу за таки́е де́рзости! Ты посмотри́ то́лько на мой герб!"
10 "Что герб!"—отвеча́л гру́бо солда́т. "Герб у тебя́ хоро́ш, но под гербо́м-то что? Глу́пые фра́зы! Ни одно́й ка́пли пра́вды—всё ложь и го́рдость!"

Ва́жный конве́рт гото́в был ло́пнуть с доса́ды и ло́пнул бы наве́рно, е́сли бы в э́то са́мое вре́мя
15 почтальо́н не вы́тащил его́ из су́мки и не переда́л швейца́ру.

"Сла́ва Бо́гу, одни́м дурако́м ме́ньше," продолжа́л серди́тый паке́т. "Е́сли бы то́лько он знал, что во мне напи́сано."
20 "Что же тако́е напи́сано в вас?—спроси́л конве́рт Ко́ли."

"Да вот что, мой любе́зный! Я несу́ изве́стие бе́дной стару́шке, что сын её, о кото́ром она́ не слы́шала уже́ лет де́сять—с тех са́мых пор, как его́
25 взя́ли в солда́ты,—жив, здоро́в и ско́ро прие́дет домо́й. Пра́вда, я напи́сан кара́кульками, меня́ написа́л солда́т, кото́рый вы́учился гра́моте само-у́чкой, писа́л плохи́м перо́м и на се́рой бума́ге; но е́сли бы ты ви́дел кака́я тёплая слеза́ скати́лась с
30 его́ усо́в и упа́ла на меня́! Сла́вная слеза́! Я бе́режно несу́ её ма́тери. Я зна́ю, что меня́ ожида́ет хоро́шая у́часть, не то что го́рдого ба́рина, кото́рый, сла́ва Бо́гу, убра́лся во-своя́си. На него́ едва́ посмо́трят и бро́сят под стол. Мою́ же ка́ждую кара́-
35 кульку мать прочтёт ты́сячу раз и прижмёт меня́ к своему́ се́рдцу, пото́м спря́чет на свое́й матери́нской

груди. Эх, если бы скорее принёс меня этот несносный почтальон!"

"А вы куда?"—спросил любопытный конверт Коли и обратился к своему соседу с другой стороны, пакету с чёрной печатью.

"По цвету моей печати," отвечал тот, "вы видите, что я несу грустную новость. Бедный мальчик, который теперь лежит в больнице, прочтёт во мне, что его отец скончался. Я также весь облит слезами, но только не радостными слезами."

Рука почтальона, который остановился около какого-то учебного заведения, вытащила из сумки печальное письмо с чёрной печатью. Новый сосед конверта Коли был уже совсем другой.

"Ха-ха-ха!"—отвечал он на его вопрос. "Если бы вы только знали, какие смешные вещи во мне написаны! Тот, кто написал меня, превесёлого нрава; я знаю, что тот, кто будет читать меня, непременно захохочет: во мне всё написаны пустяки, но всё такие забавные пустяки."

Другие письма тоже вмешались в разговор и каждое спешило сказать какую новость оно несёт.

"Я несу богатому купцу известие, что товары его проданы по высокой цене." "А я несу другому, что он разорён." "Я иду разбранить Васю, что он давно не пишет к своим родителям." "Меня писал деревенский дьяк от имени Акулины к её мужу в Москву, и я сверху до низу наполнен поклонами." "А во мне, что ни слово, то ложь. Мне даже совестно ехать с таким грузом!"

Так болтали между собой в сумке почтальона письма, а он между тем бегал по улицам и разносил по домам радость и горе, смех и печаль, любовь и злобу, дружбу и ненависть, правду и ложь, важные известия и глупые, пустые фразы. Дошла, наконец, очередь до письма Коли; почтальон отдал его

дворнику, дворник—горничной, горничная—старой
бабушке, которая сидела у окна и вязала чулок.
Бабушка открыла конверт, вынула пустой лист,
смотрела на него с удивлением и не понимала, кто
5 это так глупо подшутил над ней.

1. Кому Коля написал письмо? 2. О чём он
писал? 3. Что он вложил в конверт? 4. Куда он
послал письмо? 5. Кто раздаёт письма? 6. Что
спросил конверт Коли у своего соседа? 7. Куда
10 ехал толстый конверт? 8. Какой адрес был на
солдатском конверте? 9. О чём писал солдат? 10.
Кому он послал письмо? 11. Куда ехал пакет с
чёрной печатью? 12. Какую новость он несёт?
13. О чём говорили другие конверты? 14. Что
15 думала бабушка когда почтальон принёс ей письмо?

❧❧❧❧❧

Почта Борису Житкову.

I

Кто стучится в дверь ко мне
С толстой сумкой на ремне,
С цифрой 5 на медной бляшке
В синей форменной фуражке?
20   Это он,
            Это он,
Ленинградский почтальон!
У него
Сегодня много
25 Писем
В сумке на боку—
Из Ташкента,
Таганрога,
Из Тамбова
30 И Баку.

В семь часо́в он на́чал де́ло,
В де́сять су́мка похуде́ла,
А к двена́дцати часа́м
Всё разнёс по адреса́м.

II

—Заказно́е из Росто́ва   5
Для това́рища Житко́ва.
—Заказно́е для Житко́ва?
Извини́те, нет тако́го:
В Ло́ндон вы́летел вчера́
В семь четы́рнадцать утра́!   10

III

Житко́в за грани́цу
По во́здуху мчи́тся, —
Земля́ зелене́ет внизу́.
А вслед за Житко́вым
В ваго́не почто́вом   15
Письмо́ заказно́е везу́т.

Паке́ты по по́лкам
Разло́жены с то́лком,
В доро́ге разбо́рка идёт,
И два почтальо́на   20
На ла́вках ваго́на
Кача́ются ночь напролёт.

Откры́тка—
В Дубро́вку,
Посы́лка—   25
В Покро́вку,
Газе́та—
В Росто́в-на-Дону́.

Письмо́—
В Бологóе.
А вот заказнóе
Поéдет в чужýю странý.

IV

5
Письмó
Самó
Никудá не пойдёт,
Но в я́щик его опусти́—
Онó пробежи́т,
10
Пролети́т,
Проплывёт
Ты́сячи вёрст пути́.

Нетрýдно письмý
Уви́деть свет:
15
Емý
Не нýжен билéт.
На мéдные дéньги
Объéдет мир
Заклéенный
20
Пассажи́р.

V

В дорóге
Онó
Не пьёт и не ест
И тóлько однó
25
Говори́т:
—Срóчное.
А́нглия.
Лóндон.
Вест,
30
14. Бóбкин-стрит.

Бежи́т, подбра́сывая груз,
За авто́бусом авто́бус.
Кача́ются на кры́ше
Плака́ты и афи́ши.
Конду́ктор с ле́сенки кричи́т: 5
—Коне́ц маршру́та! Бо́бкин-стрит!

По Бо́бкин-стрит, по Бо́бкин-стрит
Шага́ет бы́стро ми́стер Смит
В почто́вой си́ней ке́пке,
А сам он вро́де ще́пки.   10

Идёт в четы́рнадцатый дом,
Стучи́т вися́чим молотко́м
И говори́т суро́во:
—Для ми́стера Житко́ва.

Швейца́р гляди́т из-под очко́в   15
На и́мя и фами́лию
И говори́т: —Бори́с Житко́в
Отпра́вился в Брази́лию!

VI

Парохо́д
Отойдёт   20
Че́рез две мину́ты.
Чемода́нами наро́д
За́нял все каю́ты.

Но в одну́
Из кают   25
Чемода́нов не несу́т,
Там пое́дет вот что:
Почтальо́н и по́чта!

VII

Под пáльмами Бразúлии,
От знóя утомлён,
Шагáет дон Базúлио,
Бразúльский почтальóн.

5   В рукé он дéржит стрáнное,
Измя́тое письмó,
На мáрке инострáнное
Почтóвое клеймó.

И нáдпись над фамúлией
10   О том, что адресáт
Уéхал из Бразúлии
Обрáтно в Ленингрáд.

VIII

Кто стучúтся в дверь ко мне
С тóлстой сýмкой на ремнé,
15   С цúфрой 5 на мéдной бля́шке,
В сúней фóрменной фурáжке?
          Э́то он,
          Э́то он,
Ленингрáдский почтальóн!

20   Он протя́гивает снóва
Заказнóе для Житкóва.
—Для Житкóва?
Эй, Борúс,
Получú и распишúсь!

25   Мой сосéд вскочúл с постéли:
—Вот так чýдо в сáмом дéле!
Погляди́, письмó за мной
Облетéло шар земнóй.

Мчáлось пó морю вдогóнку,
Понеслóсь на Амазóнку,
Вслед за мной егó везлú
Поездá и кораблú.

По моря́м и гóрным склóнам 5
Добрелó онó ко мне.
Честь и слáва почтальóнам,
Утомлённым, запылённым,
Слáва чéстным почтальóнам
С тóлстой сýмкой на ремнé! 10

❀❀❀❀❀

Вúтя Малéев в шкóле и дóма.

Тóлько я сел за урóки, вдруг моя́ сестрá Лúка говорúт:

—Вúтя, нам тут задáчу зáдали, я никáк не могý решúть. Помогú мне.

Я тóлько поглядéл на задáчу и дýмаю: "Вот 15 бýдет истóрия, éсли я не смогý решúть! Срáзу весь авторитéт пропадёт." И говорю́ ей:

—Мне сейчáс нéкогда. У меня́ тут своúх урóков мнóго. Ты подú погуля́й чáсика два, а потóм придёшь, я помогý тебé. 20

Дýмаю: "Покá онá бýдет гуля́ть, я над задáчей подýмаю, а потóм объясню́ ей."

—Ну, я пойдý к подрýге, —говорúт Лúка.

—Идú, идú, —говорю́. —Тóлько не приходú слúшком скóро. Часá два мóжешь гуля́ть úли три. 25 В óбщем гуля́й, скóлько хóчешь.

Онá ушлá, а я взял задáчник и стал читáть задáчу: "Мáльчик и дéвочка рвáли в лесý орéхи. Онú сорвáли всегó сто двáдцать штук. Дéвочка сорвалá в два рáза мéньше чем мáльчик. Скóлько орéхов бы́ло 30 у мáльчика и дéвочки?"

Прочитал я задачу, и даже смех меня разобрал.
"Вот так задача! —думаю. —Чего тут не понимать? Ясно, сто двадцать надо поделить на два,
получится шестьдесят. Значит, девочка сорвала
5 шестьдесят орехов. Теперь нужно узнать, сколько—
мальчик: сто двадцать отнять шестьдесят, тоже
будет шестьдесят . . . Только как же это так?
Получается, что они сорвали поровну, а в задаче
сказано, что девочка сорвала в два раза меньше
10 орехов. Ага! —думаю. —Значит, шестьдесят надо
поделить на два, получится тридцать. Значит,
мальчик сорвал шестьдесят, а девочка тридцать
орехов." Посмотрел в ответ, а там мальчик восемьдесят, а девочка сорок.

15   —Позвольте! —говорю. —Как же это так? У
меня получается тридцать и шестьдесят, а тут сорок
и восемьдесят.

Стал проверять — всего сорвали сто двадцать
орехов. Если мальчик сорвал шестьдесят, а девочка
20 тридцать, то всего получается девяносто. Значит,
неправильно! Снова стал делать задачу. Опять у
меня получается тридцать и шестьдесят! Откуда же
в ответе берутся сорок и восемьдесят? Прямо закол-
дованный круг получается!

25   Вот тут-то я и задумался. Читал задачу раз
десять подряд и никак не мог найти, в чём здесь
загвоздка.

"Ну, —думаю, —это третьеклассникам задают
такие задачи, что и четвёртоклассник не может
30 решить! Как же они учатся, бедные?"

Стал я думать над этой задачей. Стыдно мне было
не решить её. "Вот, —скажет Лика, —в четвёртом
классе, а для третьего класса не смог решить!" Стал
я думать ещё усиленнее. Ничего не выходит. Прямо
35 затмение на меня нашло! Сижу и не знаю, что
делать. В задаче говорится, что всего орехов было

сто два́дцать, и вот на́до раздели́ть их так, чтоб у
одного́ бы́ло в два ра́за бо́льше, чем у друго́го. Е́сли
бы тут бы́ли каки́е-нибу́дь други́е ци́фры, то ещё
мо́жно бы́ло-бы что-нибу́дь приду́мать, а тут ско́лько
ни дели́ сто два́дцать на два, ско́лько ни отнима́й два 5
от ста двадцати́, ско́лько ни умножа́й сто два́дцать
на два, всё равно́ со́рок и во́семьдесят не полу́чится.

С отча́яния я нарисова́л в тетра́дке оре́ховое де́рево,
а под де́ревом ма́льчика и де́вочку, а на де́реве сто
два́дцать оре́хов. И вот я рисова́л э́ти оре́хи, рисова́л, 10
а сам всё ду́мал . . . То́лько мы́сли мои́ куда́-то не
туда́ шли, куда́ на́до. Снача́ла я ду́мал, почему́
ма́льчик нарва́л вдво́е бо́льше, а пото́м догада́лся,
что ма́льчик, наве́рно, на де́рево взлез, а де́вочка
внизу́ рвала́, вот у неё и получи́лось ме́ньше. Пото́м 15
я стал рвать оре́хи, то-есть про́сто стира́л их рези́нкой
с де́рева и отдава́л ма́льчику и де́вочке, то-есть
рисова́л оре́хи у них над голово́й. Пото́м я стал
ду́мать, что они́ скла́дывали оре́хи в карма́ны.
Ма́льчик был в ку́рточке, я нарисова́л ему́ по бока́м 20
два карма́на, а де́вочка была́ в пере́дничке. Я на
э́том пере́дничке нарисова́л оди́н карма́н. Тогда́ я
стал ду́мать, что, мо́жет быть, де́вочка нарва́ла
оре́хов ме́ньше потому́, что у неё был то́лько оди́н
карма́н. И вот я сиде́л и смотре́л на них: у ма́льчика 25
два карма́на, у де́вочки оди́н карма́н, и у меня́ в
голове́ ста́ли появля́ться каки́е-то про́блески. Я стёр
оре́хи у них над голово́й и нарисова́л им карма́ны,
бу́дто в них оре́хи лежа́ли. Все сто два́дцать оре́хов
тепе́рь лежа́ли у них в трёх карма́нах: в двух 30
карма́нах у ма́льчика и в одно́м карма́не у де́вочки.
А всего́, зна́чит, в трёх. И вдруг у меня́ в голове́,
бу́дто мо́лния, блесну́ла мысль: "Все сто два́дцать
оре́хов на́до дели́ть на три ча́сти! Де́вочка·возьмёт
себе́ одну́ часть, а две ча́сти оста́нутся ма́льчику. Вот 35
и бу́дет у него́ вдво́е бо́льше! "Я бы́стро подели́л сто

двадцать на три, получилось сорок. Значит, одна часть сорок. Это у девочки было сорок орехов, а у мальчика две части, значит сорок помножить на два, будет восемьдесят! Точно, как в ответе. Я чуть не
5 подпрыгнул от радости и скорей побежал к Ване Пахомову, рассказать ему, как я сам додумался решить задачу.

Выбегаю на улицу, смотрю—идёт Шишкин.

—Слушай, —говорю, —Костя. Мальчик и девочка
10 рвали в лесу орехи, нарвали сто двадцать штук, мальчик взял себе вдвое больше, чем девочка. Что делать, по-твоему?

—Надавать, —говорит, —ему по шее, чтоб не обижал девочек!

15 —Да я не про то спрашиваю! Как им разделить, чтоб у него было вдвое?

—Пусть делят, как сами хотят. Чего ты ко мне пристал? Пусть поровну делят.

—Да нельзя поровну. Это задача такая.

20 —Какая ещё задача?

—Ну, задача по арифметике.

—Тьфу! —говорит Шикин. —У меня морская свинка подохла. Я её только позавчера купил, а он тут с задачами лезет!

25 —Ну, прости, —говорю. —Я не знал, что у тебя такое горе.

—И побежал дальше.

Прибегаю к Ване. —Слушай, —говорю, —вот какая задача мудрёная: мальчик и девочка сорвали
30 сто двадцать орехов. Мальчик взял себе вдвое больше. Надо делить на три части. Правильно я догадался?

—Правильно, —говорит Ваня. —Одну часть возьмёт девочка, а две части мальчик, вот у него и
35 будет вдвое больше.

—Это я сам догадался. Понимаешь, дали задачу:

ду́мали, никто́ не догада́ется, а я всё-таки́ догада́лся!
Побежа́л я обра́тно домо́й. Ско́ро верну́лась Ли́ка.
Я сейча́с же на́чал объясня́ть ей зада́чу. Нарисова́л
де́рево с оре́хами, и ма́льчика с двумя́ карма́нами, и
де́вочку с одни́м карма́ном.   5

—Вот, —говори́т Ли́ка, —как ты хорошо́ объяс-
ня́ешь! Я сама́ ни за что не догада́лась бы!

—Ну, э́то пустяко́вая зада́ча. Когда́ тебе́ на́до,
ты мне говори́. Я тебе́ всё объясню́ в два счёта.

И вот я как-то совсе́м неожи́данно из одного́ 10
челове́ка преврати́лся в совсе́м друго́го. Ра́ньше мне
самому́ помога́ли, а тепе́рь я сам могу́ други́х учи́ть.
И, гла́вное, у меня́ ведь по арифме́тике была́ дво́йка!!

1. О чём проси́ла Ви́тю его́ сестра́? 2. Что он
сказа́л ей? 3. Каку́ю зада́чу он до́лжен был реши́ть? 15
4. Почему́ его́ разобра́л смех? 5. Како́й отве́т у
него́ получа́ется? 6. Почему́ у него́ получа́ется
заколдо́ванный круг? 7. Мог ли он найти́, в чём
здесь загво́здка? 8. Тру́дная ли э́то была́ зада́ча?
9. Что он сде́лал с отча́яния? 10. Как он реши́л 20
зада́чу? 11. Был ли он рад? 12. Куда́ он вы́бежал?
13. Кого́ он спроси́л о зада́че? 14. Как отве́тил его́
това́рищ? 15. Како́е го́ре бы́ло у Ши́шкина? 16.
Как Ви́тя преврати́лся в совсе́м друго́го челове́ка?

❧❧❧❧❧

Бу́ква "Я"

Всем изве́стно:
Бу́ква "Я"
В а́збуке
После́дняя.

5   А изве́стно ли кому́,
Отчего́ и почему́ ?
Неизве́стно ?
    —Неизве́стно !
Интере́сно ?
10   —Интере́сно !
Ну, так слуша́йте расска́з.

Жи́ли в а́збуке у нас
Бу́квы.
Жи́ли—не тужи́ли,
15   Потому́ что все дружи́ли.
Где никто́ не ссо́рится,
Там и де́ло спо́рится.
То́лько раз
Всё де́ло ста́ло
20   Из-за стра́шного сканда́ла:
Взбунтова́лась
Бу́ква "Я" !
    —Я, —сказа́ла бу́ква "Я,"—
Гла́вная—загла́вная !
25   Я хочу́,
Что́бы повсю́ду
Впереди́
Стоя́ла
Я !
30   Не хочу́ стоя́ть в ряду́ !
    Быть жела́ю
На виду́ !

Говоря́т ей:
—Встань на ме́сто!
Отвеча́ет:
—Не пойду́!
Я ведь вам не про́сто бу́ква.   5
Я—
Местоиме́ние.
Вы
В сравне́нии со мно́ю—
Недоразуме́ние!   10
Тут вся а́збука пришла́
В стра́шное волне́ние.
—Фу-фу-фу!—
Вздохну́ло "Ф,"
От оби́ды покрасне́в.   15
—Срам!—
Серди́то "С" сказа́ло:
"В" кричи́т:
—Вообража́ла! . . .
Это ка́ждый так бы мог!   20
Мо́жет, я и сам—предло́г!
Проворча́ло "П":
—Попро́буй,
Потолку́й с тако́й осо́бой! . . .
—Ну́жен к ней подхо́д осо́бый,—   25
Вдруг промя́млил Мя́гкий знак,
А серди́тый Твёрдый знак
Мо́лча показа́л кула́к.

—Ти-и-и-ше, бу́квы! Сты́дно, зна́ки!
Закрича́ли Гла́сные.—   30
Не хвата́ло то́лько дра́ки!
А ещё Согла́сные!
На́до ра́ньше разобра́ться,
А пото́м уже́ и дра́ться!
Мы же—гра́мотный наро́д.   35

Бу́ква "Я"
Сама́ поймёт:
Ра́зве мы́слимое де́ло
Всю́ду
"Я"
Сова́ть вперёд?
Ведь никто́ в тако́м письме́
Не поймёт ни бе, ни ме!
"Я"
Зато́пала нога́ми:
—Не хочу́ води́ться с ва́ми!
Бу́ду де́лать всё сама́!
Хва́тит у меня́ ума́!

Бу́квы тут перегляну́лись.
Все—буква́льно!—улыбну́лись.
И отве́тил дру́жный хор:
—Хорошо́!
Идём на спор:
Е́сли смо́жешь в одино́чку
Написа́ть хотя́ бы стро́чку,
Пра́вда, ста́ло быть, твоя́!

—Что́бы Я
Да не суме́ла?
Я ж не кто-нибу́дь, а "Я"!
. . . Бу́ква "Я"
Взяла́сь за де́ло:
Це́лый час она́ пыхте́ла
И кряхте́ла,
И поте́ла,—
Написа́ть она́ суме́ла
То́лько:
". . . яяяяя . . ."
Как зальётся бу́ква "Х":
—Ха-ха-ха-ха-ха-ха-ха-ха! . . .

"О"
От сме́ху
Покати́лось.
"А"
За го́лову схвати́лось.   5
"Б"
Схвати́лось за живо́т . . .
Бу́ква "Я"
Сперва́ крепи́лась,
А пото́м как заревёт: 10
—Я, ребя́та, винова́та!
Признаю́
Вину́ свою́!
Я согла́сна встать, ребя́та,
Да́же сза́ди бу́квы "Ю"!   15
—Что ж, —реши́л весь алфави́т,—
Е́сли хо́чет—пусть стои́т.
Де́ло ведь совсе́м не в ме́сте!
Де́ло в том, что все мы вме́сте!
В том,   20
Чтоб все—
От "А" до "Я"—
Жи́ли, как одна́ семья́!

Бу́ква "Я"
Всегда́ была́   25
Всем и ка́ждому
Мила́.
Но сове́туем, друзья́,
По́мнить ме́сто
Бу́квы "Я"!   30

꧁꧂꧁꧂꧁

Са́мая Дорога́я Бу́ква в ми́ре.

Бу́ква "ъ," так называ́емый "твёрдый знак," сейча́с ведёт себя́ ти́хо и сми́рно на страни́цах на́ших книг.

Как ма́ленький скро́мный тру́женик, она́ появ-
5 ля́ется то тут, то там и выполня́ет всегда́ одну́ и ту же рабо́ту. Рабо́та э́та не сли́шком заме́тная, но необходи́мая.

Но твёрдый знак то́лько тепе́рь стал таки́м ти́хим и скро́мным.

10 Недалеко́ ушло́ вре́мя, когда́ не то́лько шко́льники, но весь наро́д наш был под и́гом э́той бу́квы-раз-
бо́йника, бу́квы-безде́льника, бу́квы-парази́та. . . .
Твёрдый знак ничему́ не помога́л, ничего́ не выра-
жа́л, . . . почти́ ничего́ не де́лал. . . .

15 Я чита́ю знамени́тый рома́н Льва Толсто́го "Война́ и мир." Э́то стари́нное изда́ние: оно́ вы́шло в свет в 1897 году́ и состои́т из четырёх одина́ковых то́миков, по 520 страни́ц в ка́ждом. Всего́ в нём 2.080 страни́ц.

20 Интере́сно, нельзя́ ли подсчита́ть: ско́лько на таки́х 2.080 страни́цах умести́лось бы букв вообще́ и каку́ю до́лю э́того числа́ составля́ют твёрдые зна́ки?
Э́то легко́. На ка́ждой страни́це в сре́днем 1.620 букв. Из них—то́же в сре́днем—на страни́цу прихо́-
25 дится 54–55 твёрдых зна́ков. Кто зна́ет арифме́тику, подсчита́ет: э́то—3,4 проце́нта.

Тепе́рь я́сно: на 2.080 страни́ц рома́на вы́сыпала а́рмия в три миллио́на три́ста се́мьдесят ты́сяч букв.
Ка́ждая из них выполня́ет свою́ зада́чу: ка́ждая
30 помога́ет вам усво́ить мысль гениа́льного писа́теля.
И вдруг среди́ э́тих чёрных солда́т замеша́лось 115 ты́сяч безору́жных безде́льников, кото́рые не то́лько не помога́ют, но да́же меша́ют.

Е́сли бы все твёрдые зна́ки, рассы́панные по тома́м

"Войны́ и ми́ра," собра́ть в одно́ ме́сто и напеча́тать подря́д в конце́ после́днего то́ма, они́ за́няли бы 70 с ли́шком страни́ц.

Э́то не так уж стра́шно. Но ведь кни́ги не выпуска́ются в свет поодино́чке, как ру́кописи. То изда́ние, 5 кото́рое я чита́ю, вы́шло из типогра́фии в коли́честве 3 ты́сяч штук. И в ка́ждом его́ экземпля́ре име́лось— хо́чешь и́ли не хо́чешь!—по 70 страни́ц, за́нятых одни́ми, никому́ не ну́жными "твёрдыми зна́ками." Две́сти де́сять ты́сяч драгоце́нных кни́жных страни́ц! 10 Э́то ли не ужа́с?

Коне́чно у́жас! Из 210 ты́сяч страни́ц мо́жно бы́ло сде́лать 210 книг—по ты́сяче страни́ц ка́ждая.

Не смотри́те как на пустя́к на то, что я рассказа́л вам сейча́с. 15

Постара́йтесь предста́вить себе́ я́сно всю карти́ну, и вы уви́дите, как бу́ква мо́жет буква́льно стать наро́дным бе́дствием.

Е́сли на набо́р "Войны́ и ми́ра" тре́бовалось тогда́, допу́стим, 100 рабо́чих дней, то три с полови́ной 20 дня из них набо́рщики набира́ли одни́ твёрдые зна́ки.

Е́сли на бума́гу, на кото́рой напеча́тан э́тот рома́н, пона́добилось вы́рубить, ска́жем, гекта́р хоро́шего ле́са, то це́лая ро́ща в 20 ме́тров длино́й и 13 ширино́й пошла́ на те 210 то́миков, в кото́рых нельзя́ прочита́ть 25 ро́вно ничего́. Ни еди́ного зву́ка!

Стано́вится пря́мо стра́шно! Но всё э́то ещё пустяки́. Ра́зве в 1897 году́ была́ и́здана то́лько "Война́ и мир"?

Нет, мы зна́ем—одновреме́нно с ней вы́шло в свет 30 ещё о́коло ты́сячи ра́зных книг, то́лстых и то́нких. Бу́дем счита́ть, что ка́ждая из них в сре́днем име́ла то́лько 250 страни́ц и печа́тались они́ тогда́ в о́чень небольшо́м коли́честве—по ты́сяче штук.

И вы́йдет, что в ста́рое вре́мя, в те дни, ежего́дно 35 печа́тали о́коло восьми́ с полови́ной миллио́нов страни́ц, све́рху до́низу покры́тых твёрдыми зна́ками. Це́лая библиоте́ка, из мно́гих ты́сяч томо́в, по ты́сяче страни́ц в ка́ждом.

Тепе́рь в СССР кни́ги издаю́тся в миллио́нах
5 экземпля́ров; ка́ждый год в свет выхо́дят деся́тки ты́сяч изда́ний. Так са́ми поду́майте, что произошло́ бы, е́сли бы твёрдый знак не́ был в своё вре́мя лишён свои́х ста́рых прав и поса́жен за скро́мную рабо́ту. . .!

Без Ли́шних Слов.

Пье́са в одно́м де́йствии

Де́йствующие ли́ца
Сту́пин Ге́на—ста́роста четвёртого кла́сса.
Снеги́рев Ва́ля
Огонько́в Пе́тя—ученики́ четвёртого кла́сса
Солони́цын Ми́ша
15 Ча́йкин Фе́дя
Да́рья Ива́новна—шко́льный сто́рож, стару́шка
Ученики́

Класс. Стол учи́теля. Доска́. За па́рты уса́живаются ученики́. К столу́ подхо́дит ста́роста
20 кла́сса Ге́на Сту́пин.

Ге́на Сту́пин (поднима́ет ру́ку). Ти́ше, ребя́та!

Шум стиха́ет.

Расса́живайтесь скоре́й—и за де́ло. Нам сего́дня на́до повтори́ть дро́би, тро́пики, сава́нны, пусты́ни,
25 сте́пи и леса́. Де́ло, как ви́дите, ого́-го́ како́е—не шу́точное! Поэ́тому предупрежда́ю: бу́дем занима́ться не так, как вчера́, а по-настоя́щему. Что́бы не́ было ни одного́ ли́шнего сло́ва. Начнём с дробе́й. Найти́ всем дро́би!
30 Ученики́ беру́т уче́бники, перели́стывают страни́цы.

Ва́ля Снеги́рев (перели́стывает зада́чник). Ре́бя́та! Никто́ не ви́дел мои́х страни́чек с дробя́ми ?

Ге́на Сту́пин. Удиви́тельный вы наро́д, ребя́та. Копа́етесь, теря́ете драгоце́нное вре́мя. Вот я сейча́с подумал, что бы́ло бы с на́ми, е́сли бы у нас вме́сто 5 бума́жных кни́жек и тетра́дей бы́ли гли́няные, как у дре́вних ассири́йцев и вавило́нян ? Так бы весь день и греме́ли свои́ми черепка́ми ?

Ва́ля Снеги́рев. На само́м де́ле, интере́сно, как занима́лись те ребя́та, а ещё интере́сней, как они в 10 шко́лу носи́ли таки́е тяжёлые кни́ги и тетра́ди ?

Ге́на Сту́пин. Ну, э́то изве́стно, как: вози́ли на верблю́дах и́ли на осла́х, а кто побога́че—на слона́х.

Ми́ша Солони́цын. У ка́ждого ученика́ верблю́д и́ли слон. Ведь здо́рово ! Ска́чки мо́жно бы́ло 15 устра́ивать. . . . .

Пе́тя Огоньков (горячо́). Нашли́ чему́ удивля́ться ! Подумаешь, гли́няные уче́бники ! . . . Тяжело́ таска́ть ! А вы ду́маете, еги́петским ребя́там ле́гче бы́ло ? Они́ писа́ли на папи́русах почти́ в сто ме́тров длино́й, 20 а вме́сто букв у них бы́ли зве́ри и пти́цы !

Ге́на Сту́пин. Зве́ри и пти́цы—чепуха́ ! Они́ ра́зные, их мо́жно запо́мнить. А вот у ассири́йцев вме́сто букв бы́ли одни́ кли́нья. Попро́буй напиши́ !

Фе́дя Ча́йкин. Что э́то вы дре́вних ассири́йцев и 25 египтя́н жале́ете ? Сейча́с за грани́цей у мно́гих ребя́т нет да́же гли́няных тетра́дей и книг, и они совсе́м не у́чатся.

Пе́тя Огоньков (вы́хватил из портфе́ля кни́гу). А египтя́нам бы́ло трудне́й учи́ться, чем ва́шим 30 вавило́нянам !

Ге́на Сту́пин. Нет, ле́гче ! Ты пло́хо исто́рию зна́ешь !

Пе́тя Огоньков (подбега́ет к столу́). Я пло́хо ? Вот, на́ почита́й !

35

Ге́на Сту́пин. Нет, ты почита́й !

Все дети вскакивают с мест, подбегают к столу. Одни становятся на сторону Гены, другие—на сторону Пети. Все говорят разом. "Довольно!" "Тише!" "Дайте мне сказать!" "Нет, погодите!"

5 Федя Чайкин подходит к доске, пишет: "Ассирийцы и египтяне! Сейчас уже без пяти шесть!"

Все умолкают.

Гена Ступин. Да, дроби мы проспорили. Теперь у нас география. Только ещё раз предупреждаю.
10 Нужно заниматься по-настоящему! Идёт?

Голоса: Идёт! Конечно! Правильно!

Ребята усаживаются.

Вот и хорошо. Нам осталось проработать тропики, саванны, пустыни, степи и леса.
15 Миша Солоницын. Сейчас в тропиках сезон дождей. (Вздыхает.) Вот это дожди, я вам скажу!

Валя Снегирев. Ты, Мишка, вечно со своими дождями, когда у меня какое-нибудь несчастье. (Встаёт и оглядывает стены, пол и потолок.) Опять
20 куда-то география пропала. Безобразие с этими книгами!

Миша Солоницын (спокойно). Таких дождей ты сроду не видел. Это—как бы тебе сказать? . . . —будто на небе сидят две тысячи пожарников и
25 поливают оттуда из шлангов. Дышать нечем: одна вода! Зверям деваться некуда. И вот, чтобы спасти свою жизнь, тигры, львы, носороги, утконосы, взлезают на баобабы, бананы и ананасы.

Петя Огоньков. Подумаешь, тропики! Если
30 хочешь знать, то миллион лет назад вот на этом месте тоже были тропики.

Гена Ступин (стучит по столу карандашом). Тише! Опять начинаются пустые разговоры о каких-то бывших тропиках, когда науке известно, что скоро
35 везде будут тропики.

Пе́тя Огонько́в. Когда́ э́то ско́ро? Мо́жет, на той неде́ле?

Ге́на Сту́пин. Ну, мо́жет, не на той неде́ле, а ско́ро. Когда́ зе́млю начну́т а́томной эне́ргией ота́пливать.

Пе́тя Огонько́в. Так, допу́стим, везде́ тро́пики, а 5
на се́вере то́же?

Ге́на Сту́пин. Ну, коне́чно, э́то же ка́ждому ребёнку поня́тно. Ученики́ закрыва́ют кни́ги и слу́шают спо́рщиков.

Пе́тя Огонько́в. Так! Зна́чит, везде́ тро́пики. А 10
что же тогда́ бу́дет с Се́верным по́люсом, е́сли там лёд раста́ет? Юг? Да? Зна́чит, се́вера не бу́дет, круго́м оди́н юг!

Ге́на Сту́пин. А тебе́ жа́лко, что се́вера не бу́дет?

Ми́ша Солони́цын. Посто́йте вы с ва́шим се́вером 15
и ю́гом! Я вчера́ прочита́л одну́ кни́жку про полёт на Марс. Вот где, я вам скажу́, дела́ творя́тся! . . .

Пе́тя Огонько́в. На Марс я бы с удово́льствием полете́л. (Вски́дывает ру́ки.) Вжик—и на Ма́рсе. Пото́м вжик—и на како́й-нибудь звезде́.   20

В противополо́жной стороне́ кла́сса начина́ется спор ме́жду Ва́лей Снеги́ревым и Фе́дей Ча́йкиным.

Ва́ля Снеги́рев. А я говорю́, что у муравьёв есть ум.

Фе́дя Ча́йкин. Да не́ту у них никако́го ума́!

Ге́на Сту́пин (хвата́ется за́ голову). Нет, я бо́льше 25
не могу́. Дожди́, а́томы, Се́верный по́люс, а тут ещё муравьи́. Невозмо́жно ни в чём разобра́ться. Да́йте мне доказа́ть э́тому малогра́мотному Пе́тьке, что по́люс не мо́жет раста́ять, он оста́нется.

Пе́тя Огонько́в (смеётся). А вот и раста́ет: ведь на 30
по́люсе-то лёд! (Открыва́ется дверь. Вхо́дит Да́рья Ива́новна с ключа́ми в рука́х.)

Да́рья Ива́новна (остана́вливается у, поро́га). У́читесь, серде́чные вы мои́. Смотрю́ я на вас и удивля́юсь. Как сто́лько нау́ки в вас вмеща́ется! И 35
днём-то вы занима́етесь и ве́чером у́читесь так, что на

трéтьем этажé слы́шно. (Обращáется к Гéне.) Навéрное, все пятёрочники ?

Гéна Стýпин хватáется зá голову рукáми.

Дáрья Ивáновна (ученикáм). Ви́дишь, как умáялся
5 ваш начáльник. Ну, порабóтали, порá и отдохнýть. Марш на ýлицу! Шкóлу бýду закрывáть.

Гéна Стýпин (встаёт). Ну, пошли́, ребя́та! Нет, постóйте! Зáвтра все приходи́те, без опоздáний, бýдем опя́ть занимáться. Зáвтра чтобы нé было ни
10 однóго ли́шнего слóва.

Пéтя Огонькóв. Хорошó, Гéна! А как ты всё-таки дýмаешь: есть жизнь на други́х планéтах ? . . .

Ученики́ вопроси́тельно смóтрят на Гéну Стýпина. Зáнавес.

15   1. Кто стáроста четвёртого клáсса ? 2. Что говори́т Гéна Стýпин? 3. О чём он предупреждáет товáрищей? 4. Что потеря́л Вáля Снéгирев? 5. Какóй вопрóс интересýет Вáлю? 6. Какóй разговóр начинáется в клáссе? 7. О чём спóрят ученики́?
20 8. Как нýжно занимáться? 9. О чём говори́т Ми́ша Солони́цын? 10. Как они́ спóрят о трóпиках и о Сéверном пóлюсе? 11. Каки́е делá творя́тся на Мáрсе? 12. Кто хóчет полетéть на Марс? 13. Какóй начинáется спор о муравья́х? 14. Кто вхóдит в
25 класс? 15. Что онá говори́т? 16. Почемý Гéна хватáется зá голову ?

꙰꙰꙰꙰꙰

Про Одного Ученика.

Пришёл из школы ученик
И запер в ящик свой дневник.
—Где твой дневник? —спросила мать.
Пришлось дневник ей показать.
Не удержалась мать от вздоха,　　　　5
Увидев надпись: "Очень плохо."

Узнав, что сын такой лентяй,
Отец воскликнул: —Отвечай,
Чем заслужил ты единицу?
—Я получил её за птицу.　　　　10
В естествознании я слаб.
Назвал я птицей баобаб.
—За это, —мать сказала строго, —
И единицы слишком много!

—У нас отметки меньше нет, —　　　　15
Промолвил мальчик ей в ответ.

—За что вторая единица? —
Спросила старшая сестрица.
—Вторую, если не совру,
Я получил за кенгуру.　　　　20
Я написал в своей тетрадке,
Что кенгуру растут на грядке.

Отец воскликнул: —Крокодил,
За что ты третью получил?
—Я думал, что гипотенуза —　　　　25
Река Советского Союза.

—Ну, а четвёртая за что?—
Ответил юноша: —За то,
Что мы с Егоровым Пахомом
Назвали зебру насекомым.　　　　30

—А пя́тая? —спроси́ла мать,
Раскры́в измя́тую тетра́дь.
—Зада́чу за́дали у нас,
Её реша́л я це́лый час.
5   И вы́шло у меня́ в отве́те:
Два землеко́па и две тре́ти.

—Ну, а шеста́я, наконе́ц?—
Спроси́л рассе́рженный оте́ц.
—Учи́тель за́дал нам вопро́с:
10   Где располо́жен Ка́нин нос?
А я не знал, кото́рый Ка́нин,
И указа́л на сво́й и Та́нин.

—Ты о́чень скве́рный учени́к,—
Вздохну́в, сказа́ла мать.—
15   Возьми́ ужа́сный свой дневни́к
И отправля́йся спать.

Лени́вый сын поплёлся прочь,
Улёгся на поко́й
И захрапе́л. И в ту же ночь
20   Уви́дел сон тако́й.

Жужжа́ли зе́бры на куста́х
В ию́льскую жару́.
Цвели́, кача́ясь на хвоста́х,
Живы́е кенгуру́.

25   В сыро́м тропи́ческом лесу́
Лови́л уже́й и жаб
На дли́нном Ка́нином носу́
Крыла́тый баоба́б.
А где-то меж звери́ных троп,
30   Среди́ густо́й травы́
Лежа́л несча́стный землеко́п
Без ног, без головы́.

На э́то зре́лище смотре́ть
Никто́ не мог без слёз.
—Кто от него́ отре́зал треть ?—
Послы́шался вопро́с.
—От нас уби́йца не уйдёт.   5
Найдём его́ следы́!
Угрю́мо хрю́кнул бегемо́т
И вы́лез из воды́.
—Я в порошо́к его́ сотру́!—
Воскли́нул кенгуру́.   10
—Он не уйдёт из на́ших лап!—
Доба́вил баоба́б.

Вскочи́л с посте́ли учени́к
В шесто́м часу́ утра́.
Пред ним лежа́л его́ дневни́к   15
На сту́ле, как вчера́.

Футболи́сты на́шего двора́.

Инсцениро́вка С. Заве́льской.

Де́йствующие Ли́ца:

Востряко́в—милиционе́р.

Тётя Ма́ша.

5 Юра ⎱
Ва́ся ⎸
Шу́ра ⎰ Ученики́ шесто́го кла́сса.
Ге́на ⎱

Сце́на представля́ет двор, на кото́рый выхо́дит окно́
10 из кварти́ры тёти Ма́ши, входна́я дверь и крыле́чко.

Вхо́дит Ва́ся. У него́ футбо́льный мяч. За ним
выхо́дят Шу́ра, Ге́на и Юра.

Ге́на. Ва́ся, что э́то у тебя́, мяч?

Ва́ся (го́рдо). Мяч!

15 Ге́на. Настоя́щий футбо́льный?

Ва́ся. Ага́. Футбо́льный.

Шу́ра. Но́вый?

Ва́ся. Тётя подари́ла.

Шу́ра. Дай уда́рить. Ну, дай, я пе́рвый!

20 Ва́ся (прижима́ет мяч к груди́). Ну чего́ наки-
нулись? Дава́йте организо́ванно. Станови́-ись по
места́м!

Ма́льчики разбега́ются в ра́зные сто́роны.

Шу́ра (Ва́се). Береги́сь, в окно́ не попади́.

25 Ва́ся (броса́ет мяч). Что, тётю Ма́шу испуга́лся?

Ге́на (принима́ет мяч от Ва́си). Не попадём!

Тётя Ма́ша открыва́ет окно́.

Тётя Ма́ша. Опя́ть под о́кнами в футбо́л игра́ете?

Ге́на. Тётя Ма́ша, так ра́ньше мы чем попа́ло
30 игра́ли. . .

Ва́ся. А тепе́рь у нас настоя́щий мяч, дина́мовский.

Юра. Но́венький. Вот ви́дите?

Тётя Ма́ша. Ви́жу, ви́жу . . . Смотри́те же вы . . .
Éсли что, так я . . . (Закрыва́ет окно́.)

Ге́на. Не беспоко́йтесь, тётя Ма́ша! (Бьёт по
мячу́.) (Мяч попада́ет в окно́. Звон разби́того стекла́.
Все де́ти разбега́ются.)   5

Тётя Ма́ша (из окна́.) Попря́тались! Всё равно́
я на вас упра́ву найду́! (Появля́ются ма́льчики.)

Шу́ра. Нева́жно получи́лось. Тепе́рь начнётся . . .

Ва́ся. Обойдётся! Не пойдём в воскресе́нье в кино́,
соберём со всех де́ньги и отдади́м ей—пусть вста́вит 10
но́вое стекло́.

Шу́ра. Нет, тётя Ма́ша не така́я, он не захо́чет на
на́ши де́ньги стекло́ вста́вить, а вот по па́пам и ма́мам
бе́гать бу́дет обяза́тельно.

Ге́на. И управдо́му пожа́луется.   15

Ва́ся. Ребя́та, дава́йте но́чью, когда́ она́ спит,
прита́щим ле́стницу и са́ми вста́вим.

Шу́ра (ирони́чески). Здо́рово приду́мал.

Ю́ра. А всё-таки, мо́жет, пойти́ к ней, уговори́ть
её. Вдруг она́ согласи́тся приня́ть де́ньги за разби́тое 20
стекло́?

Ге́на. Предлага́ю отпра́вить к тёте Ма́ше делега́цию.

Ю́ра. Пусть Шу́ра идёт. Он суме́ет её уговори́ть.

Ге́на. И Ва́ся. Он то́же её не испуга́ется.

Шу́ра. Ла́дно. Дава́йте де́ньги.   25

Ва́ся. Вот, у меня́ ро́вно шестьдеся́т копе́ек.

Ю́ра. Держи́, Шу́ра, це́лый рубль.

Ге́на. А у меня́. . . . (Счита́ет.) У меня́ пять-
деся́т копе́ек.

Шу́ра. У меня́ два рубля́, мать на тетра́дки 30
дала́.

Ва́ся. Зна́чит, у нас всего́ четы́ре рубля́ де́сять
копе́ек. Малова́то, ребя́та, а?

Ю́ра. Ничего́, к воскресе́нью ещё соберём. Шу́ра,
ты ей то́лько, что мы не наро́чно. Ну, скажи́, что 35
бо́льше не бу́дем и про́чее. . . .

Ге́на. Гла́вное, не смуща́йтесь. Она́ крича́ть бу́дет, а вы не смуща́йтесь.

Шу́ра (поправля́ет руба́шку). Ла́дно. Идём, Ва́ся.

5　Юра. Мы здесь подождём. За угло́м.

Шу́ра. Звони́, Ва́ся.

Го́лос тёти Ма́ши. Кто там?

Шу́ра. Э́то мы. . . . Откро́йте, пожа́луйста.

Тётя Ма́ша. Да кто там? Что ну́жно?

10　Ва́ся. Мы к тёте Ма́ше.

Тётя Ма́ша (пока́зывается в окне́). Э́то я, тётя Ма́ша. В чём де́ло?

Шу́ра. Ви́дите ли. . . Мы, тётя Ма́ша. . . .

Ва́ся. Э́то случи́лось неча́янно. . . .

15　Тётя Ма́ша. Так, зна́чит, э́то вы разби́ли моё окно́?

Шу́ра. Не совсе́м мы, но раз разби́ли, то про́сим вас. . . .

Тётя Ма́ша. Не прощу́! Распусти́лись, о́кна бьёте.

20　Ва́ся. Одно́! Тётя Ма́ша, одно́ за це́лое ле́то!

Тётя Ма́ша. Не счита́ла и счита́ть не бу́ду.

Шу́ра. Тётя Ма́ша, мы. . . .

Тётя Ма́ша. Хулига́ны вы, вот кто! Ну погоди́те, найду́ я на вас упра́ву, найду́!

25　Ва́ся. Мы хоте́ли с ва́ми по-хоро́шему поговори́ть.

Тётя Ма́ша. А я не хочу́ с ва́ми совсе́м разгова́ривать.

Шу́ра. Тётя Ма́ша, послу́шайте. . . .

Тётя Ма́ша. И слу́шать вас не хочу́! Вон отсю́да!

30　Вон! (Закрыва́ет окно́.)

Шу́ра (посмотре́л на Ва́сю). Да-а. . . .

Ва́ся. Что тепе́рь де́лать?

Прихо́дят Юра и Ге́на.

Юра. Эх, вы! . . . Не суме́ли!

35　Ва́ся. Сам бы попро́бовал. Ты слы́шал, как она́?

Ге́на. Бра́тцы, а что, е́сли. . . .

Ю́ра. Ну что?

Ге́на. Е́сли письмо́ ей написа́ть, как-бу́дто но́ту?

Ва́ся. Ага́! Так, мол, и так, тётя Ма́ша, вини́мся и ка́емся и т.д. и т.п.

Шу́ра. И т.д. и т.п! Вини́лись уж и ка́ялись в про́шлый раз. Не пове́рит.

Ва́ся. А мы напи́шем, что вста́вим стекло́.

Ге́на. Пусть в на́шем до́ме все о́кна бу́дут це́лые.

Ю́ра. И е́сли она́ согла́сна, пусть нам какой-нибу́дь знак даст. . . .

Ва́ся. Из окна́!

Ге́на. А мы здесь, внизу́, бу́дем ждать.

Ва́ся. Пиши́, Шу́ра, у тебя́ по́черк краси́вый.

Шу́ра (достаёт блокно́т и самопи́ску). Зна́чит так: "Тёте Ма́ше. Предлага́ем вам вста́вить стекло́ на на́ши де́ньги, кото́рые мы соберём обяза́тельно к воскресе́нью."

Ге́на. Так ведь уж собра́ли! . . .

Ва́ся. Молчи́, не меша́й.

Ю́ра. На четы́ре рубля́ де́сять копе́ек стекло́ не вста́вишь. На́до ещё собра́ть, по́нял?

Ге́на. А-а. . . .

Шу́ра (продолжа́ет писа́ть). "Мы мо́жем и са́ми вста́вить, хорошо́ всё сде́лаем, на "отли́чно." Пусть во всём на́шем до́ме все о́кна бу́дут це́лые. Е́сли вы согла́сны, поста́вьте на подоко́нник ваш фи́кус, кото́рый вы выно́сите на двор в до́ждик. Мы бу́дем ждать под окно́м три́дцать мину́т. По поруче́нию футболи́стов, уча́ствовавших в разби́тии окна́, Алекса́ндр Коле́сников."

Шу́ра (скла́дывает лист). Кто переда́ст?

Ге́на. Ты и переда́й.

Шу́ра. Она́ меня́ уже́ ви́дела.

Ю́ра. В почто́вый я́щик опу́стим.

Ва́ся. А вдруг она́ до са́мого ве́чера его́ не откро́ет?

Гена. Давайте в окошко бросим.

Шура. Скажет, опять хулиганите.

Вася. Вот что: позвоним, она откроет дверь, мы бросим записку и убежим.

5 Юра. Звони. Остальные прячьтесь.

(Вася подходит к двери, нажимает звонок.)

Голос тёти Маши. Кто там ?

(Молчание.)

Кто там ? Что надо ?

10 (Молчание. Тётя Маша открывает дверь. Вася бросает записку и убегает. Тётя Маша хлопает дверью.)

(Мальчики выходят на сцену.)

Вася. Как же мы узнаем, когда пройдёт тридцать минут ?

15 Гена. Братцы! У отца часы карманные есть, стрелки большие, циферблат ясный. Я сбегаю, возьму.

Шура. А даст ?

20 Гена. На полчаса-то ? Даст! (Убегает.)

Вася (кричит). Поскорей только !

Юра. Тише! Садись !

Мальчики садятся на крыльцо и молча смотрят на окно.

25 Гена (вбегает, в руках у него часы). Вот, на двадцать минут дал !

Вася. Сколько прошло ?

Шура. Пока Гена бегал, минут десять.

Гена (смотрит на часы). Ничего не видно ?

30 Юра. Нет ещё.

Вася. Смотрите, какая-то тень мелькнула за окном.

Шура. Подходит !

Гена. Ура! Несёт фикус !

35 Шура. Тише, вы !

Вася (шопотом). Занавеску раздвинула. . . . .

Гена. Отодвигает герань и сейчас поставит. . . .
(Рука за окном берёт горшок с геранью и убирает с
подоконника.)
Шура. Вот тебе и фикус! Даже всё убрала.
Гена. Братцы, идёт!   5
Юра. Кто?
Вася. Кто идёт?
Гена. Она! Тётя Маша идёт! Прячьтесь!
(Дети убегают.)
Тётя Маша (запирает дверь). Футбол под окнами 10
придумали, стёкла бьют, хулиганят. . . . Ну,
ничего! Найду я на вас управу, найду. . . .
Шура (входит). Жаловаться пошла.
Гена. К управдому?
Вася. Да-а, дела. . . .   15
Гена. Ребята! Идея! Пока её нет, давайте
вставим стекло. Не будет же она потом разбивать
его сама. Я достану стекло.
Вася. Я попрошу алмаз у отца, он даст.
Юра. Бегите быстрее! Ты, Шура принеси гвозди 20
и молоток, а я замазку достану.
Гена (входит). Вот стекло. Хватит?
Юра. Ого! Здесь его столько, что хватило бы на
пять окон.
Вася. Юра, на, держи алмаз!   25
Гена. Дай мне, я разрежу!
Юра. Стой! Во-первых, надо знать точно размер
рамы, а во-вторых, ты держишь алмаз, как вилку.
Вася. Смерим раму в нашей квартире. В нашем
доме все окна одинаковы.   30
Гена. Я могу смерить. У меня и метр складной
есть.
Юра. Подождите, я сейчас лестницу принесу.
Гена (прибегает). Смерил: длина восемьдесят
сантиметров, ширина тридцать сантиметров. Вася, 35
давай отрежем.

(Юра и Шура прино́сят ле́стницу.)

Ге́на. Да́йте я, я вста́влю стекло́, я уме́ю!

Юра. Ну и хвасту́н же ты!

Ге́на. Че́стное пионе́рское, уме́ю. Вот уви́дишь!
5 Дава́йте стекло́.

Юра. Гото́во, держи́!

Ге́на. Есть! Держу́. Зама́зку да́йте!

(Ге́на бы́стро и ло́вко обма́зал стекло́.) Вот и всё!
Все ма́льчики: Ло́вко!

10   (Ге́на схо́дит с ле́стницы. Прихо́дит тётя Ма́ша и
уча́стко́вый милиционе́р.)

Тётя Ма́ша. Полюбу́йтесь на них, това́рищ, вы́били
у меня́ мячо́м стекло́, а тепе́рь ле́стницу заче́м-то
принесли́! . . .

15   Милиционе́р. Что вы тут де́лаете, ребя́та?

Шура. Здра́вствуйте, това́рищ милиционе́р. Мы
не наро́чно, мы в футбо́л игра́ли. . . . (Пока́зывает
на мяч.)

Тётя Ма́ша. Вот, вот! В футбо́л под о́кнами, чего́
20 лу́чше!

Юра. Нехорошо́, коне́чно! Но посмотри́те: стекло́
уже́ есть! Поэ́тому и ле́стница здесь.

Милиционе́р. Так, поня́тно. Что ж, придётся
приня́ть ме́ры.

25   Тётя Ма́ша. Ме́ры есть изве́стные, това́рищ.
Оштрафова́ть роди́телей за поведе́ние их сыно́ве́й,
вот и всё. А то сего́дня одни́, за́втра други́е. . . .

Милиционе́р. Роди́телей, коне́чно, оштрафова́ть
мо́жно. Но нужны́ и други́е ме́ры. Кста́ти, кто из
30 вас разби́л окно́? (Де́ти молча́т.)

Тётя Ма́ша. Молча́т. Ви́дите, това́рищ, не хотя́т
созна́ться. А как оштрафу́ете роди́телей, ми́гом
созна́ются.

Милиционе́р. Ну вот что. Вы, тётя Ма́ша, иди́те
35 домо́й и бу́дьте уве́рены, что подо́бного слу́чая не
повтори́тся. Так ведь, ребя́та? (Де́ти молча́т.)

Милиционе́р. Ну, а мы тут ещё поговори́м немно́го.

Тётя Ма́ша. Вам хорошо́ говори́ть: бу́дьте уве́рены, бу́дьте уве́рены. А как мне ? Всё вре́мя под о́кнами футбо́л и футбо́л. Ни днём ни но́чью поко́я нет.

Милиционе́р. Ничего́, тётя Ма́ша, что-нибу́дь 5 приду́маем. Подойди́те-ка все сюда́. Да вы, ока́зы-вается, совсе́м ро́бкие. Бить стёкла уме́ете, а побли́же подойти́ испуга́лись ?

(Ма́льчики подхо́дят к крыьцу́.)

Так. О́чень хорошо́! Тепе́рь сади́тесь! На 10 крыльцо́ сади́тесь! Так. У нас с ва́ми бу́дет тако́й разгово́р. Кто из вас был на пустыре́, за стено́й тре́тьего ко́рпуса ?

Все: Я! Я! И я! Я то́же!

Милиционе́р. О́чснь хорошо́! Стена́ ря́дом без 15 око́н и мно́го ме́ста. Отчего́ же вы не игра́ете там ?

Ге́на. Там ко́чки, а здесь асфа́льт. Для футбо́ль-ного по́ля така́я площа́дка не подхо́дит.

Милиционе́р. А "Дина́мо" то́же игра́ет на асфа́льте ? Так-с, геро́и! Зна́чит, вам бо́льше 20 нра́вится асфа́льтовая доро́жка, чем настоя́щее футбо́льное по́ле ? А зна́ете ли вы, что вчера́ ма́ль-чики из четвёртого ко́рпуса приходи́ли к управдо́му и проси́ли его́ разреши́ть им сами́м устро́ить футбо́ль-ное по́ле на пустыре́ ? 25

Ю́ра. Това́рищ милиционе́р, ведь э́то у нас за на́шим ко́рпусом пусты́рь. Мы са́ми всё устро́им!

Ге́на. Това́рищ, окно́ разби́л я. Обеща́ю вме́сте с ребя́тами за оди́н ме́сяц сде́лать футбо́льное по́ле на пустыре́. 30

Милиционе́р. Не зна́ю, как быть. . . . Де́ло тру́дное! Вам ну́жно бу́дет порабо́тать. . . .

Все. Ничего́! Спра́вимся! У нас бу́дет со́бст-венное футбо́льное по́ле! Мы бу́дем приглаша́ть к нам на соревнова́ния! И мы вы́играем матч у 35 кома́нды четвёртого ко́рпуса!

Милиционе́р. Ну так! Начина́йте рабо́ту сейча́с же! Иди́те к управдо́му, там возьмёте лопа́ты и всё про́чее. Ша́гом—арш! Пе́сню!

(Де́ти ухо́дят и пою́т "Марш футболи́стов.")

За́навес.   5

1. У кого́ футбо́льный мяч? 2. Кто ему́ подари́л его́? 3. Како́й э́то мяч? 4. Куда́ попада́ет мяч? 5. Что говори́т тётя Ма́ша? 6. Что хотя́т сде́лать ма́льчики? 7. Како́й сове́т даёт Юра? 8. Ско́лько у них де́нег? 9. Кто позвони́л? 10. Что им сказа́ла 10 тётя Ма́ша? 11. Как футболи́сты хотя́т говори́ть с ней? Что они́ реши́ли сде́лать? 13. Кто написа́л письмо́? 14. Куда́ побежа́л Ге́на и заче́м? 15. Что принесли́ ма́льчики? 16. Како́й разгово́р был у тёти Ма́ши с милиционе́ром? 17. Что она́ хо́чет сде́лать? 15 18. Вста́вили ли стекло́ футболи́сты? 19. Как говори́л с ни́ми милиционе́р? 20. Что он предложи́л футболи́стам?

Цвето́чки.

Зно́йный по́лдень. По пусти́нной дереве́нской у́лице бро́дят две ку́рицы. Все колхо́зники в по́ле. 20

В просто́рной ко́мнате правле́ния—рабо́чая атмосфе́ра. Счетово́д Мо́шкин бы́стро щёлкает на масси́вных счётах. По́сле ка́ждого "щёлк-щёлк" он обма́кивает перо́ в черни́льницу и добавля́ет но́вые дета́ли. Вид у Мо́шкина озабо́ченный и сто́гий. 25

В друго́м конце́ ко́мнаты за столо́м с ки́пами инстру́кций и други́х це́нных докуме́нтов, рабо́тает сам председа́тель—Митрофа́н Матве́евич Коча́нов. Он перепи́сывает в записну́ю кни́жку передову́ю статью́ из вчера́шней райо́нной газе́ты. 30

В откры́тое окно́ просо́вывается голова́ почтальо́на:

—Митрофа́н Матве́ич, на́ше вам! Сро́чная из
райце́нтра!

Коча́нов принима́ет телегра́мму.

Мо́шкин и́скоса наблюда́ет за ним и дово́дит
5 быстроту́ щёлканья на счётах до ри́тма "Хабане́ры."

Митрофа́н Мате́евич вновь и вновь перечи́тывает
текст телегра́ммы: "Начина́йте убо́рку василько́в."

"Чор-р-т зна́ет что!..." —лоб его́ покрыва́ется
ка́пельками по́та.

10 Обы́чно Коча́нов не заду́мывался над директи́вами.
Е́сли, наприме́р, ска́жут, что ну́жно запаса́ть грибы́,
он гото́в поддержа́ть э́то указа́ние операти́вным
ло́зунгом: "Все си́лы на загото́вку грибо́в!" Ни
хлеб, ни о́вощи, ни корм для скота́ его́ интересова́ть
15 уже́ не бу́дут.... Одна́ко в да́нный моме́нт он на
мину́ту заду́мывается: "Заче́м бы э́то?"

Рука́ нево́льно тя́нется к телефо́нной тру́бке, но
переспра́шивать он не привы́к.

"Начина́йте убо́рку василько́в,"—ещё раз пере-
20 чи́тывает Митрофа́п Матве́евич.

—Мо́шкин, — гово́рит он обы́денным то́ном,
—пойди́-ка ты, бра́тец, скажи́ Ко́сте с Ми́тькой,
что́бы шли собира́ть васильки́. Да из пе́рвой брига́ды
челове́ка три дай на э́то де́ло, да....

25 —Васильки́?! —изумля́ется Мо́шкин. —Заче́м
э́то, Митрофа́н Матве́ич?

—Ты, Мо́шкин, не́уч! Указа́нье есть! Ста́ло
быть, на́до! Мо́жет, из василько́в каучу́к добыва́ть
бу́дут и́ли лека́рство!... И не на́ше с тобо́й де́ло
30 в то́нкости вдава́ться.!

Мо́шкин выхо́дит, я́вно не удовлетворённый от-
ве́том.

Коча́нов сади́тся за пи́сьменный стол, достаёт
бума́гу и начина́ет писа́ть статью́ для стенно́й пре́ссы.

35 Те́ма не́сколько необы́чная. Председа́тель смо́трит
на потоло́к, зате́м склоня́ется над столо́м.

"Всё васильки́, васильки́!
Мно́го мелька́ет их в по́ле!"

пел наро́д. . . . — пи́шет Митрофа́н Матве́евич.
—Ге́ний на́шего цветово́дства вели́кий Мичу́рин в
свои́х труда́х. . ." Коча́нов на секу́нду остана́в-   5
ливается, ду́мает, занима́лся ли Мичу́рин василь-
ка́ми, но тут же реша́ет: "Это не гла́вное! Ва́жно,
что́бы в те́ксте бы́ли вели́кие имена́."

В ко́мнату бы́стро вхо́дит Ма́рфа Тимофе́евна. За
не́ю—дед Федосе́ич. О́ба—акти́вные чле́ны прав-   10
ле́ния.

—Митрофа́н Матве́ич! —без предупрежде́ния ата-
ку́ет Коча́нова Ма́рфа Тимофе́евна. —Когда́ же
э́то ко́нчится? Опя́ть твой Мо́шкин пьян! Лю́ди
де́лом за́няты, а он с дура́цкими шу́тками ле́зет!   15
Василькѝ, кричи́т, убира́ть! На кукуру́зном по́ле
его́ за э́то чуть в пруду́ не вы́купали—хо́хот за́
версту́! Уйми́ ты э́того скоморо́ха!

—Да, Матве́ич, нехорошо́! —подде́рживает её
дед Федосе́ич.   20

Митрофа́н Матве́евич откла́дывает в сто́рону листо́к
бума́ги и поднима́ется из-за стола́:

—Вы, Ма́рфа Тимофе́евна, пре́жде войди́те в курс,
а пото́м горячи́тесь! Цветы́—э́то де́ти жи́зни! . . .
Или как там сказа́л Го́рький? . . .   25

Дед Федосе́ич ти́хо бормо́чет: —Зна́чит, они́
вме́сте. . . .

Ма́рфа Тимофе́евна, как же́нщина у́мная, бы́стро
меня́ет та́ктику:

—Вы бы, Митрофа́н Матве́ич, пошли́ домо́й   30
отдохну́ли. . . . Жа́рко. . . . Да и вид у вас
нездоро́вый. . . .

На у́лице раздаётся гудо́к, и к зда́нию правле́ния
подъезжа́ет запылённая маши́на. Из неё выхо́дит
председа́тель райисполко́ма Тара́сов. В его́ рука́х—   35
огро́мные буке́ты василько́в.

Митрофа́н Матве́евич торжеству́юще смо́трит на чле́нов правле́ния. "Что? Ви́дели? Всю о́бласть василька́ми обеспе́чу!"

Тара́сов появля́ется на поро́ге.

—Здра́вствуйте, това́рищи! — говори́т он. Что 5 вы здесь де́лаете? . . . Поря́дка у вас нет! Подъезжа́ю, смотрю́: мальчи́шки рожь то́пчут. Им, ви́дите ли, у доро́ги василько́в ма́ло! . . . Вот, полюбу́йтесь!"

Тара́сов броса́ет буке́ты на стол. 10

Митрофа́н Матве́евич стои́т с откры́тым ртом.

—Так ведь указа́ние бы́ло, Ю́рий Ива́ныч, чтобы васильки́ собира́ли. . . . Наконе́ц он суёт Тара́сову бланк телегра́ммы.

Тара́сов чита́ет вслух: —Начина́йте убо́рку. . . ." 15 Всё ве́рно! Дожди́ ожида́ются. Нельзя́ ме́длить. . . .

—Нет, вы до конца́ чита́йте! —говори́т Коча́нов.

—В телегра́мме: "Начина́йте убо́рку василько́в."

Председа́тель ра́йисполко́ма не понима́ет Коча́нова и пожима́ет плеча́ми: 20

—Ерунду́ вы говори́те! Василько́в—э́то инстру́ктор ра́йисполко́ма. Ему́ поручи́ли поторопи́ть вас. . . .

Ма́рфа Тимофе́евна ти́хо а́хает и сади́тся на скаме́йку. Митрофа́н Матве́евич до́лго и удивлённо 25 смо́трит на васильки́.

—Хорошо́ ещё, что э́то бы́ли то́лько цвето́чки!— говори́т дед Федосе́ич.

За окно́м начина́ют гро́мко куда́хтать ку́ры. Коча́нову ка́жется, что они́ смею́тся. 30

1. Каку́ю сро́чную телегра́мму получи́л председа́тель? 2. Заду́мывается ли Коча́нов над директи́вами? 3. Что он хотел сде́лать? 4. Како́й прика́з он даёт Мо́шкину? 5. Как он ему́ объясня́ет э́тот прика́з? 6. Что он пи́шет? Кака́я э́то те́ма? 7. Кто 35

входит в комнату? 8. Как говорит с ним Марфа Тимофеевна? 9. Что она думает о председателе? 10. Кто входит в правление? 11. Почему Митрофан Матвеевич стоит с открытым ртом? 12. Почему за
5 окном начинают кудахтать куры?

❧❧❧❧❧

ЧАСТЬ ВТОРАЯ

Россия.

Россия—одно из самых обширных государств на свете; она тянется с севера к югу на четыре тысячи вёрст, а от запада к востоку—на тринадцать тысяч вёрст. На севере находятся Ледовитый океан с
10 Белым морем, на западе—Балтийское море, на юге —Чёрное и Каспийское, а на востоке—Тихий океан.

От Ледовитого океана к Каспийскому морю тянутся Уральские горы, которые разделяют Россию
15 на две части: к востоку лежит Азиатская Россия, которая состоит из Сибири и из Средне-Азиатских владений; к западу от Уральских гор лежит Европейская Россия.

В России много озёр и рек. Самые замечательные
20 реки: Дон, Днепр, Нева, Волга, а в Сибири—Лена и Амур.

Как обширна эта страна, так разнообразна её природа. На самом крайнем севере почти весь год стоит холодная зима, на юге в некоторых местах
25 зимы совсем не бывает. На севере растёт только мох, а на юге растут самые разнообразные деревья, которые круглый год покрыты зеленью. В одних местах Россия покрыта густым лесом, а в других вы не найдёте ни одного дерева и на много вёрст

тя́нется степь, на кото́рой растёт то́лько трава́. В одни́х места́х по́чва плодоро́дная, а в други́х то́лько пусты́ни, песча́ные и беспло́дные.

Ру́сские составля́ют гла́вную ма́ссу населе́ния, но кро́ме них в Росси́и живу́т лито́вцы, фи́нны, 5 тата́ры, не́мцы, евре́и и разли́чные наро́ды монго́льского пле́мени.

Желе́зная доро́га.

До́лго челове́к е́здил на лошадя́х, но и бы́страя езда́ на лошадя́х показа́лась ему́ ме́дленной и неудо́бной. Вы́думал он желе́зную доро́гу. 10

Прокопа́л он, где на́до, холмы́ и го́ры, сравня́л доли́ны, засы́пал овра́ги, постро́ил мосты́ и устро́ил пряму́ю, ро́вную доро́гу. На э́том пути́ проложи́л он желе́зные поло́сы—ре́льсы, на ре́льсы поста́вил желе́зную маши́ну на колёсах—парово́з с котло́м, 15 пе́чкой и трубо́й. В пе́чку он кладёт дрова́ и́ли у́голь, в котле́ кипяти́т во́ду, па́ром толка́ет колёса, и ка́тит парово́з по ре́льсам без лошаде́й и так бы́стро, что ни на како́й тро́йке не дого́нишь: пятьдеся́т и́ли се́мьдесят вёрст в час, ты́сяча и́ли ты́сяча 20 две́сти вёрст в су́тки. Парово́з везёт с собо́й мно́го ваго́нов, в кото́рых е́дут ты́сячи люде́й, а в други́х ваго́нах перево́зится вся́кого ро́да това́р.

О́коло ста лет тому́ наза́д в Росси́и была́ постро́ена пе́рвая желе́зная доро́га ме́жду Петербу́ргом и 25 Москво́й, а тепе́рь э́та страна́, как се́ткой, покры́та ре́льсовыми путя́ми. И там, где пре́жде на лошадя́х е́хали неде́лю и це́лый ме́сяц, тепе́рь по желе́зной доро́ге е́дут день, два, три.

Петербу́рг, Петрогра́д, Ленингра́д.

Петербу́рг—оди́н из больши́х городо́в Росси́и—был пре́жде столи́цей, кото́рую основа́л Пётр Пе́рвый. Во вре́мя Вели́кой Войны́ э́тот го́род ста́ли называ́ть Петрогра́дом, а со вре́мени Револю́ции—Ленин-
5 гра́дом.

Го́род располо́жен на шести́ острова́х на ле́вом берегу́ Невы́. Пре́жде в Петербу́рге жил госуда́рь и находи́лись госуда́рственные учрежде́ния, Ду́ма, министе́рства и Сена́т. В нём нахо́дятся: Акаде́мия
10 Нау́к, Акаде́мия Худо́жеств, университе́т, вы́сшие же́нские ку́рсы, Го́рный институ́т и мно́го други́х уче́бных заведе́ний.

Из истори́ческих па́мятников в нём замеча́тельны: па́мятник Петру́ Вели́кому, Петропа́вловская кре́-
15 пость, Иса́акиевский собо́р, Алекса́ндро-Не́вская ла́вра, музе́й Эрмита́ж с це́нной карти́нной галлере́ей, и мно́го други́х.

Для Росси́и Петербу́рг име́ет ва́жное торго́вое значе́ние, так как он нахо́дится у Балти́йского мо́ря
20 и составля́ет кратча́йший во́дный путь в Европе́й-ские госуда́рства. Отту́да приво́зят са́мые разно-обра́зные заграни́чные това́ры в Петербу́рг и че́рез него́ же Росси́я отправля́ет мно́го сыры́х материа́лов.

Петербу́рг—го́род молодо́й и отлича́ется от други́х
25 стари́нных городо́в свои́ми высо́кими зда́ниями и широ́кими, прямы́ми у́лицами. Са́мая гла́вная из них называ́лась до револю́ции Не́вским Проспе́ктом. В э́той гла́вной ча́сти го́рода находи́лись лу́чшие магази́ны, бога́тые дома́, ба́нки и конто́ры.
30 Со вре́мени револю́ции Петербу́рг потеря́л своё пре́жнее значе́ние и вме́сто него́ Москва́ ста́ла столи́цей СССР.

✧✧✧✧✧

Малоро́ссия—Укра́йна.

Малоро́ссия—счастли́вейшая ме́стность Евро-
пе́йской Росси́и. Здесь по́чва плодоро́дная, ле́то дли́н-
ное и жа́ркое, хле́ба, цвето́в и плодо́в мно́го. При-
ро́да Малоро́ссии прекра́сна, осо́бенно на за́паде от
Днепра́. Весна́ начина́ется ра́но. Уже́ в ма́рте при-   5
лета́ют жа́воронки, и распуска́ются полевы́е цветы́.
Немно́го по́зже цвету́т вишнёвые сады́, где ско́ро
запоёт знамени́тый укра́инский солове́й. Ле́то про-
должа́ется до октября́ ме́сяца, но зной его́ освежа́ют
гро́зы. О́сень суха́ и ясна́. Зима́ продолжа́ется три 10
ме́сяца и моро́зы не о́чень сильны́.

Малоро́ссы—родны́е бра́тья великоро́ссов, но име́-
ют свой осо́бенности. Малоро́сс медли́телен в свои́х
движе́ниях. У него́ густы́е тёмные во́лосы и сму́глое
лицо́, с серьёзным, заду́мчивым выраже́нием. Мало- 15
ро́ссы живу́т больши́ми селе́ниями, в краси́вой
ме́стности, на берегу́ како́й-нибу́дь ре́чки. Во́зле
свое́й ха́ты у малоро́сса всегда́ есть ма́ленький сад,
в кото́ром расту́т ви́шни, сли́вы и други́е фрукто́вые
дере́вья.   20

Гла́вное заня́тие малоро́сса—земледе́лие. Се́ют
бо́льше всего́ пшени́цу, рожь, ячме́нь, овёс, про́со,
коноплю́, гречи́ху, лён и в не́которых места́х таба́к
и са́харную свёклу.

Малоро́сс не лю́бит занима́ться торго́влей, поэтому 25
она́ нахо́дится в рука́х великоро́ссов и евре́ев. Раз-
но́счики хо́дят из дере́вни в дере́вню и продаю́т свой
това́р. Я́ркие платки́ и си́тцы, дешёвые коле́чки и
се́рьги, стекля́нные, желе́зные и ме́дные ве́щи, кото́-
рые выде́лываются в други́х ме́стностях, вымени- 30
ваются на ра́зные предме́ты, как приме́р, пе́рья
и пух, щети́ну, шку́ры, ма́сло, са́ло и мёд.

❧❧❧❧❧

Ки́ев.

Ки́ев—древне́йший ру́сский го́род. Он был когда́-то столи́цей ру́сских князе́й. Он краси́во располо́жен на высо́ком берегу́ Днепра́. Из Ки́ева пошло́ христиа́нское просвеще́ние Руси́. Пе́рвая ле́топись о
5 нача́ле ру́сского госуда́рства и пе́рвая Акаде́мия появи́лись в Ки́еве. Вот почему́ Ки́ев называ́ется ма́терью ру́сских городо́в. В настоя́щее вре́мя он оди́н из торго́вых и многолю́дных городо́в в Росси́и. В нём мно́го стари́нных па́мятников и хра́мов. Са́мый
10 замеча́тельный из них—э́то грома́дный Софи́йский собо́р с гробни́цей строи́теля его́ кня́зя Яросла́ва. В Ки́еве же нахо́дится знамени́тая Пече́рская ла́вра со мно́жеством пеще́р. До револю́ции богомо́льцы ты́сячами приходи́ли туда́ для поклоне́ния
15 святы́ням. Кро́ме того́, в Ки́еве мно́го разли́чных уче́бных заведе́ний: университе́т, политехни́ческий институ́т, сре́дние и ни́зшие шко́лы.

☙ ☙ ☙ ☙ ☙

Москва́.

Бо́льше семисо́т лет прошло́ с тех пор, как Москва́ из ма́ленького поме́стья моско́вского кня́зя сде́ла-
20 лась столи́цей. Когда́ Пётр Вели́кий постро́ил Петербу́рг, ру́сские цари́ ста́ли жить там, но Москва́ опя́ть ста́ла гла́вным го́родом страны́ со вре́мени Ле́нина—вождя́ па́ртии Большевико́в, кото́рые в настоя́щее вре́мя управля́ют Росси́ей. Мно́го раз
25 Москву́ разоря́ли неприя́тели и мно́го раз она́ горе́ла, но она́ не поги́бла, а всё бо́льше росла́ и украша́лась.

Москва́—се́рдце Росси́и, потому́ что в ней нахо́дятся дороги́е для ка́ждого ру́сского челове́ка па́мятники дре́вности; потому́ что о́коло неё вы́-
30 росла Русь; потому́ что она́ нахо́дится в середи́не

самой важной части страны. Народ зовёт её "матушкой" Москвой.

Посреди города, на высоком холме, находится Кремль с золотыми куполами древних соборов и монастырей. По краю холма идёт каменная стена, по углам её—высокие башни. В главном соборе, в Успенском, короновались русские цари. Выше всех соборов подьнимается колокольня Ивана Великого, у подножия её стоит Царь-колокол, а дальше стоят царские дворцы и Оружейная палата, где собраны старинные вещи. Недалеко от большого Кремлёвского дворца находятся Грановитая Палата и Красное Крыльцо. В Грановитой Палате русские цари после своего коронования давали пиры и принимали поздравления своих подданных и иностранных послов. Красное Крыльцо служило для торжественных выходов государей. На Красной площади перед дворцом стоит памятник императору Александру Второму, Царю—Освободителю, который родился в Москве. На той же площади памятник Минину и Пожарскому напоминает о том, что они помогли России освободиться от поляков. В одном из парков стоит памятник великому поэту Пушкину. На берегу реки находится великолепный мраморный храм Христа Спасителя, построенный в память избавления России от нашествия французов в тысяча восемьсот двенадцатом году.

С тех пор, как Ленин сделал Москву столицей, в ней много перемен. Некоторые ворота в Кремлёвской стене исчезли, на месте старых зданий теперь стоят новые. Монастыри тоже исчезли и в одной из главных церквей Страстного монастыря теперь находится анти-религиозный музей. На Красной площади, около Кремлёвской стены стоит мраморный мавзолей Ленина.

В Москве много учебных заведений: школы,

ремéсленные учúлища и Москóвский университéт —сáмый стáрый из рýсских университéтов.

В Москвé же нахóдится знаменúтая Третьякóвская картúнная галлерéя, в котóрой бóльше двух тýсяч 5 картúн извéстных рýсских худóжников.

Вóлга.

Мáтушка-Вóлга—сáмая большáя рекá в Европéй-ской Россúи. Длинóю онá три тýсячи четыреста пятьдесят вёрст.

Беднá и некрасúва мéстность, котóрая даёт начáло 10 Вóлге: холмы, оврáги, болóта и озёра, а потóм соснóвые лесá. Земля здесь плохáя и поэтому земледéлием занимáются мáло. Но покá Вóлга пробежúт свой три с половúной тýсячи вёрст, онá прорéжет мнóго мест с разнообрáзной прирóдой на 15 путú своём. Мóжно вúдеть на берегáх Вóлги лугá с роскóшной травóй, плодорóдные поля, прекрáсные сады, и лесá, котóрые синéют вдалú бесконéчной полосóй, стéпи и песчáные пустыни, где белéют пятна солёных озёр.

20 На берегáх Вóлги бóльше тридцатú городóв, а сёл и деревéнь так мнóго, что их трýдно сосчитáть. Вверх и вниз по Вóлге плывýт тысячи судóв: парохóды, бáржи, плоты и лóдки. Онú везýт по Вóлге зернó, мукý, лес, рыбу и рáзные товáры из одногó 25 крáя Россúи в другóй.

Сáмый красúвый и богáтый гóрод на берегý Вóлги —Нúжний-Нóвгород. Он извéстен своéю ярмаркой не тóлько в Россúи, но и за гранúцей. Ярмарка эта обыкновéнно начинáлась двáдцать пятого июля, в 30 день святóго Макáрия, потомý онá называлась Макáрь-евской. К этому врéмени в Нúжний-Нóвгород

с'езжа́лись фабрика́нты и купцы́ со всех сторо́н
Росси́и и из-за грани́цы. Они́ здесь покупа́ли и
продава́ли свои́ това́ры. В э́то вре́мя Во́лга была́
покры́та мно́жеством судо́в, кото́рые привози́ли
това́ры со всех сторо́н: из Петербу́рга и Москвы́— 5
золоты́е и сере́бряные ве́щи и дороги́е шерстяны́е и
шёлковые мате́рии; из Сиби́ри—меха́; из Кита́я—
чай и шелка́; с Кавка́за—ви́на, сере́бряные изде́лия
и шёлковые тка́ни и ковры́; со всех концо́в Росси́и
—ви́на, холсты́, си́тцы, желе́зо, муку́, ры́бу и мно́го 10
други́х това́ров.

Ни́жний-Но́вгород—ро́дина знамени́того писа́теля
Макси́ма Го́рького и в честь его́ э́тот го́род тепе́рь
называ́ется "Го́рький."

У Каспи́йского мо́ря, у са́мого конца́ Во́лги, стои́т 15
го́род А́страхань. Хотя́ ры́бу ло́вят на всём протя-
же́нии Во́лги, нигде́ её не ло́вят так мно́го как у
А́страхани. Са́мое горя́чее вре́мя ры́бной ло́вли—
ра́нняя весна́, до нача́ла ма́я. В э́то вре́мя ры́ба
идёт из Каспи́йского мо́ря в ре́ки чтобы мета́ть икру́. 20
Движе́ние ры́бы так велико́, что вода́ волну́ется,
как бу́дто кипи́т на пове́рхности. Ры́бу су́шат,
коптя́т и со́лят, а пото́м отправля́ют во все края́
Росси́и.

❧❧❧❧❧

Письмо́ с Кавка́за.

Дорого́й друг! 25

Наконе́ц, я на Кавка́зе. Моё жела́ние уви́деть
го́ры испо́лнилось. Они́ смо́трят на меня́, споко́й-
ные, велича́вые. Я реши́л посмотре́ть на них
вблизи́.

Вот мы у подно́жья горы́. Нам ну́жно бы́ло итти́ 30
во́семь вёрст, снача́ла по ущелию, пото́м по одному́
из отро́гов Казбе́ка, гла́вная верши́на кото́рого

грóзно возвышáлась пéред нáшими глазáми. Мы
нáняли проводникá, взя́ли остроконéчные пáлки,
верёвки, ломы́, тёплое плáтье и с'естны́е припáсы.
Был жáркий день. В тёплом вóздухе разносúлся
5 аромáт цветóв. На дерéвьях висéли румя́ные я́блоки,
грýши; краснéл в зéлени виногрáд. Но вот тропá
начинáет крýто поднимáться. Иттú станóвится труд-
нéе. Мы по временáм останáвливаемся, отдыхáем
в лесý, рвём спéлые я́годы малúны и землянúки.
10 Мы поднимáемся вы́ше: начинáются éли и появля́-
ется бруснúка.

Мы подняли́сь на откры́тое мéсто, где зеленéет
густáя травá. Здесь ужé нет ни дóмиков, ни гóрцев.
Мы вúдели тóлько стадá, котóрых охраня́ли пастухú
15 и злы́е собáки. Отсю́да мы взгляну́ли вниз: все
предмéты стáли так малы́, что жýтко бы́ло смотрéть
на них с высоты́. Мы подняли́сь ещё. Дерéвья и
кусты́ преврати́лись в травý, стáдо овéц кáжется
бéлыми тóчками.
20 Мы на стрáшной высотé. Кругóм нас со всех
сторóн громáдные гóры, а вы́ше ещё гóры, и там
снéжные вершúны ухóдят высокó в нéбо. Всю́ду
гóлые скáлы, громáдные кáмни иногдá вися́т над
ущéльями. Никтó ужé тепéрь не попадáлся нам на
25 путú: лю́ди, стадá—всё исчéзло. Стáло хóлодно.

В половúне вторóго мы подошли́ к основáнию
вершúны. Проводнúк сначáла отказáлся иттú: так
крут был под'ём. Путь шёл по скáлам и по снéгу.
Наконéц, в четы́ре часá мы достúгли вы́сшей тóчки
30 Казбéка. Что за велúчественный вид оттýда от-
кры́лся на весь Кавкáз! . . .

Чёрное мо́ре.

Зову́т э́то мо́ре Чёрным, потому́ что во вре́мя бу́ри вода́ в нём ка́жется чёрной, а бу́ри там ча́сты, осо́бенно о́сенью, зимо́й и весно́й.

Чёрное мо́ре тя́нется ты́сячи на полторы́ вёрст в длину́ и вёрст на семьсо́т в ширину́. Кру́глый год 5 по́ мо́рю хо́дят суда́. По желе́зным доро́гам и по ре́кам привозят к мо́рю хлеб, гру́зят его́ на парохо́ды и везу́т в други́е госуда́рства. Из го́рода Бату́ма, кото́рый нахо́дится у Кавка́зских гор на берегу́ мо́ря, везу́т нефть и кероси́н. 10

Че́рез Чёрное мо́ре мо́жно попа́сть в откры́тый океа́н и пое́хать в Аме́рику. Оди́н из бога́тых городо́в у Чёрного мо́ря—Оде́сса. Вот на берегу́ толпа́ пассажи́ров, мужики́ и́ли рабо́чие с се́мьями, ру́сские и евре́и. Они́ садя́тся на парохо́д, кото́рый идёт в 15 Аме́рику. Там они́ наде́ются зарабо́тать мно́го де́нег. Не́которые из них всё про́дали, чтобы купи́ть биле́т на прое́зд. Они́ не зна́ют англи́йского языка́, на кото́ром говоря́т америка́нцы, нет у них там ни родны́х, ни знако́мых, но они́ реши́ли пое́хать туда́. 20 Мно́гие из них найду́т там каку́ю-нибудь рабо́ту, нау́чатся англи́йскому языку́, а други́е верну́тся опя́ть на свою́ ро́дину.

Кири́лл и Мефо́дий.

Бра́тья Кири́лл и Мефо́дий, де́ти зна́тного вельмо́жи, роди́лись в Македо́нии. Мефо́дий, ста́рший 25 брат, поступи́л на вое́нную слу́жбу и управля́л одно́й славя́нской о́бластью. Но пото́м он всё оста́вил и ушёл в монасты́рь. Мла́дший брат воспи́тывался в Константинóполе вмéсте с малолéтним импера́тором грéков. Но вскóре по окончáнии учéния Кири́лл поки́нул столи́цу и ушёл к своему́ бра́ту.

В 862 (восемьсóт шестьдеся́т вторóм) году́ в Константинóполь пришли́ послы́ из Морáвии от славя́нских
5 князéй. "Мы христиáне," говори́ли они́, "но нет у нас учи́теля, котóрый учи́л бы нас и об'ясни́л нам цéркóвные кни́ги. Мы не знáем ни грéческого языкá ни лати́нского. Пошли́те к нам таки́х учителéй,
10 котóрые могли́ бы об'ясни́ть нам Евáнгелие."

Царь тогдá обрати́лся к брáтьям Кири́ллу и Мефóдию с прóсьбой приня́ть на себя́ э́ту рабóту. "Вам знакóм славя́нский язы́к," сказáл царь, "отправля́йтесь в Морáвию и проповéдуйте там
15 христиáнскую вéру." Брáтья дáли своё пóлное соглáсие. "Но проповéдывать у́стно—всё равнó, что писáть на пескé," ду́мал Кири́лл. Ему́ пришлá вели́кая мысль перевести́ церкóвные кни́ги с грéческого языкá на славя́нский. В то врéмя славя́нских букв ещё нé было и на́до бы́ло состáвить
20 ских букв ещё нé было и на́до бы́ло состáвить а́збуку.

Для славя́нского алфáвита они́ взя́ли бу́квы грéческие и нéкоторые лати́нские и еврéйские. Кири́лл и Мефóдий перевели́ на славя́нский язы́к
25 Евáнгелие и другíе церкóвные кни́ги и тогдá отпрáвились в Морáвию. Когдá они́ при́были тудá, они́ стáли вести́ церкóвную слу́жбу не на лати́нском языкé, как бы́ло рáньше, а на славя́нском, на языкé поня́тном для нарóда. Тот же роднóй язы́к употреб-
30 ля́лся тепéрь и в шкóлах и в прóповедях. Чéрез нéсколько лет в Морáвии, Болгáрии, Сéрбии и в други́х славя́нских зéмлях моли́лись на роднóм языкé. Позднéе все э́ти церкóвные кни́ги употребля́лись в Росси́и.

✥✥✥✥✥

Крещéние Руси́.

По́сле сме́рти Святосла́ва ру́сской землёй стал пра́вить сын его́ Влади́мир. С пе́рвых лет своего́ правле́ния он на́чал ста́вить в Ки́еве и́долов. Пе́ред свои́м до́мом он приказа́л поста́вить изображе́ние Перу́на, кото́рое бы́ло сде́лано из де́рева, с сере́б- 5 ряной голово́й и с золоты́ми уса́ми. Но недо́лго князь был язы́чником. Поклоне́ние и́долам ста́ло ему́ ско́ро не по душе́. Одна́жды он верну́лся в Ки́ев по́сле уда́чного похо́да и реши́л в благода́рность Перу́ну принести́ челове́ческую же́ртву. Для вы́бора 10 её бро́сили жре́бий, кото́рый пал на одного́ христи- а́нского ма́льчика. Когда́ об'яви́ли об э́том отцу́ ма́льчика, он сказа́л: "Не дам я сы́на ва́шим бога́м, потому́ что они́ и́долы и сде́ланы из де́рева рука́ми челове́ческими. Есть то́лько оди́н Бог, он сотвори́л 15 не́бо и зе́млю!" Тако́й отве́т рассерди́л жи́телей Ки́ева и они́ разру́шили дом старика́. Оте́ц и сын поги́бли под его́ разва́линами.

Э́тот слу́чай так поде́йствовал на Влади́мира, что он пожела́л перемени́ть ве́ру. 20

Об э́том жела́нии узна́ли ра́зные наро́ды че́рез свои́х купцо́в, кото́рые жи́ли в Ки́еве. Они́ ста́ли присыла́ть посло́в к Влади́миру. Пришли́ не́мцы, евре́и, магомета́не и, наконе́ц, гре́ческий мона́х правосла́вной це́ркви. Влади́мир вы́слушал их всех. 25 Он спроси́л евре́ев, почему́ они́ рассе́яны по всей земле́; они́ отве́тили, "за на́ши грехи́." Влади́мир отказа́лся приня́ть их ве́ру. Он та́кже не пожела́л приня́ть магомета́нство, потому́ что, как он об'ясни́л, без кре́пких напи́тков в Росси́и соверше́нно невоз- 30 мо́жно быть счастли́вым. Он отосла́л их всех и оста́вил то́лько гре́ческого мона́ха, кото́рый подро́бно рассказа́л ему́ исто́рию Ве́тхого и Но́вого заве́та и при э́том показа́л карти́ну Стра́шного суда́. На ней были изображены́ на пра́вой стороне́ пра́ведники, кото́рые шли в рай, а на ле́вой—гре́шники, кото́рые отправля́лись в ад. Проста́я речь мона́ха понра́-вилась кня́зю. "Крести́сь,"—сказа́л мона́х, "и ты

5 бу́дешь с пра́ведниками." Князь отпусти́л мона́ха, рассказа́л свое́й дружи́не всё, что ему́ говори́ли послы́ и спроси́л у неё, что ему́ де́лать. Дружи́на отве́тила ему́ так: "Князь, вся́кий хва́лит свою́ ве́ру. Е́сли ты хо́чешь знать, кака́я лу́чше, пошли́

10 мудре́йших люде́й в ра́зные зе́мли узна́ть, как кто слу́жит Бо́гу." Сове́т понра́вился кня́зю и он посла́л не́сколько челове́к в други́е стра́ны.

Послы́ пришли́ в Константино́поль, к гре́кам. Царь приказа́л соверши́ть богослуже́ние в Софи́й-

15 ском собо́ре. Там ико́ны сия́ли зо́лотом и серебро́м, свяще́нники бы́ли в пра́здничных одея́ниях, ла́дан благоуха́л, слы́шалось стро́йное пе́ние, мно́го наро́да горячо́ моли́лось—всё э́то порази́ло посло́в. Они́ не зна́ли, что и ду́мать. Пото́м царь пригласи́л их к

20 себе́, дал им бога́тые пода́рки и отпусти́л их на ро́дину.

Когда́ они́ возврати́лись в Ки́ев, они́ рассказа́ли Влади́миру обо всём, что они́ ви́дели. Ни одна́ ве́ра не понра́вилась им так, как гре́ческая. "Мы не

25 зна́ли," говори́ли они́, "где мы, на не́бе и́ли на земле́. Как челове́к, кото́рый попро́бовал сла́дкое, не хо́чет есть го́рького, так и мы не хоти́м друго́й ве́ры, кро́ме гре́ческой."

Во вре́мя войны́ с гре́ками Влади́мир осади́л их

30 кре́пость и дал обе́т крести́ться, е́сли похо́д око́нчится уда́чно. Он ско́ро взял э́ту кре́пость, крести́лся и вступи́л в брак с гре́ческой царе́вной.

По возвраще́нии Влади́мира в Ки́ев, он приказа́л бро́сить и́долов в Днепр. Свяще́нники ходи́ли по

35 у́лицам и учи́ли наро́д. Наконе́ц, Влади́мир назна́-чил день, в кото́рый все жи́тели Ки́ева собра́лись

на берегу́ Днепра́. Наро́д вошёл в во́ду и свяще́н-
ники крести́ли его́. Так произошло́ креще́ние Руси́
в девятьсо́т во́семьдесят восьмо́м году́. Из Ки́ева
христиа́нство пошло́ по всей ру́сской земле́.

❧ ❧ ❧ ❧ ❧

Времена́ тата́рского и́га.

В степя́х сре́дней А́зии, к се́веру от Кита́я, за 5
о́зером Байка́лом, жи́ли тата́ры и́ли монго́лы. Они́
бы́ли коче́вники, изб не стро́или, земли́ не паха́ли,
а име́ли больши́е стада́ и переходи́ли с ме́ста на
ме́сто, что́бы найти́ корм для скота́. Снача́ла
тата́ры жи́ли отде́льными племена́ми. Но в нача́ле 10
трина́дцатого ве́ка Чинги́с-хан покори́л все э́ти
племена́, соедини́л их в оди́н наро́д и пото́м стал
счита́ть себя́ владе́льцем всего́ ми́ра.

Ещё при жи́зни Чинги́с-ха́на тата́ры пришли́ в
ю́жные сте́пи Руси́. Они́ прошли́ в Европе́йскую 15
равни́ну давно́ изве́стным путём: там, где конча́ется
Ура́л, начина́ется доли́на, кото́рая всегда́ служи́ла
широ́кой доро́гой для коче́вников с восто́ка на за́пад.

На берегу́ реки́ Ка́лки произошла́ в ты́сяча две́сти
два́дцать четвёртом году́ пе́рвая би́тва с тата́рами. 20
Она́ око́нчилась стра́шным пораже́нием ру́сских.
Тата́ры опустоши́ли ю́жную Русь и верну́лись опя́ть
к себе́ в А́зию.

Гла́вное наше́ствие тата́р соверши́лось че́рез три-
на́дцать лет, в 1237 году́, когда́ Баты́й реши́л 25
завоева́ть страну́ на за́паде от Ура́ла, то́-есть всю
ру́сскую зе́млю.

Для ру́сских э́то тата́рское наше́ствие бы́ло вне-
за́пно. Никто́ не ожида́л, никто́ не предви́дел э́того
уда́ра. На Руси́ не зна́ли, что тата́ры де́лали в 30

Азии, и не имели понятия о том, какое сильное войско было у Батыя.

В начале зимы Батый переправился через Волгу. Несмотря на геройскую защиту, города падали один за другим. Сёла исчезали, народ погибал. Татары грабили страну и жгли всё на своём пути.

Когда Батый покорил северо-восточную часть страны, он пошёл на юг, к Киеву. В 1240 году татары окружили "мать русских городов" и жители Киева должны были сдаться.

В три года войско Батыя разгромило всю русскую землю. Многие из тех, которые её защищали, были убиты, а те, которые остались в живых, так боялись татар, что прятались в дремучих лесах. Там, где были когда-то многолюдные города, были теперь только развалины.

Из Киева татары пошли в степи около Волги, где Батый основал свою столицу, которая называлась "Золотая Орда."

Так произошло покорение Руси татарами. Вместо свободной страны она была теперь под властью хана. Все русские люди, от князя до простого работника, стали его рабами. Прежняя вольная жизнь исчезла. Начались новые порядки.

Татарские чиновники ездили по всей стране и собирали дань со всех русских людей; они грабили народ и брали у него всё что хотели: имущество, жён, детей. Князья должны были ездить в "Золотую Орду" к хану на поклон. Там их заставляли поклоняться огню и идолам и когда они не хотели делать этого, то их убивали.

Татарское иго продолжалось на Руси 240 лет.

Иван Грозный (1530–84).

Ивану Грозному было только три года, когда отец его умер. Мать его также скоро умерла. Управление страною было в руках бояр, которые пользовались властью только для своих выгод и не заботились о государстве. Во дворце, на глазах у 5 мальчика, они всегда ссорились, а Ивану позволяли делать всё, что он хотел. Он был очень умён и любознателен; никто из русских государей, которые были до него, не был так начитан, как Иван. Но несмотря на свой ум, он был жесток. 10

В 1547 году, когда Ивану было семнадцать лет, он короновался, и с того времени русские государи стали называться царями.

Царь Иван Грозный строил много церквей в Москве, в Казани и в других городах. Книг было 15 очень мало в то время и царь приказал покупать их на ярмарках и брать их из монастырей. Иван любил чтение, но он знал, что в рукописных книгах очень много ошибок. Книги исправляли несколько раз, но всё же нельзя было переписать их без ошибок. 20

Царь слышал, что немцы печатают книги, и что печатные книги лучше и дешевле рукописных. И он захотел завести печатание в России.

Митрополит московский сказал, что эта мысль была внушена самим Богом. В 1553 году Иван 25 приказал построить в Москве особый дом для печатания книг—типографию. Первым печатником был дьякон Фёдоров.

В Москве жило не мало переписчиков, которые зарабатывали себе на пропитание перепиской, а 30 книгопечатание лишало их работы и доходов. Чтобы погубить новое дело они стали говорить, что печатники—еретики. Многие поверили этому. Толпа народа сожгла типографию.

В конце́ ца́рствования Ива́на Гро́зного, по инициати́ве бога́тых купцо́в Стро́гановых, была́ покорена́ Сиби́рь. В 1582 году́ Стро́гановы посла́ли атама́на Ермака́ с каза́ками за Ура́л. Они́ победи́ли сиби́р-
5 ского ха́на, захвати́ли его́ столи́цу и положи́ли коне́ц его́ вла́сти.

❧❧❧❧❧

По́двиг Ива́на Суса́нина.

В 1613 году́ ру́сские избра́ли на престо́л Михаи́ла Фёдоровича Рома́нова (1596–1645). Поля́ки хоте́ли, чтобы в Росси́и ца́рствовал по́льский коро́ль. Они́
10 реши́ли погуби́ть ру́сского царя́. Он жил тогда́ с ма́терью в го́роде Костроме́, в монастыре́.

Отря́д поля́ков шёл в Кострому́. Была́ зима́. Поля́ки сби́лись с доро́ги и пришли́ в одно́ село́. Здесь они́ встре́тили Ива́на Суса́нина, зашли́ к нему́
15 и ста́ли его́ угова́ривать, чтобы он их проводи́л к Михаи́лу. Суса́нин поду́мал и спроси́л поля́ков: "А заче́м вы идёте к нему́?"

Они́ отве́тили: "Мы идём поздра́вить Михаи́ла Фёдоровича, его́ избра́ли на престо́л."
20 Суса́нин по́нял, что не поздравля́ть они́ иду́т, а погуби́ть царя́. У Суса́нина был сын Ва́ня. Он подошёл к Ва́не и шепну́л ему́ на́ ухо: "Я пойду́ провожа́ть поля́ков, а ты возьми́ коня́ и скачи́ скоре́й в Кострому́, скажи́ Михаи́лу Фёдоровичу,
25 что враги́ и́щут его́."

Поля́ки торо́пят Ива́на: "Скоре́е да скоре́е." Иван оде́лся, вы́вел поля́ков из села́ и повёл их в дрему́чий лес. Ва́ня сел на коня́ и поскака́л в Кострому́. Он торопи́лся и так си́льно гнал ло́шадь,
30 что она́ ско́ро па́ла. Он пошёл пешко́м. Ва́ня боя́лся, что он не успе́ет дойти́ до царя́. Ночь была́ моро́зная. Вот уже́ заря́ была́ видна́ на не́бе. Он приба́вил

ша́гу и ско́ро уви́дел сте́ны монастыря́. Он подошёл
к воро́там и стал стуча́ть. Воро́та ско́ро отвори́ли
и Ва́ню повели́ пря́мо к царю́.

А Суса́нин шёл и шёл с поля́ками ле́сом. Они́
изму́чились, тону́ли в снегу́ и зашли́ в непроходи́мый 5
лес. Поля́ки прозя́бли. Они́ ста́ли дога́дываться,
что Суса́нин наро́чно завёл их в лес, ста́ли проси́ть
его́ вы́вести их на доро́гу, обеща́ли ему́ мно́го де́нег,
а пото́м грози́ли сме́ртью. Но Ива́н всё шёл и не
слу́шал их. Тогда́ они́ уби́ли Суса́нина; но са́ми 10
они́ поги́бли в лесу́. Так просто́й мужи́к спас пе́р-
вого царя́ из дина́стии Рома́новых.

❧❧❧❧❧

Царь Алексе́й Миха́йлович (1629–76.)

До полови́ны семна́дцатого ве́ка не́ было в Москве́
тако́го госуда́ря, как Алексе́й Миха́йлович. Добро-
ду́шный и приве́тливый, он получи́л про́звище "тиша́й- 15
шего." Е́сли он обижа́л кого́-нибудь, то он пото́м
стара́лся загла́дить оби́ду. Добро́душие царя́ заме-
ча́лось осо́бенно в дома́шней жи́зни: он был прекра́с-
ным семьяни́ном. Он был из тех люде́й, кото́рые
хотя́т, что́бы всем бы́ло хорошо́ и ра́достно. 20

Царь о́чень люби́л пы́шные обря́ды. Вы́ходы в
це́рковь, церемо́нии во вре́мя больши́х пра́здников,
приёмы иностра́нных посло́в и свои́х боя́р—всё э́то
соверша́лось при царе́ Алексе́е гора́здо торже́ствен-
нее, чем пре́жде. Вся жизнь царя́ представля́ла 25
стро́йный обря́д. Ра́зные подро́бности церемо́ний
и́ли церко́вной слу́жбы занима́ли его́ не ме́нее, чем
госуда́рственные дела́. Он был челове́к на́божный
и о́чень люби́л чита́ть церко́вные кни́ги, проводи́л
ка́ждый день не́сколько часо́в в це́ркви и ча́сто 30
пости́лся. "В Вели́кий пост," говори́т совреме́нник,
"царь обе́дал то́лько три ра́за в неде́лю, а и́менно:

в четве́рг, суббо́ту и воскресе́нье, в остальны́е же дни ку́шал по куску́ чёрного хле́ба с со́лью, по солёному грибу́ и́ли огурцу́. Ры́бу он ел то́лько два ра́за в Вели́кий пост и пости́лся все семь неде́ль.

5 Кро́ме э́того поста́, он не ел мя́са по понеде́льникам, среда́м и пя́тницам,—одни́м сло́вом, он пости́лся бо́льше чем мона́хи."

До́ свету, часа́ в четы́ре утра́ он встава́л с посте́ли; он снача́ла моли́лся оди́н, зате́м все шли к зау́трене.

10 Пото́м приходи́ли боя́ре и вели́ разгово́р о госуда́р- ственных дела́х, по́сле чего́ опя́ть шли с царём в це́рковь. По́сле обе́дни царь опя́ть занима́лся де- ла́ми: слу́шал докла́ды и проше́ния. По-полу́дни дела́ока́нчивались и сле́довал ца́рский обе́д. Алек-

15 се́й Миха́йлович обыкнове́нно отдыха́л днём; ве́чер он проводи́л среди́ свое́й семьи́, игра́л в ша́хматы и́ли слу́шал расска́зы ра́зных люде́й, кото́рые мно́го путеше́ствовали и ви́дели мно́го интере́сных веще́й в чужи́х края́х. Так обыкнове́нно шла, ро́вно и

20 ти́хо, ца́рская жизнь; она́ служи́ла образцо́м для боя́р. В пра́здники и во вре́мя приёмов иностра́нных посло́в простота́ жи́зни исчеза́ла. Рождество́, Кре- ще́ние, Ве́рбное Воскресе́нье и Па́сха—вот важне́й- шие пра́здники, когда́ обря́ды соверша́лись осо́-

25 бенно великоле́пно. Пе́ред больши́ми пра́здниками царь раздава́л ми́лостыню, посеща́л тю́рьмы и проща́л не́которых престу́пников. Все ру́сские лю́ди в то вре́мя счита́ли свои́м до́лгом дава́ть ми́лостыню в пра́здничые дни.

❦❦❦❦❦

Пётр Вели́кий (1672–1725).

30 Петру́ шёл четвёртый год, когда́ сконча́лся его́ оте́ц и на престо́л вступи́л ста́рший царе́вич—Фёдор. При э́том царе́ мать Петра́ не принима́ла никако́го

уча́стия в дворцо́вой жи́зни. Поэ́тому ма́ленький
Пётр рос без тако́го стро́гого присмо́тра, како́й
существова́л обыкнове́нно над ца́рскими детьми́.
Жи́вость его́ нра́ва с ка́ждым го́дом увели́чивалась,
и он всё вре́мя проводи́л в весёлых и шу́мных и́грах,   5
преиму́щественно на чи́стом во́здухе, отчего́ здоро́вье
его́ и си́лы всё кре́пли.

Пришла́ пора́ Петру́ учи́ться. В ста́рое вре́мя
ру́сские царе́вичи учи́лись в де́тстве не мно́гому:
снача́ла чита́ть по а́збуке и по церко́вным кни́гам,   10
пото́м писа́ть; по́сле э́того де́ти учи́лись церко́вному
пе́нию и слу́жбе. Когда́ Петру́ бы́ло семь лет учи́те-
лем его́ был дьяк Ники́та Зо́тов, челове́к до́брый,
но ма́ло образо́ванный. С ним ма́льчик чита́л Ева́н-
гелие и учи́лся пе́нию. Кро́ме уро́ков чте́ния, пе́ния   15
и письма́ Петру́ ра́но на́чали сообща́ть ра́зные све́-
дения по карти́нкам. По распоряже́нию Зо́това бы́ло
мно́го нарисо́вано для ма́льчика ра́зных карти́нок,
кото́рые бы́ли разве́шены по сте́нам во всех ко́мнатах.
В свобо́дное вре́мя Зо́тов расска́зывал своему́ уче-   20
нику́ по э́тим карти́нкам о би́твах, корабля́х, города́х,
об иностра́нцах и о по́двигах ру́сских царе́й. Пётр
учи́лся приле́жно. Он был о́чень спосо́бный и любо-
зна́тельный ребёнок. Но Зо́тов сам ма́ло знал и
ча́сто не мог отве́тить на вопро́сы своего́ ученика́.   25

Когда́ Пётр был ещё ма́льчиком он познако́мился
с не́которыми иностра́нными мастера́ми, кото́рые
жи́ли в Москве́. Осо́бенно он привяза́лся к швей-
ца́рцу Лефо́рту, от кото́рого он не ма́ло узна́л о
чужи́х края́х и уви́дел свои́ми глаза́ми, что ру́сские   30
мо́гут мно́гому научи́ться у европе́йцев.

До восемнадцатиле́тнего во́зраста Пётр про́жил с
ма́терью о́коло Москвы́, в селе́ Преображе́нском.
Когда́ ему́ бы́ло оди́ннадцать и́ли двена́дцать лет он
собра́л вокру́г себя́ дете́й небога́тых дворя́н и соста́-   35
вил из них ма́ленькое во́йско, кото́рое он назва́л

потѐшным. Во̂йско э̂то бы̂ло соста̂влено по европе̂й-
скому образцу̂, потому̂ что ру̂сский вое̂нный строй
был о̂чень плох. Петру̂ помога̂ли иностра̂нцы—его̂
друзья̂. Все поступа̂ли просты̂ми солда̂тами, вся̂кий
5 нёс слу̂жбу наравне̂ с други̂ми. В э̂то вре̂мя Петру̂
мо̂жно бы̂ло дать 15 лет: он был стро̂йный, высо̂кого
ро̂ста, на голове̂ вили̂сь тёмнору̂сые ку̂дри, на щека̂х
игра̂л румя̂нец, в больши̂х чёрных глаза̂х сверка̂л
ум и ого̂нь, го̂лос был зву̂чный, похо̂дка и все
10 движе̂ния сме̂лы и жи̂вы. Он до̂лгое вре̂мя служи̂л
в потѐшном во̂йске рядовы̂м; на слу̂жбе спал вме̂сте
с други̂ми в пала̂тке, на скамье̂; днём и но̂чью стоя̂л
под ружьём; ел просту̂ю солда̂тскую пи̂щу. Потѐш-
ное во̂йско бы̂стро росло̂ и в 1687 году̂ Пётр
15 соста̂вил из него̂ два полка̂: Преображе̂нский и
Семёновский.

Нововведе̂ния Петра̂ Пе̂рвого.

По возвраще̂нии из своего̂ путеше̂ствия по За̂пад-
ной Евро̂пе, Пётр захоте̂л преобразова̂ть Росси̂ю
по образцу̂ европе̂йских госуда̂рств и пре̂жде всего̂
20 обрати̂л внима̂ние на вне̂шность ру̂сских. Он прика-
за̂л всем, кро̂ме крестья̂н и духове̂нства, сбрить
бо̂роды и перемени̂ть дли̂нную и широ̂кую оде̂жду,
о̂чень неудо̂бную для рабо̂ты, на европе̂йское коро̂т-
кое пла̂тье. Вме̂сте с тем, он на̂чал пра̂здновать
25 но̂вый год с пе̂рвого января̂, вме̂сто пе̂рвого сентября̂,
ввёл летосчисле̂ние от Рождества̂ Христо̂ва, вме̂сто
пре̂жнего от сотворе̂ния ми̂ра. Кро̂ме э̂тих ново-
введе̂ний, де̂ятельный царь произвёл больши̂е
переме̂ны в суде̂, в положе̂нии сосло̂вий, в во̂йске
30 и в обы̂чаях.

Пётр Вели̂кий употреби̂л мно̂го сил на то, что̂бы
возвы̂сить свою̂ ро̂дину и распространи̂ть в Росси̂и

образова́ние. В Москве́, Петербу́рге и провинци-
а́льных города́х бы́ли откры́ты морски́е, инжене́рные,
математи́ческие и други́е шко́лы. Он посыла́л моло-
ды́х люде́й за грани́цу, чтобы учи́ться нау́кам и
ремёслам. Все дворя́не должны́ бы́ли знать гра́моту, 5
а тем, кото́рые не́ были в шко́ле и не уме́ли чита́ть и
писа́ть, Пётр не позволя́л жени́ться. Бы́ло так мно́го
но́вых школ, что не́ было доста́точно книг для них.
Пётр хоте́л чтобы ру́сские бо́льше чита́ли, но в то
вре́мя в Росси́и почти́ все кни́ги бы́ли церко́вные. 10
Поэ́тому царь приказа́л переводи́ть поле́зные труды́
с иностра́нных языко́в и сам приду́мал но́вые бу́квы,
—те са́мые, кото́рыми и тепе́рь печа́таются все ру́с-
ские кни́ги. Чтобы все могли́ знать, что де́лается
в ра́зных места́х Росси́и и за грани́цей, Пётр на́чал 15
издава́ть газе́ту, ука́зывал что печа́тать, и иногда́
сам писа́л статьи́.

Он та́кже хоте́л разви́ть в Росси́и про́мыслы и
торго́влю и стал издава́ть оди́н за други́м ука́зы:
где и каки́е ремёсла распространи́ть, где устро́ить 20
фа́брики и заво́ды, как развести́ сады́, сохрани́ть
леса́, добы́ть мета́ллы. Он сам выпи́сывал из-за
грани́цы лу́чшие поро́ды лошаде́й, ове́ц и скота́.

Царь был постоя́нно за́нят и тре́бовал, чтобы
други́е то́же рабо́тали. Он ча́сто уезжа́л из Петер- 25
бу́рга, чтобы посмотре́ть как рабо́тают в том и́ли
друго́м уголке́ Росси́и. Одного́ он похва́лит, друго́го
награди́т, тому́ пока́жет, как и что де́лать, а ино́го
лентя́я и дуби́нкой нака́жет.

Для того́, чтобы ча́стые отъе́зды из столи́цы не заде́р- 30
живали госуда́рственных дел, Пётр вы́брал са́мых
у́мных люде́й и поручи́л им пра́вить госуда́рством,
когда́ его́ не́ было в Петербу́рге. Э́то бы́ли сена́-
торы, а собра́ние сена́торов для реше́ния госуда́р-
ственных дел называ́лось Сена́том. Когда́ у́мер 35
патриа́рх, глава́ ру́сской це́ркви, царь учреди́л

Синóд—собрáние нéскольких духóвных лиц, котóрые должны́ бы́ли завéдывать церкóвными делáми всегó госудáрства.

Посредú вáжных госудáрственных забóт Пётр
5 обратúл внимáние на семéйную жизнь рýсских. До негó знáтные лю́ди держáли жён и дочерéй взаперти́. Царь стрóго запретúл э́тот обы́чай. Он устрóил вечéрние собрáния, "ассамблéи," на котóрых присýтствовали жéнщины. Гóсти танцовáли, нéкоторые
10 мужчи́ны игрáли в кáрты и в шáхматы, и́ли кури́ли, а их жёны и дóчери бесéдовали. Таки́м óбразом, благодаря́ Петрý, рýсская жéнщина вступи́ла в óбщество.

᪐᪐᪐᪐᪐

Екатери́на Вторáя (1729–96).

Екатери́на былá немéцкая принцéсса. Ей бы́ло
15 всегó пятнáдцать лет, когдá онá при́была из Гермáнии в Петербýрг. Здесь прéжде всегó ей нýжно бы́ло изучи́ть рýсский язы́к. От прирóды онá былá одаренá больши́ми спосóбностями, поэ́тому онá óчень скóро научи́лась хорошó говори́ть и писáть по-
20 рýсски.

Свои́м весёлым нрáвом и обходи́тельностью онá расположи́ла к себé всех. Бóльшую часть врéмени онá проводи́ла в чтéнии. Онá прочлá знамени́тейшие сочинéния тогó врéмени на рáзных языкáх и при-
25 обрелá таки́м óбразом громáдные знáния.

Муж её, Пётр III, недóлго цáрствовал. Екатери́на застáвила егó отрéчься от престóла и 28-го ию́ня 1762 гóда самá стáла императри́цей. В том же годý, 22-го сентября́, онá коронова́лась.
30 Госудáрыня былá жéнщина талáнтливая и дéятельная. Онá продолжáла в Росси́и преобразовáния Петрá Вели́кого, но не былá так сурóва, как он.

Не всякий был способен так понимать людей, как понимала Екатерина. Люди, которым она поручала важные дела, прославили Россию. Такие имена как Потёмкин и Суворов сделались известными в истории.

Императрица Екатерина была замечательно трудолюбива. Вот как проходил её день. Вставала она рано—в шесть часов утра. Она тотчас начинала работать: читала, писала, решала важные дела. В восемь часов к ней приходили высшие государственные сановники. Одни делали доклады, которые государыня выслушивала внимательно, другие получали приказы и распоряжения, с третьими она советовалась о делах. У неё было так много знаний, опытности и заботливости, что она вызывала всеобщее удивление. После раннего обеда она садилась за какое-нибудь рукоделие и слушала чтение. Это был её отдых. По вечерам собирались гости. Время проходило в удовольствилх: беседовали или смотрели театральные представления. Государыня любила рано ложиться спать, чтобы встать рано и с новыми силами начать работу.

Иностранцы, которые приезжали в Россию, всегда удивлялись роскоши русского двора. Нигде они не видели так много богатства и блеска, как в России. Те, которые видели императрицу во время её путешествия в Крым, говорили, что всё вокруг неё было так величественно, как только бывает в волшебных сказках. Празднества, в которых принимала участие Екатерина, были великолепны. Но всё это не мешало ей жить просто. Она была очень умерена в пище, питье и нарядах.

Есть много рассказов об императрице. В них она изображена снисходительной и справедливой. Эти черты её характера прекрасно описал поэт Державин в стихотворении "Фелица."

Екатери́на уме́ла цени́ть заслу́ги люде́й. Она́ ще́дро награжда́ла и говори́ла: "Я люблю́ хвали́ть и награжда́ть гро́мко." Она́ понима́ла, что её похвалы́ и награ́ды заставля́ют люде́й ещё усе́рднее труди́ться.
5 Она́ ока́зывала покрови́тельство писа́телям и учёным.

Екатери́на ца́рствовала 34 го́да и сконча́лась когда́ ей бы́ло 68 лет. Исто́рия ей дала́ назва́ние "Вели́кой" и Алекса́ндр II поста́вил ей па́мятник в Петербу́рге.

❧❧❧❧❧

Наше́ствие францу́зов.

10 В 1812 году́ Наполео́н на́чал войну́ с Росси́ей. Он призва́л на по́мощь все наро́ды, кото́рые бы́ли под его́ вла́стью, и с а́рмией в 700,000 челове́к вступи́л в Росси́ю. Когда́ импера́тор Алекса́ндр Пе́рвый (1777–1825) получи́л изве́стие о вторже́нии Наполео-
15 на, он об'яви́л, что не поло́жит ору́жия до тех пор, пока́ ни одного́ неприя́теля не оста́нется в его́ ца́рстве. Он изда́л манифе́ст ко всему́ наро́ду и призыва́л его́ ко всео́бщему вооруже́нию. Вся ру́сская земля́ подняла́сь как оди́н челове́к на защи́ту
20 ро́дины. "Веди́ нас, куда́ хо́чешь," говори́л в Москве́ наро́д импера́тору, кото́рый туда́ прие́хал—"умрём и́ли победи́м. Возьми́, госуда́рь, всё—иму́щество и жизнь на́шу!"

Наполео́н, ме́жду тем, бы́стро подвига́лся вперёд,
25 по направле́нию к Москве́. На пути́ своём он почти́ не встреча́л сопротивле́ния. Ру́сская а́рмия состоя́ла внача́ле всего́ из 200,000 челове́к, а у Наполео́на бы́ло в три с полови́ной ра́за бо́льше во́йска. Поэ́тому Баркла́й-де-То́лли, ру́сский главнокома́нду-
30 ющий, реши́л отступа́ть и завлека́ть неприя́теля в глубь страны́ и в то же вре́мя затрудня́ть его́ движе́ние.

Когда появлялись французы, население обыкновенно убегало и перед уходом зажигало свои дома и всё что нельзя было захватить с собой. Таким образом на пути французов повсюду было пусто; они с трудом добывали с'естные припасы. Русское 5 население нападало на французские отряды и войско Наполеона начало убывать.

Барклай-де-Толли продолжал отступать и не хотел дать сражения. Русские войска были очень недовольны своим главнокомандующим и стали подозре- 10 вать его в измене. Народ был им недоволен за его нерешительность. Тогда государь назначил на его место князя Голенищева-Кутузова. Войско встретило его с восторгом. "Приехал Кутузов—бить французов," говорили солдаты. Все были уверены, 15 что скоро будет сражение. И действительно, через несколько дней около села Бородино Кутузов остановил армию и велел готовиться к сражению. Двадцать шестого августа на рассвете раздались первые выстрелы со стороны французов и начался страшный 20 бой.

В этот день было убито больше ста тысяч человек, но Бородинская битва ничего не решила, и война продолжалась. Наполеон шёл к Москве. Кутузов решил отступить. Жители Москвы поспешили оста- 25 вить город и скоро на шумных улицах настала мёртвая тишина. Между тем французы с радостью шли к древней русской столице, потому что они надеялись найти там продовольствие и квартиры на зиму. "Вот, наконец, этот знаменитый город!" 30 —воскликнул Наполеон, когда он увидел Москву. "Теперь война кончена!" Но Наполеон ошибался, когда думал, что русские будут просить мира.

В Москве начались пожары; у французов не было ни пищи, ни тёплой одежды. Наступили холодные 35 дни, а потом начались морозы. Армия Наполеона

нача́ла отступле́ние, при кото́ром ты́сячи францу́зов
поги́бли от хо́лода и го́лода. Таки́м о́бразом наше́-
ствие францу́зов в Росси́ю око́нчилось пораже́нием.

❧❧❧❧❧

Никола́й I (1796–1855).

В 1825 году́ сконча́лся импера́тор Алекса́ндр I.
5 У́мер он безде́тным, и насле́дник престо́ла счита́лся
по зако́ну его́ брат Константи́н, второ́й сын Па́вла.
Но Константи́н отказа́лся ещё при жи́зни Алек-
са́ндра, кото́рый тогда́ назна́чил свои́м прее́мником
бра́та Никола́я. Он написа́л об э́том манифе́ст,
10 кото́рый, одна́ко, был изве́стен то́лько немно́гим
ли́цам. Ита́к, по́сле сме́рти Алекса́ндра Пе́рвого
почти́ никто́ не знал. кто бу́дет царём. Константи́н,
кото́рый жил тогда́ в По́льше, принёс прися́гу
Никола́ю, а после́дний присягну́л в Петербу́рге
15 своему́ бра́ту. В то вре́мя как Константи́н посла́л
гонца́ в Петербу́рг с изве́стием, что он отка́зывается
быть царём, его́ брат Никола́й посла́л гонца́ в
Варша́ву с изве́стием, что он принёс ему́ прися́гу.
Желе́зных доро́г и телегра́фов ещё не́ было, а от
20 Петербу́рга до Варша́вы далеко́, поэ́тому почти́ три
неде́ли никому́ не́ было изве́стно кто настоя́щий царь.
Э́тим междуца́рствием хоте́ли воспо́льзоваться чле́ны
та́йного о́бщества, кото́рые изве́стны в исто́рии под
назва́нием декабри́стов. Они́ хоте́ли измени́ть госу-
25 да́рственный строй в Росси́и и вме́сто неограни́-
ченной мона́рхии одни́ из них предлага́ли консти-
ту́цию, а други́е мечта́ли о респу́блике. 14 декабря́,
1825 го́да, в тот день, когда́ войска́ должны́ бы́ли
принести́ прися́гу Никола́ю, в Петербу́рге произошёл
30 бунт. Загово́рщики возмути́ли часть гва́рдии. Она́
отказа́лась присяга́ть но́вому царю́ и с ору́жием в

рука́х собра́лась на пло́щади о́коло Сена́та. Бунт не уда́лся. Никола́й казни́л пятеры́х, и бо́льше ста челове́к сосла́л в Сиби́рь.

Под влия́нием э́того восста́ния, а та́кже и европе́й-ских собы́тий, Никола́й ско́ро преврати́лся в ре-акционе́ра, кото́рый бо́льше всего́ боя́лся револю́ции и вся́кими стро́гими ме́рами хоте́л подави́ть в Росси́и мечты́ о свобо́де.

❧❧❧❧

Алекса́ндр II (1818–81).

Са́мым вели́ким де́лом Алекса́ндра Второ́го бы́ло уничтоже́ние крепостно́го пра́ва. Первонача́льно ру́сские крестья́не бы́ли свобо́дные лю́ди: они́ могли́ име́ть свою́ зе́млю и иму́щество. Те, у кото́рых не́ бы́ло земли́, жи́ли в име́ниях бога́тых владе́льцев и обраба́тывали их поля́. Е́сли им не нра́вился поме́щик, они́ могли́ уйти́ от него́.

Но с конца́ XYI ве́ка положе́ние крестья́н изме-ни́лось, и о́коло 1597 го́да Бори́с Годуно́в изда́л ука́з, кото́рый запреща́л им переходи́ть от одного́ поме́щика к друго́му. С тех пор крестья́не бы́ли прикреплены́ к земле́ и ма́ло-по́-малу сде́лались крепостны́ми поме́щиков.

Крепостно́е пра́во бы́ло то же рабовладе́ние, так как поме́щик мог продава́ть крепостно́го, как раба́. Поме́щики торгова́ли свои́ми крестья́нами, продава́ли их с землёю и без земли́, це́лыми се́мьями и́ли в ро́зницу, разделя́ли се́мьи и продава́ли дете́й отде́льно от роди́телей. Они́ вывози́ли их на я́рмарки и печа́тали об'явле́ния об их прода́же в газе́тах.

Положе́ние крестья́н бы́ло о́чень тяжёлое. Крепо-стны́е бы́ли необходи́мы поме́щику, когда́ всё ну́жное для его́ жи́зни выраба́тывалось до́ма. Труд крепо-стны́х цени́лся ни во что. Мастери́цы по́ два го́да вышива́ли пла́тье; како́й-нибу́дь Ва́нька посыла́лся за 70 вёрст в друго́е село́ за ка́шей, кото́рая там, по мне́нию поме́щицы, лу́чше приготовля́лась. Дни и но́чи рабо́тали портны́е, сапо́жники и други́е мастера́.

5 Поме́щики могли́ де́лать всё что уго́дно с крепостны́ми: они́ могли́ сажа́ть их в тю́рьмы и нака́зывать так жесто́ко, что ча́сто крепостны́е умира́ли от побо́ев.

Во второ́й полови́не XIX ве́ка наступи́л крити́ческий моме́нт в ру́сской жи́зни. По́сле неуда́чной Кры́мской войны́ все жда́ли переме́н. Когда́ Алекса́ндр Второ́й вступи́л на престо́л, наро́д ждал мно́гого от своего́ но́вого госуда́ря, и в э́тих наде́ждах он не́ был обма́нут. В 1861 году́, 19 февраля́, Алекса́ндр II, "Царь Освободи́тель," подписа́л знамени́тый манифе́ст, кото́рый уничто́жил крепостно́е пра́во в Росси́и.

❧❧❧❧❧

Па́мятник тысячеле́тия Росси́и.

862 — 1862.

В Но́вгороде, о́коло Софи́йского собо́ра, в па́мять тысячеле́тия Росси́и, восьмо́го сентября́ 1862 го́да 20 был постро́ен вели́чественный па́мятник. Он представля́ет собо́ю грома́дный шар, кото́рый изобража́ет Росси́йскую держа́ву. Наверху́ ша́ра стои́т а́нгел с кресто́м; он наклони́лся над же́нщиной— Росси́ей, кото́рая стои́т на коле́нях и де́ржит кру́глый щит с изображе́нием двухгла́вого орла́. Внизу́, на подно́жии, круго́м ша́ра, располо́жены бро́нзовые фигу́ры важне́йших истори́ческих де́ятелей со вре́мени кня́зя Рю́рика. Э́тот пе́рвый князь Руси́ предста́влен в по́лном вооруже́нии; пра́вая рука́ его́ 30 лежи́т на щите́, на кото́ром напи́сано число́ 862. На па́мятнике вы́лита из ме́ди вся исто́рия Росси́и.

Вот с Евáнгелием в рукáх стоят Кири́лл и Мефóдий.
. . . Вот пéрвый летопи́сец Нéстор. Пéред кня́зем
Влади́миром, котóрый высокó пóднял крест, лежи́т
разби́тый и́дол Перýна. Дми́трий Донскóй, герóй
Куликóвской би́твы, наступи́л ногóй на татáрина, 5
котóрый дéржит в рукáх знáмя с изображéнием
луны́. Óколо столá, на котóром лежи́т цáрская
корóна, изображены́ освободи́тели отéчества в гóды
смýты: Авраáмий Пáлицын и князь Пожáрский,
котóрые спасли́ Москвý от поля́ков; Ми́нин, с 10
мешкóм зóлота, котóрый собрáл срéдства для защи́ты
Росси́и; и Ивáн Сусáнин, котóрый ýмер за царя́.
Вот вели́чественная фигýра Петрá Пéрвого с пóд-
нятым ски́петром; у ног егó стои́т на колéнях швед
и дéржит знáмя. К погáм Екатери́ны Вторóй, котó- 15
рая сиди́т на трóне, Потёмкин кладёт турéцкие
трофéи и в нагрáду получáет из рук императри́цы
лаврóвый венóк. Победи́тель Наполеóна Алексáндр
Пéрвый положи́л свою́ шпáгу на кáрту Еврóпы с
вéткой оли́вы. Граф Сперáнский принóсит Николáю 20
Пéрвому кни́гу "Свод Закóнов." На пáмятнике
изображены́ вожди́ 1812 гóда: Кутýзов и другие;
тáкже мы ви́дим фигýры защи́тников Севастóполя.
Крóме тогó, на пáмятнике изображены́ знамени́тые
писáтели, худóжники и композ́иторы: Ломонóсов, 25
Жукóвский, Грибоéдов, Пýшкин, Лéрмонтов и Гó-
голь; Бортня́нский композитор духóвных музыкáль-
ных произведéний, и Гли́нка, творéц óперы
"Жизнь за царя́." Всегó фигýр на пáмятнике 109
и слéдующая нáдпись: "Тысячелéтию Всеросси́й- 30
ского Госудáрства в цáрствование Императóра
Алексáндра II, 1862 г." Дéсять векóв рýсской жи́зни
смóтрят на нас с высоты́ Новгорóдского пáмятника.
Скóлько здесь, в мéдной лéтописи, поучи́тельного для
рýсского человéка! 35

Алекса́ндр III (1845–94).

Алекса́ндр Тре́тий роди́лся 26 февраля́ 1845 го́да и был вторы́м сы́ном импера́тора Алекса́ндра II.

По нару́жному ви́ду Алекса́ндр III был и́стинно ру́сский царь. Высо́кий, могу́чий, с окла́дистой ру́сой
5 бородо́й, с откры́тым ла́сковым взгля́дом и до́брой улы́бкой, он производи́л хоро́шее впечатле́ние на всех, кто говори́л с ним. Он был пре́дан правосла́вной це́ркви. Он та́кже был не́жный и забо́тливый супру́г и оте́ц. Все немно́гие, свобо́дные от госуда́р-
10 ственных забо́т, мину́ты он проводи́л в кругу́ семьи́ и ча́сто игра́л с детьми́. В свое́й жи́зни он не позволя́л себе́ никако́й ро́скоши. Когда́ он вступи́л на престо́л, он оста́лся жить в своём ма́леньком дворце́. Обстано́вка его́ ко́мнат, его́ обе́д, чи́сто ру́сский,
15 бы́ли о́чень просты́. Бо́льшую часть го́да он проводи́л в Га́тчине, обши́рные па́рки и озёра кото́рого бы́ли люби́мыми места́ми его́ прогу́лок. Здесь он жил, как ру́сский поме́щик. Ле́том он люби́л е́здить в Финля́ндию, а о́сенью ча́сто с семьёй уезжа́л в
20 Да́нию, где за́просто проводи́л вре́мя в кругу́ родны́х и отдыха́л от дел.

Алекса́ндр люби́л ру́сскую старину́. Когда́ он был ещё насле́дником престо́ла, он был председа́телем Ру́сского Истори́ческого О́бщества, кото́рое
25 бы́ло осно́вано в 1866 году́. Собра́ния э́того о́бщества ча́сто происходи́ли в его́ дворце́. Он соде́йствовал напеча́танию мно́гих ва́жных истори́ческих докуме́нтов в Сбо́рнике э́того О́бщества. Вообще́ он люби́л всё ру́сское: чита́л ру́сские газе́ты, люби́л
30 ру́сскую литерату́ру, поощря́л ру́сское иску́сство, осо́бенно жи́вопись и му́зыку.

❧❧❧❧❧

Николай II (1868–1918).

Когда император Николай II вступил на престол
в 1894 году, он послал воззвание ко всем госу-
дарствам о разоружении и о всеобщем мире. Эту
мысль все одобрили, и в городе Гааге было сове-
щание представителей европейских держав, которые   5
выразили пожелание избегать войны.

Но несмотря на желание русского императора
жить со всеми в мире, Россия скоро принуждена
была воевать с Японией. Война, которая началась
в 1904 году, окончилась неудачей для русских.   10
После заключения мира с Японией, в 1905 году в
России была революция. В это время была учреж-
дена Государственная Дума, которая состояла
из народных представителей и принимала участие
в управлении страной.   15

Николай II, хотя и хороший человек—образо-
ванный и мягкий, был плохим царём—бсзвольным
и неподготовленным к управлению государством.
Он легко подпадал под влияние недобросовестных
и недалёких людей и плохих советников. Он не   20
понимал государственных задач.

Волнение в России с 1905 года продолжалось и
всё усиливалось. Во время Великой Войны, в 1917
году, произошла Февральская Революция и монар-
хия пала. Второго марта в 12 часов ночи государь   25
подписал следующий манифест об отречении в
пользу своего брата Михаила:

"В дни великой борьбы с внешним врагом. . . .
Господу Богу угодно было ниспослать России новое
тяжёлое испытание. . . . Внутренние народные   30
волнения грозят бедственно отразиться на дальней-
шем ведении упорной войны. Судьба России, честь
геройской нашей армии, благо народа, всё будущее
дорогого отечества требует доведения . . . войны

во что бы то ни ста́ло до побе́дного конца́. Жесто́кий
враг напряга́ет после́дние си́лы, уже́ бли́зок час,
когда́ до́блестные а́рмии на́ши, совме́стно со сла́вными
на́шими сою́зниками, смо́гут оконча́тельно сломи́ть
5 врага́. В э́ти реши́тельные дни в жи́зни Росси́и,
почли́ мы до́лгом со́вести облегчи́ть наро́ду на́шему
те́сное об’едине́ние . . . всех сил . . . для скоре́й-
шего достиже́ния побе́ды и в согла́сии с Госуда́р-
ственной Ду́мой при́няли мы за бла́го отре́чься от
10 престо́ла Госуда́рства Росси́йского и сложи́ть с себя́
верхо́вную власть. . . .”

Револю́ция продолжа́лась и вме́сто дина́стии
Рома́новых Росси́ей ста́ло управля́ть Вре́менное
Прави́тельство, во главе́ кото́рого был снача́ла
15 князь Льво́в, а пото́м Ке́ренский.

В октябре́ 1917 го́да власть перешла́ в ру́ки
па́ртии Социа́л-Демокра́тов—большевико́в, с Ле́ни-
ным во главе́.

В 1918 году́, когда́ Росси́я преврати́лась в СССР
20 —Сою́з Сове́тских Социалисти́ческих Респу́блик, в
ночь на четвёртое ию́ля, после́довала траги́ческая
смерть Никола́я Второ́го и всей ца́рской семьи́ в
го́роде Екатеринбу́рге, о́коло Ура́ла.

✦✦✦✦✦

Ле́нин (1870–1924).

Влади́мир Ильи́ч Улья́нов (Ле́нин) роди́лся 23
25 апре́ля 1870 го́да в го́роде Симби́рске, кото́рый
тепе́рь изве́стен под и́менем Улья́новск.

Оте́ц Ле́нина был инспе́ктором наро́дных учи́лищ.
В де́тстве Влади́мир Ильи́ч был о́чень живы́м и
шаловли́вым ма́льчиком.

30 В гимна́зию он поступи́л, когда́ ему́ бы́ло о́коло
десяти́ лет. Учи́лся он охо́тно и ему́ всё дава́лось
легко́.

Он не люби́л есте́ственных нау́к. Он интересова́лся лати́нским языко́м, чте́нием кла́ссиков, исто́рией, геогра́фией, люби́л писа́ть сочине́ния и писа́л их о́чень хорошо́. Он не ограни́чивался уче́бниками и расска́зами учи́теля, что́бы написа́ть сочине́ние, а 5 брал кни́ги из библиоте́ки, и сочине́ния его́ бы́ли изло́жены литерату́рным языко́м. Дире́ктор гимна́зии Ке́ренский (оте́ц А. Ф. Ке́ренского, главы́ Вре́менного Прави́тельства) тогда́ преподава́л в ста́ршем кла́ссе литерату́ру; он о́чень люби́л Ле́нина и хвали́л 10 его́ рабо́ты.

Когда́ Влади́миру Ильичу́ бы́ло шестна́дцать лет у́мер его́ оте́ц. А че́рез год семью́ пости́гло друго́е го́ре. За уча́стие в покуше́нии на царя́ Алекса́ндра III был аресто́ван брат Ле́нина, Алекса́ндр, кото́рый 15 был казнён в 1887 году́.

Влади́мир Ильи́ч продолжа́л занима́ться в гимна́зии, но стал серьёзнее и молчали́вее. Он ско́ро поступи́л в Каза́нский университе́т, но за уча́стие в студе́нческих беспоря́дках был исключён. Э́тим 20 исключе́нием око́нчились для него́ учени́ческие го́ды. С э́того вре́мени он твёрдо пошёл по пути́ революционе́ра и стал по́зже вождём коммунисти́ческой па́ртии, кото́рая с октября́ 1917 го́да управля́ет Росси́ей. 25

☙☙☙☙☙

Влади́мир Ильи́ч Ле́нин. Из расска́за рабо́чего.

Приближа́лись дни пра́зднования Октя́брьской Револю́ции. Учи́тельница ста́ла де́тям на уро́ке расска́зывать, как Влади́мир Ильи́ч повёл рабо́чих на борьбу́, и спроси́ла дете́й: "Вам до́ма что́-нибу́дь про Ле́нина расска́зывали?" 30

О́ля подняла́ ру́ку и говори́т: "Мне па́па мно́го расска́зывал. Он сам ви́дел Ле́нина."

"Расскажи нам, что ты слышала от отца."

Оля стала рассказывать, но не очень складно. Она ещё маленькая девочка и ей трудно составить связный рассказ.

5   Учительница сказала: "Вот мы твоего папу попросим притти к нам на вечер, чтобы все послушали его рассказ. Как ты думаешь, придёт он?"

"Придёт, конечно! Он не откажется," отвечает Оля.

Отец Оли пришёл на вечер. Это был пожилой 10 рабочий, лет пятидесяти, в кожаной куртке. Он вышел на платформу и стал говорить: "Ну, молодые граждане Советской республики, захотели слушать, так слушайте."

"Это было давно, лет тридцать тому назад. Я 15 был тогда молод, на заводе работал. Отца у меня не было, его на заводе машиной убило. . . .

Каждый день, рано-рано, слышится протяжный гудок. Это рабочих зовут на завод. И мы все глаза протираем и вскакиваем. Мать уже на ногах, скорее 20 самовар ставит. Мы пьём чай с чёрным хлебом, без сахару, и идём на работу. Работа была тяжёлая. Мы работали десять часов в день и получали гроши.

Один раз заволновались у нас рабочие на заводе. Они стали требовать чтобы им повысили плату. Но 25 хозяин и слушать не захотел. Мы тогда собрались на сходку на фабричном дворе. Вышел один рабочий и говорит:

"Не пойдём на работу, пока не добьёмся прибавки!"

30   Мы слушаем и соглашаемся с ним. Вдруг крик: "Казаки! Казаки!"

Налетели казаки и начали бить нас нагайками. Толпа разбежалась. Казаки схватили человек двадцать и повели их в тюрьму. Так-то шла наша жизнь.

35   Раз позвал меня старший товарищ: "Приходи вечером ко мне," сказал он.

Я пошёл к нему́. Ко́мната была́ полна́ наро́ду.
Почти́ все бы́ли рабо́чие. Среди́ них оди́н челове́к.
с рыжева́той боро́дкой, на́чал говори́ть: "Вы бедны́,
потому́ что от ва́шей рабо́ты хозя́ин богате́ет. Пока́
не прого́ните хозя́ев, не ста́нет вам ле́гче. Рабо́тайте 5
на себя́, дру́жно, рука́ о́б руку."

Мы ему́ говори́м: "Да, вы правы́. Всё э́то так.
Но как же мы мо́жем прогна́ть хозя́ев? За них
стои́т поли́ция. За них же засту́пится сам царь."

Он нам говори́т в отве́т: "Снача́ла на́до све́ргнуть 10
царя́. Для э́того рабо́чим на́до организова́ться и
созда́ть свою́ па́ртию. Е́сли восста́нет весь рабо́чий
наро́д, то царь не смо́жет боро́ться про́тив него́."

Слу́шаю я и ду́маю: "Пра́вду он говори́т."

По́сле я узна́л, что э́то́ был сам Ле́нин. Так я в 15
пе́рвый раз уви́дел Ле́нина.

Прошло́ по́сле э́того лет два́дцать. Начала́сь
война́ с Герма́нией. Мно́го солда́т пошли́ на войну́.
А отту́да наза́д кто без руки́ пришёл, кто без ноги́
возвраща́лся, а кого́ и в зе́млю зары́ли. 20

Меня́ тогда́ то́же в солда́ты взя́ли. Спустя́ не́ко-
торое вре́мя ме́жду на́ми ста́ли появля́ться листо́чки,
в кото́рых бы́ло напи́сано: "Доло́й войну́! Дери́тесь
про́тив богаче́й." Э́ти листо́чки посла́л Ле́нин, кото́-
рый жил тогда́ за грани́цей. 25

Три го́да мы воева́ли и, наконе́ц, не́ было бо́льше
сил. Восста́ли рабо́чие и солда́ты. Как Ле́нин нас
учи́л, так и сде́лали.

Царя́ заста́вили отре́чься от престо́ла. Появи́лось
тогда́ Вре́менное Прави́тельство. Но ско́ро пошли́ 30
спо́ры ме́жду рабо́чими: одни́ стоя́т за Вре́менное
Прави́тельство, а други́е не хотя́т его́. Я ви́дел,
что ничего́ не вы́йдет, е́сли рабо́чие бу́дут де́йство-
вать по́рознь. Я записа́лся тогда́ в па́ртию большеви-
ко́в. В па́ртии бы́ло мно́го рабо́ты. Мы везде́ 35
говори́ли рабо́чим одно́ и то́ же: "Об'единя́йтесь,

товáрищи! Сплотúтесь вокрýг своéй рабóчей пáртии. Борьбá тóлько начинáется!"

Одúн раз мы слы́шим: Лéнин из-за границы возвращáется. Пошлú мы на вокзáл встречáть егó.

5 Вся плóщадь былá полнá солдáтами и рабóчими.

Вот, наконéц, подошёл пóезд. Тут нáчалось движéние, шум. Вдруг вúжу: на автомобúль сел ктó-то.

Это был Лéнин. Хоть мнóго лет прошлó, но я егó 10 срáзу узнáл. Он стал говорúть нам с автомобúля: "Не вéрьте Врéменному Правúтельству! Берúте власть в свои рýки! Вся власть Совéтам! Не с гермáнцами нáдо воевáть, а с помéщиками, с хозя́евами, с буржýями!"

15 Я подýмал: "Ну, тепéрь мы победúм. Есть у нас вождь. Тепéрь мы знáем, за что нам борóться."

Так и вы́шло. Ещё прошлó нéсколько мéсяцев. Врéменное Правúтельство пáло. Отняли зéмлю у помéщиков. Завóды и зéмли перешлú в рýки ра- 20 бóчих и крестья́н.

Лéнин научúл нас управля́ть странóй. С тех пор управля́ют совéты трудя́щихся.

Тепéрь кáждый рабóтает для óбщей пóльзы. А кто рабóтать не хóчет, томý нет у нас мéста.

25 "Как же всё э́то Лéнин одúн сдéлал?"—спросúли дéти.

Рабóчий отвéтил: "Не одúн Лéнин всё э́то сдéлал. Он сдéлал э́то вмéсте с пáртией, котóрая повелá за собóй рабóчий класс и всех трудя́щихся. Лéнин 30 указáл нам путь. Он сплотúл пáртию. Он раскры́л нам глазá. Нас научúл и вам, мáлым ребя́там, завещáл: учúться, учúться и учúться. Вы—смéна."

Ио́сиф Виссарио́нович Ста́лин (1879–1953).

В Закавка́зье, в Гру́зии, на берегу́ реки́ Куры́, есть городо́к Го́ри. Там в 1879 году́ в семье́ сапо́жника Виссарио́на Джугашви́ли роди́лся сын Ио́сиф—бу́дущий вождь коммунисти́ческой па́ртии рабо́чего кла́сса, тот, кого́ пото́м ста́ли звать това́рищем Ста́линым.

С восемна́дцати лет он о́тдал себя́ на де́ло борьбы́ за освобожде́ние рабо́чих. Он стал революционе́ром. Он об'единя́л рабо́чих в кружки́, кото́рые собира́лись тайко́м от поли́ции. Он раз'ясня́л, как на́до боро́ться про́тив царя́.

Что́бы укры́ться от поли́ции, он жил под ра́зными имена́ми. После́днее и́мя его́ бы́ло Ста́лин. Под э́тим и́менем он стал изве́стен всему́ ми́ру.

Ста́лину случа́лось не раз попада́ться в ру́ки поли́ции. Он до́лго сиде́л в тюрьме́. Его́ ссыла́ли в Сиби́рь и в други́е да́льние места́. Но из ссы́лки он убега́л и вновь начина́л рабо́тать под но́вым и́менем.

Во всей рабо́те Ста́лин был ближа́йшим помо́щником Ле́нина. Когда́ Ле́нин у́мер в 1924 году́, коммунисти́ческая па́ртия продолжа́ла его́ де́ло под руково́дством Ста́лина. По его́ мы́сли постро́ены ты́сячи но́вых заво́дов. По его́ указа́нию крестья́нство сплоти́лось в колхо́зы для совме́стной рабо́ты. И.В. Ста́лин у́мер по́сле тяжёлой боле́зни 5-го ма́рта 1953 г. Гроб с те́лом Ста́лина нахо́дится ря́дом с саркофа́гом В. И. Ле́нина в Мавзоле́е на Кра́сной Пло́щади в Москве́.

ЧАСТЬ ТРЕ́ТЬЯ

Ломоно́сов.

Лет две́сти тому́ наза́д, при Петре́ Вели́ком, в дере́вне Дени́совке, о́коло Арха́нгельска, роди́лся Михаи́л Васи́льевич Ломоно́сов (1711–65)—оди́н из пе́рвых ру́сских учёных.

5 Он научи́лся гра́моте у одного́ из крестья́н и о́чень полюби́л чте́ние. По це́лым дням он сиде́л за кни́гами, а когда́ его́ ма́чеха начина́ла брани́ть его́ за э́то, он уходи́л и́з дому. Как мо́жно бо́льше учи́ться, как мо́жно бо́льше узна́ть—вот что бы́ло 10 постоя́нно на уме́ у него́. Но где же учи́ться? Шко́лы в дере́вне не́ было.

Стал ма́льчик спра́шивать свяще́нника, как ему́ стать учёным. Свяще́нник сказа́л, что пре́жде всего́ на́до вы́учиться лати́нскому языку́, кото́рый препо- 15 даю́т в Ки́еве, Петербу́рге и Москве́. Михаи́лу шёл девятна́дцатый год и он понима́л, что ме́длить с поступле́нием в шко́лу нельзя́. Он реши́л отпра́- виться в Москву́. Так как Москва́ была́ далеко́ и е́хать туда́ сто́ило мно́го де́нег, то он пошёл туда́ 20 пешко́м.

Когда́, наконе́ц, Михаи́л добра́лся до Москвы́, он че́рез не́которое вре́мя поступи́л в шко́лу при мона- сты́ре. Его́ посади́ли в са́мый пе́рвый класс, где то́лько начина́ли учи́ть лати́нскую а́збуку. Он сел 25 на скаме́йку, посмотре́л круго́м,—ви́дит, сидя́т в кла́ссе всё ма́ленькие ма́льчики, оди́н он среди́ них грома́дного ро́ста, да́же уже́ с небольши́ми уса́ми.

На́чал Ломоно́сов учи́ться о́чень приле́жно. Но жить ему́ бы́ло тру́дно. Де́нег у него́ не́ было, от 30 учи́лища ему́ выдава́ли не́сколько копе́ек в день; на э́ти копе́йки он покупа́л себе́ хле́ба и ква́са и из э́тих же де́нег он до́лжен был покупа́ть себе́ всё

необходи́мое : бума́гу, сапоги́ и ра́зные други́е ве́щи.
Он ча́сто ложи́лся спать голо́дный. Но несмотря́ на
э́ти тру́дности, он прекра́сно изучи́л лати́нский язы́к
и мог да́же сочиня́ть свои́ со́бственные стихотворе́ния
на э́том языке́. Тогда́ он на́чал учи́ться по-гре́чески.   5
Он перечита́л почти́ все кни́ги, кото́рые бы́ли в шко́ле.

Пото́м он реши́л отпра́виться в Ки́ев и поступи́ть
в акаде́мию. Он про́был там о́коло го́да, но ему́
акаде́мия не понра́вилась и он опя́ть прие́хал в
Москву́.   10

Как раз, когда́ он верну́лся, не́сколько ученико́в
из его́ пре́жней шко́лы бы́ли вы́браны для отсы́лки
в акаде́мию в Петербу́рг. Ломоно́сов был в их числе́
и он весь сия́л от ра́дости. "Наконе́ц-то," ду́мал он,
"поступлю́ я в настоя́щую акаде́мию, где преподаю́т   15
учёные, кото́рые изве́стны всему́ све́ту! Ско́лько
интере́сных веще́й я от них узна́ю!" С нетерпе́нием
е́хал он в Петербу́рг, а судьба́ гото́вила ему́ там ещё
бо́льшую ра́дость. Ломоно́сов про́был в Петербу́рге
о́коло го́да ; пото́м его́ посла́ли в Герма́нию учи́ться   20
у са́мых лу́чших неме́цких учёных.

За грани́цей Ломоно́сов набро́сился с жа́дностью
на но́вые нау́ки, рабо́тал о́чень мно́го и ско́ро на́чал
посыла́ть в Петербу́рг свои́ сочине́ния. Занима́лся
он бо́льше всего́ об'ясне́ниями того́, что происхо́дит   25
круго́м нас в приро́де : каки́е быва́ют расте́ния,
живо́тные, мета́ллы ; отчего́ быва́ет теплота́ и хо́лод,
ночь и день, и тому́ подо́бное. Кро́ме того́, он на́чал
писа́ть зву́чные стихи́ так, как до того́ вре́мени не
писа́л ещё никто́ в Росси́и.   30

Когда́ Ломоно́сов верну́лся в Петербу́рг, он был
уже́ настоя́щим учёным. Он оста́лся при акаде́мии
где всю жизнь занима́лся свои́ми люби́мыми нау́-
ками. Он про́был акаде́миком два́дцать три го́да и
всё э́то вре́мя, до са́мой сме́рти, рабо́тал и заслужи́л   35
себе́ свои́ми труда́ми гро́мкое и́мя.

Кро́ме свои́х нау́чных заня́тий Ломоно́сов сде́лал о́чень мно́го для ру́сской худо́жественной литерату́ры. В год основа́ния пе́рвого ру́сского университе́та в Москве́, в 1755 году́, Ломоно́сов написа́л 5 пе́рвую ру́сскую грамма́тику.

Ломоно́сов сконча́лся 4 апре́ля 1765 го́да. В го́роде Арха́нгельске поста́вили ему́ па́мятник.

Жуко́вский.

В жи́зни появля́ются иногда́ лю́ди, кото́рые привлека́ют к себе́ о́бщую симпа́тию: при обще́нии 10 с ни́ми де́лается светле́е на душе́. Таки́м челове́ком был Жуко́вский.

Роди́лся Васи́лий Андре́евич в 1793 году́ в бога́той и образо́ванной семье́. Приво́льно бы́ло в име́нии, где вы́рос он. Огро́мный сад, с пруда́ми, оранжере́ями 15 и бесе́дками и векову́ми дере́вьями; по доли́не пробега́л руче́й, вдали́ видне́лись луга́, ни́вы, село́ с це́рковью. В тако́й обстано́вке прошли́ пе́рвые го́ды бу́дущего поэ́та. Учи́лся он снача́ла до́ма, среди́ сестёр и ро́дственниц. Когда́ роди́тели Жуко́вского 20 посели́лись в Ту́ле, его́ помести́ли в пансио́н.

Четы́рнадцати лет Жуко́вского отпра́вили в Москву́ в Благоро́дный пансио́н, в кото́ром получи́ли образова́ние мно́гие из ви́дных люде́й того́ вре́мени. Среди́ ученико́в был осно́ван литерату́рный кружо́к. 25 Во вре́мя пребыва́ния Жуко́вского в э́том пансио́не бы́ло напеча́тано его́ пе́рвое стихотворе́ние.

По оконча́нии ку́рса Жуко́вский заня́лся литерату́рой. Он оди́н из пе́рвых познако́мил ру́сское о́бщество с лу́чшими образца́ми за́падно-европе́й- 30 ской литерату́ры, кото́рые он перевёл на ру́сский язы́к. Произведе́ние, кото́рое дало́ ему́ изве́стность,

бы́ло стихотворе́ние Гре́я "Се́льское Кла́дбище,"
кото́рое он перевёл с англи́йского языка́. Оно́ име́ло
большо́й успе́х.

В 1818 году́ Жуко́вский сопровожда́л свою́ учени́цу,
вели́кую княги́ню Алекса́ндру Фёдоровну, в Евро́пу. 5
Эта пое́здка име́ла большо́е влия́ние на Жуко́вского.
Он познако́мился со мно́гими европе́йскими знаме-
ни́тостями, среди́ кото́рых был Гёте.

Когда́ на престо́л вступи́л Никола́й I, Жуко́вского
назна́чили наста́вником к Алекса́ндру II. 10

Жуко́вский по́льзовался свои́м положе́нием, что́бы
помога́ть други́м. Мно́гие ру́сские писа́тели обя́заны
ему́ свои́ми пе́рвыми успе́хами. Все они́ находи́ли
ла́ску у до́брого Васи́лия Андре́евича.

После́дние го́ды свое́й жи́зни Жуко́вский провёл 15
вдали́ от ро́дины. Он жил за-грани́цей и у́мер в
1852 году́ в Ба́дене

Из произведе́ний Жуко́вского осо́бенной изве́ст-
ностью по́льзуется "Светла́на." Как перево́дчик
же он не име́ет ра́вного себе́ в ру́сской литерату́ре 20
девятна́дцатого ве́ка: перево́ды его́ то́нко передаю́т
красоту́ по́длинника.

※※※※※

Ру́сский баснопи́сец де́душка Крыло́в.

Ива́н Андре́евич Крыло́в роди́лся в 1768 году́ в
Москве́. Он был сын офице́ра. Пе́рвые го́ды де́тства
его́ прошли́ в Оренбу́рге. По́сле сме́рти отца́ Крыло́в 25
получи́л в насле́дство то́лько сунду́к с кни́гами.
Мать его́ оста́лась без средств.

Крыло́в с ней перее́хал в Петербу́рг иска́ть сча́стья.
Здесь он поступи́л на слу́жбу и получа́л по́ два рубля́
в ме́сяц. Но гла́вное его́ заня́тие бы́ло не в слу́жбе, 30
а в чте́нии книг. Пото́м он получи́л ме́сто в Импе-
ра́торской Публи́чной Библиоте́ке и с э́того вре́мени
посвяти́л себя́ сочине́нию ба́сен.

Алекса́ндр I и Никола́й I высоко́ цени́ли тала́нт Крыло́ва и осыпа́ли его́ свои́ми ми́лостями. У́мер Крыло́в в 1844 году́ и погребён в Петербу́рге. Над моги́лой его́ стои́т краси́вый па́мятник.

5 Все ру́сские знако́мы с ба́снями Крыло́ва и зна́ют не́которые наизу́сть. Крыло́ва называ́ют де́душкой не потому́ что он у́мер в ста́рости, а потому́, что весь ру́сский наро́д почита́ет и лю́бит его́, как лю́бят вну́ки своего́ у́много и до́брого де́душку. Почти́ во
10 вся́кой семье́ зна́ют ба́сни Крыло́ва; в ка́ждой де́тской кни́жке есть не́сколько ба́сен. При жи́зни петербу́ргские де́ти зна́ли Крыло́ва в лицо́. По́сле его́ сме́рти они́ по це́лым дням игра́ли в Ле́тнем саду́ о́коло его́ па́мятника, чита́ли гро́мко ба́сни и
15 любова́лись свои́м де́душкой. А он, в сюртуке́, сиди́т на ка́мне с карандашо́м и записно́й кни́жкой в рука́х. Так он де́лал при жи́зни: по утра́м он приходи́л в э́тот сад, сади́лся где́-нибу́дь в стороне́ и обду́мывал свои́ прекра́сные ба́сни. Мно́гие из э́тих ба́сен кар-
20 ти́нно изображены́ на подно́жии па́мятника: вот кварте́т из Марты́шки, Осла́, Козла́ и Ми́шки; вот Фо́ка, кото́рый схвати́л куша́к и ша́пку и убега́ет от гостеприи́много Демья́на; вот волк, кото́рый попа́л на пса́рню; вот голо́дная лиса́ жа́дно смо́трит
25 на спе́лый виногра́д.

❧❧❧❧❧

Вели́кий ру́сский поэ́т—А. С. Пу́шкин.

Алекса́ндр Серге́евич Пу́шкин(1799–1837) роди́лся в Москве́. Де́тство его́ прошло́ под охра́ною ня́ни, Ири́ны Родио́новны. Она́ зна́ла мно́го ска́зок и наро́дных пе́сен и убаю́кивала и́ми ребёнка в колы-
30 бе́ли. Э́ти ска́зки поэ́т люби́л слу́шать и в зре́лом во́зрасте.

Когда́ Пу́шкину бы́ло 12 лет, его́ отпра́вили в

лицей в Царское Село, где он обратил на себя
внимание своими прекрасными стихами, которые
он сочинял в свободное время. В 1814 году в журнале
"Вестник Европы" было напечатано первое стихо-
творение Пушкина—"К другу стихотворца." В 5
январе 1815 года, на экзамене, Пушкин, в присут-
ствии поэта Державина, читал своё произведение
"Воспоминания в Царском Селе," которое так
растрогало старика, что он со слезами на глазах
обнял и поцеловал Пушкина. 10

За некоторые политические памфлеты, которые
Пушкин написал по выходе из лицея, он был сослан
в южную Россию. Потом он несколько лет путеше-
ствовал по России: был в Бессарабии, в Киеве,
на Кавказе и в Крыму. Во время своих путешествий 15
он писал стихи, в которых изображал картины
природы и быт жителей.

В 1823 году, по приказанию начальства, Пушкин
должен был жить в селе Михайловском, имении его
матери. Там он пробыл некоторое время со своей 20
старушкой няней.

В зимний вечер, когда воет метель, Пушкин пишет,
а няня вяжет чулок или прядёт. В такие длинные
вечера поэт иногда заслушивался сказок или песен
няни. Многие из этих сказок Пушкин написал 25
потом в стихах, например: "О рыбаке и рыбке,"
"О Купце Остолопе," о "Руслане и Людмиле" и
другие.

В 1831 году Пушкин женился и переехал в Петербург. Вскоре появился его замечательный роман 30
в стихах "Евгений Онегин."

Пушкину было только 38 лет, когда он скончался
от смертельной раны, которую он получил на по-
единке с одним иностранцем.

Пушкин великий русский поэт; его знает каждый 35
школьник в России. Пушкин—народный поэт,

потому́ что он хорошо́ знал и горячо́ люби́л свою́
ро́дину и ру́сский наро́д. В его́ произведе́ниях, как
на карти́не, изображена́ Росси́я с её приро́дой—
широ́кими поля́ми, луга́ми, леса́ми, сёлами, треску́-
5 чими моро́зами, зи́мними бу́рями, дереве́нскими
и́грами, хорово́дами, гада́ньями, тоскли́выми пе́снями
и по́лными вся́ких чуде́с ска́зками.

Пу́шкину поста́вили па́мятник в Москве́ на одно́й
из лу́чших у́лиц; но давно́, ещё при жи́зни, вели́кий
10 поэ́т поста́вил себе́ па́мятник нерукотво́рный в серд-
ца́х ру́сских люде́й, и к нему́ "не зарастёт наро́дная
тропа́." Э́тот па́мятник—его́ произведе́ния, кото́рые
лю́бят и зна́ют все гра́мотные лю́ди. В ре́дком до́ме
в Росси́и нет сочине́ний Пу́шкина; в ка́ждом учи́лище
15 чита́ют и зау́чивают его́ стихотворе́ния.

❧❧❧❧❧

Ле́рмонтов.

В печа́льный для ру́сской литерату́ры год, когда́
у́мер Пу́шкин, в Росси́и заговори́ли о но́вом поэти́-
ческом тала́нте. Поэ́т э́тот был Михаи́л Ю́рьевич
Ле́рмонтов. Роди́лся он в Москве́ (в 1814 г.), но
20 ра́ннее де́тство провёл в име́нии в Пе́нзенской гу-
бе́рнии. Мать Ле́рмонтова умерла́ молодо́й. Па́мять
о ней оста́лась в душе́ ребёнка: в де́тстве зву́ки
пе́сни, кото́рую пе́ла когда́-то его́ мать, заставля́ли
его́ пла́кать. Своё де́тство Ле́рмонтов про́жил у
25 ба́бушки, бога́той поме́щицы. Когда́ ему́ бы́ло оди́н-
надцать лет, ба́бушка пое́хала с ним для поправле́ния
его́ здоро́вья на Кавка́з. Красота́ приро́ды Кавка́за
так повлия́ла на мечта́тельного ребёнка, что э́ти
пе́рвые впечатле́ния оста́лись в нём на всю
30 жизнь.

Ба́бушка ничего́ не жале́ла для образова́ния вну́ка.
Снача́ла он учи́лся до́ма. Осо́бенное внима́ние бы́ло

обращено́, по при́нятому тогда́ обы́чаю, на изуче́ние
иностра́нных языко́в. Ле́рмонтов хорошо́ говори́л
на францу́зском, неме́цком и англи́йском языка́х,
игра́л на скри́пке и на фортепиа́но и рисова́л.
Четы́рнадцати лет он поступи́л в пансио́н в Москве́.   5
Там он хорошо́ учи́лся и на́чал писа́ть стихи́. Осо́-
бенно си́льно повлия́ли на него́ произведе́ния
Жуко́вского, Пу́шкина и Ба́йрона. В пансио́не он
написа́л поэ́му "Черке́сы"—подража́ние "Кавка́з-
ского пле́нника" Пу́шкина. В 1830 году́ Ле́рмонтов 10
на́чал посеща́ть Моско́вский университе́т. В э́то
вре́мя он написа́л мно́го прекра́сных стихотворе́ний.

В университе́те он про́был не до́лго и поступи́л в
вое́нное учи́лище отку́да вы́шел офице́ром. Несмотря́
на све́тскую жизнь Ле́рмонтов не перестава́л писа́ть. 15
Кро́ме мно́жества поэти́ческих произведе́ний он
та́кже написа́л рома́н в про́зе "Геро́й на́шего
вре́мени," в кото́ром он предста́вил совреме́нное
ему́ о́бщество.

Он был уби́т на Кавка́зе на дуэ́ли в 1841 году́.   20

❧❧❧❧

Го́голь.

Никола́й Васи́льевич Го́голь (1809–52) провёл
свою́ ю́ность на ю́ге Росси́и в дере́вне, и у него́ на
всю жизнь оста́лась горя́чая любо́вь к Малоро́ссии,
описа́ния бы́та и приро́ды кото́рой составля́ют содер-
жа́ние о́чень мно́гих его́ произведе́ний. Благодаря́ 25
уму́ и гостеприи́мству отца́ Го́голя, его́ дом был
всегда́ по́лон госте́й, и бу́дущий писа́тель ещё ма́ль-
чиком хорошо́ познако́мился с людьми́ того́ вре́мени.
С ра́ннего де́тства он отлича́лся замеча́тельной
наблюда́тельностью.   30

Учи́ться Го́голь на́чал до́ма, двена́дцати лет он

поступи́л в гимна́зию в го́роде Не́жине. В де́тстве он был о́чень боле́зненный и сторони́лся това́рищей и шу́мных игр. У него́ была́ превосхо́дная па́мять и он занима́лся ма́ло, но посвяща́л всё своё вре́мя

5 чте́нию. Он прочита́л ещё в гимна́зии произведе́ния лу́чших писа́телей, из кото́рых он осо́бенно люби́л Пу́шкина и Жуко́вского.

В 1828 году́ Го́голь пое́хал в Петербу́рг иска́ть слу́жбы. В Петербу́рге он написа́л це́лый ряд

10 повесте́й, кото́рые бы́ли напеча́таны под загла́вием "Вечера́ на ху́торе близ Дика́нки."

Тала́нт молодо́го а́втора обрати́л на себя́ внима́ние лу́чших писа́телей того́ вре́мени. Го́голь позна-ко́мился с Жуко́вским и Пу́шкиным. Вели́кий поэ́т

15 оцени́л молодо́й тала́нт и пришёл в восто́рг от его́ расска́зов. Пу́шкин до са́мой свое́й сме́рти был не то́лько дру́гом Го́голя, но и руководи́телем в его́ литерату́рных труда́х, ука́зывал ему́ недоста́тки и ободря́л его́.

20 По́сле "Вечеро́в на ху́торе близ Дика́нки" Го́голь написа́л "Ми́ргород" и истори́ческую по́весть "Тара́с Бу́льба." Ско́ро появи́лся "Ревизо́р"—коме́дия, в кото́рой Го́голь осме́ивает поро́ки совреме́нного ему́ ми́ра чино́вников. За э́ту коме́дию мно́гие упрека́ли

25 Го́голя и он уе́хал за грани́цу, где про́был бо́лее 12 лет.

В 1841 году́ он прие́хал в Петербу́рг, что́бы изда́ть пе́рвую часть "Мёртвых Душ" и пото́м сно́ва уе́хал за грани́цу. Там он про́был не до́лго. Он верну́лся

30 в Росси́ю, посели́лся в Москве́ и стал рабо́тать над второ́й ча́стью своего́ вели́кого произведе́ния. Во вре́мя э́той рабо́ты Го́голь на́чал страда́ть душе́вной боле́знью и сжёг почти́ всю втору́ю часть "Мёртвых Душ." Оста́лись то́лько отры́вки э́того труда́. Он

35 у́мер 21 февраля́ 1852 го́да. Его́ похорони́ли в Москве́.

Го́голь был одарён тала́нтом подмеча́ть недоста́тки люде́й и изобража́ть их в смешно́м ви́де. Но смех Го́голя не́ был равноду́шным сме́хом. Он смея́лся и в то́ же вре́мя горева́л над людски́ми поро́ками. "Смех сквозь неви́димые слёзы"—отличи́тельная 5 черта́ э́того вели́кого писа́теля.

❧❧❧❧❧

Гончаро́в.

Ива́н Алекса́ндрович Гончаро́в роди́лся в Симби́рске, в 1812 году́, в купе́ческой семье́. Де́тство его́ прошло́ споко́йно и не оста́вило никаки́х гру́стных впечатле́ний. Нача́льное образова́ние он по- 10 лучи́л в ча́стных пансио́нах. Когда́ ему́ бы́ло де́сять лет его́ о́тдали в моско́вское уче́бное заведе́ние. Там Гончаро́в мно́го чита́л и познако́мился с францу́зской литерату́рой.

По́сле гимнази́ческого ку́рса Гончаро́в поступи́л 15 в университе́т, по оконча́нии кото́рого он жил в Петербу́рге, где занима́лся слу́жбой и литерату́рной рабо́той.

В 1852 году́ он отпра́вился в далёкое путеше́ствие. Его́ назна́чили секретарём нача́льника экспеди́ции 20 к ру́сским владе́ниям в Аме́рике. С доро́ги он писа́л заме́тки, кото́рые впосле́дствии бы́ли напеча́таны под назва́нием "Фрега́т Палла́да."

"Фрега́т Палла́да"—одно́ из лу́чших описа́тельных произведе́ний не то́лько ру́сской, но и иностра́нной 25 литерату́ры. Э́то ре́дкая кни́га, она́ досту́пна и взро́слым и де́тям. Гончаро́в пи́шет в ней я́рко, краси́во, то́чно.

Кро́ме э́того труда́, Гончаро́в ещё написа́л несколь- 30 ко произведе́ний, из кото́рых "Обло́мов"—са́мое замеча́тельное. В э́том рома́не а́втор тала́нтливо

рису́ет ти́хую, беззабо́тную жизнь ру́сских поме́-
щиков во вре́мя крепостно́го пра́ва. В "Обло́мове"
он вы́смеял мно́гие сто́роны их жи́зни.

Гончаро́в занима́ет ви́дное ме́сто среди́ ру́сских
5 писа́телей. Он сконча́лся в 1891 году́ в Петербу́рге.

❧❧❧❧❧

Тургéнев.

Середи́на сороковы́х годо́в девятна́дцатого ве́ка
была́ ва́жным моме́нтом в разви́тии ру́сской лите-
рату́ры. Тогда́ появи́лся це́лый ряд тала́нтливых
писа́телей, среди́ кото́рых Ива́н Серге́евич Тургéнев
10 (1818–83) занима́л одно́ из ви́дных мест. По́сле
Пу́шкина ре́дко кто из ру́сских а́второв по́льзовался
тако́й любо́вью чита́телей, как Тургéнев. Ка́ждое
но́вое его́ произведе́ние жда́ли с нетерпе́нием, чита́ли
с жа́дностью, и спо́ры о нём не умолка́ли до́лгое
15 вре́мя.

В 1847 году́ Тургéнев на́чал печа́тать свои́ "Запи́ски
Охо́тника," в кото́рых он нарисова́л карти́ны ру́сской
жи́зни во вре́мя крепостно́го пра́ва.

Во второ́й полови́не пятиде́сятых годо́в Тургéнев
20 писа́л о́чень мно́го. Кро́ме расска́зов он со́здал
мно́го рома́нов. Пе́рвым из них был "Ру́дин,"
напи́санный в 1855 году́; за ним после́довали
"Дворя́нское Гнездо́" (1858), "Накану́не" (1859),
"Отцы́ и Де́ти" (1861). Э́ти рома́ны вме́сте с "Ды́мом"
25 (1867) и "Но́вью" (1876) даю́т правди́вую карти́ну
ру́сской действи́тельности от сороковы́х до семиде-
ся́тых годо́в. Благодаря́ своему́ уму́ и наблюда́тель-
ности Тургéнев уме́л ве́рно подмеча́ть в лю́дях
гла́вные черты́ хара́ктера и понима́л каки́е бы́ли
30 зада́чи у ру́сского о́бщества того́ вре́мени. Во всех
свои́х рома́нах и расска́зах он прекра́сно рисова́л
ру́сскую приро́ду и ру́сских люде́й. Осо́бенно хоро́ши

женские образы: все они оригинальны и по-своему
очаровательны.

В конце 1856 года Тургенев уехал за границу,
где прожил много лет и откуда он только изредка
приезжал в Россию. Он скончался 22 августа 1883   5
года около Парижа. Тело его привезли в Петербург.
Похороны были необыкновенно торжественны. Не-
сметное количество народу провожало до кладбища
тело любимого писателя.

✖-✖-✖-✖-✖

Достоевский.

Знаменитый романист Фёдор Михайлович Досто-   10
евский родился 30 октября 1821 года в Москве.
Родители его не были богаты, и так как семья у
них была большая, то отец часто повторял своим
сыновьям, что они должны сами зарабатывать себе
на жизнь. В 1838 году отец отвёз его в Петербург   15
в одно из лучших учебных заведений того времени.
В 1848 году, по окончании курса, Достоевский
поступил на государственную службу как чертёжник. Через год он вышел в отставку. Он решил
жить исключительно литературным трудом. В 1845   20
году он напечатал свой первый роман "Бедные
Люди" и русские критики провозгласили его вели-
чайшим писателем после Гоголя. В течение сле-
дующих четырёх лет Достоевский написал ещё
несколько повестей. В начале 1849 года он был   25
арестован за посещение политического кружка.
Его заточили в Петропавловскую крепость на
восемь месяцев и потом приговорили к смертной
казни. Приговор этот отменили и Достоевского
отправили на каторжные работы в Сибирь, где он   30
пробыл до 1859 года. Жизнь в Сибири хорошо
известна по его "Запискам из Мёртвого Дома."

В после́дние два́дцать лет свое́й жи́зни—с 1861 по 1881 год—Достое́вский успе́л написа́ть не́сколько рома́нов. Са́мые лу́чшие из них "Преступле́ние и Наказа́ние," "Идио́т" и "Бра́тья Карама́зовы."

5 В свои́х произведе́ниях Достое́вский не придаёт большо́го значе́ния изя́ществу фо́рмы. Все си́лы своего́ ума́ и воображе́ния он направля́ет на вы-ясне́ние пра́вды. Э́той пра́вды он и́цет в изображе́нии челове́ческой души́, в страда́нии, борьбе́ и в её 10 противоре́чиях и раздвое́нии.

❧❧❧❧❧

Толсто́й.

Я́сная Поля́на—име́ние, в кото́ром роди́лся, в 1828 году́, граф Лев Никола́евич Толсто́й, распо-ложена́ в живопи́сной ме́стности. Вокру́г име́ния растёт густо́й лес, а в уса́дьбе мно́го ли́повых алле́й, 15 четы́ре пруда́ и огро́мный сад. Дом, в кото́ром Толсто́й провёл своё де́тство и почти́ всю втору́ю полови́ну свое́й жи́зни, двух’эта́жный, о́чень просто́й архитекту́ры и без вся́ких украше́ний. В ни́жнем этаже́ находи́лись кабине́т, библиоте́ка и спа́льня 20 гра́фа. Нигде́ не́ было ви́дно ро́скоши. Вся обста-но́вка была́ о́чень скромна́.

Кабине́т самого́ Льва Никола́евича напомина́л ко́мнату приле́жного и небога́того студе́нта. Стол, не́сколько сту́льев, дива́н, этаже́рка—составля́ли 25 всю ме́бель. В углу́ стоя́л бюст его́ ста́ршего бра́та, кото́рый у́мер мно́го лет тому́ наза́д; на стена́х висе́ли карти́ны, среди́ кото́рых был портре́т Шо-пенга́уера.

Библиоте́ка Толсто́го была́ о́чень бога́та; в ней 30 бы́ли сочине́ния на шести́ и́ли семи́ языка́х, кото́-рыми Толсто́й владе́л. Здесь мо́жно бы́ло найти́ всех кла́ссиков ру́сской и европе́йской литерату́ры и мно́жество книг по филосо́фии и богосло́вию.

В э́том кабине́те Толсто́й написа́л мно́го замеча́тельных произведе́ний, кото́рые изве́стны всему́ цивилизо́ванному ми́ру. 5

В 1851 году́ Толсто́й был на Кавка́зе и поступи́л на вое́нную слу́жбу. С э́того вре́мени нача́лась его́ литерату́рная де́ятельность. В 1852 году́ была́ напеча́тана его́ пе́рвая по́весть "Де́тство," че́рез два го́да он зако́нчил "О́трочество." 10

В 1854 году́ Толсто́й уча́ствовал в Кры́мской войне́, кото́рую он описа́л в свои́х расска́зах.

Крупне́йшие произведе́ния Толсто́го "Война́ и Мир" и "А́нна Каре́нина" бы́ли напи́саны им по́сле жени́тьбы, в шестидеся́тых и семидеся́тых года́х. 15

За свою́ до́лгую жизнь Толсто́й пе́режил не́сколько эпо́х в исто́рии Росси́и: де́тство и ю́ность его́ прошли́ во вре́мя крепостно́го пра́ва, в зре́лом во́зрасте и на скло́не лет он был очеви́дцем револю́цио́нного движе́ния в стране́. 20

Произведе́ния его́ изобража́ют мно́гие сто́роны ру́сской жи́зни про́шлого столе́тия и жизнь разли́чных кла́ссов о́бщества.

В свои́х после́дних труда́х Толсто́й критикова́л прави́тельство, но его́ проте́ст не призыва́л к борьбе́ 25 про́тив вла́сти с ору́жием в рука́х. Он та́кже о́чень интересова́лся мора́льными и религио́зными вопро́сами и пропове́дывал смире́ние и непротвле́ние злу.

Л. Н. Толсто́й у́мер 7 ноября́ 1910 го́да.

❧❧❧❧❧

Че́хов.

Анто́н Па́влович Че́хов оди́н из са́мых тала́нтливых 30 ру́сских писа́телей конца́ девятна́дцатого ве́ка. Он роди́лся в 1860 году́ в семье́ крестья́нина, бы́вшего

крепостно́го. Оте́ц его́ име́л бакале́йную ла́вку и ду́мал сде́лать сы́на торго́вцем. Но Че́хов хоте́л учи́ться и упроси́л мать не брать его́ из уче́бного заведе́ния. В 1884 году́ он ко́нчил курс медици́н-
5 ского факульте́та в Москве́. В тече́ние всей универ-ситетской жи́зни Че́хов писа́л ме́лкие расска́зы для газе́т и журна́лов. Вско́ре по оконча́нии ку́рса он оста́вил медици́ну и с 1886 го́да посвяти́л всё своё вре́мя литерату́ре. Че́хов у́мер в 1904 году́ и
10 оста́вил нам мно́жество расска́зов и не́сколько теат-ра́льных пьес, из кото́рых "Вишнёвый Сад" счита́-ется са́мой лу́чшей.

Че́хов хорошо́ знал жизнь разли́чных слоёв ру́с-ского о́бщества. Все они́ нахо́дят своё ме́сто в его́
15 произведе́ниях, как в огро́мном музе́е ру́сской действи́тельности. Его́ мо́жно рассма́тривать как исто́рика ру́сского о́бщества восьмидеся́тых и девя-но́стых годо́в про́шлого ве́ка. Че́хов был то́же глу-бо́кий психо́лог. В его́ расска́зах и пье́сах са́мое
20 ви́дное ме́сто занима́ет сло́жная психоло́гия "ли́ш-него челове́ка." В его́ произведе́ниях мы та́кже нахо́дим прекра́сные о́бразы ру́сских же́нщин, кото́-рые напомина́ют Турге́невских геро́инь.

Че́хов постоя́нно иска́л смы́сла жи́зни и пра́вды
25 её; он тоскова́л по ино́й, прекра́сной жи́зни. И э́тими иска́ниями он напо́лнил свои́ произведе́ния и дал им красоту́ и глубину́.

❦❦❦❦❦

Го́рький (А. М. Пе́шков).

Из совреме́нных писа́телей и́мя Макси́ма Го́рького по́льзуется большо́й изве́стностью. Макси́м Го́рький
30 —псевдони́м Алексе́я Макси́мовича Пе́шкова. Он пи́шет уже́ со́рок лет и его́ расска́зы из жи́зни

босяко́в и рабо́чих переведены́ на мно́гие европе́й-
ские языки́.

Роди́лся Го́рький 16 ма́рта 1868 го́да в Ни́жнем-
Но́вгороде, в семье́ краси́льщика. Де́тство его́ бы́ло
о́чень тяжёлое.   5

Вот что он сам говори́т о де́тстве и ю́ности:

"Восьми́ лет меня́ о́тдали в ма́льчики в магази́н
о́буви, но ме́сяца че́рез два я свари́л себе́ ру́ки
кипя́щими ща́ми и был ото́слан вновь к де́ду. По
выздоровле́нии меня́ о́тдали в ученики́ к чертёж-   10
нику, да́льнему ро́дственнику, но че́рез год, всле́д-
ствие о́чень тяжёлых усло́вий жи́зни, я убежа́л от
него́ и поступи́л на парохо́д . . . к по́вару. Даль-
не́йшая жизнь о́чень пестра́ и сложна́: из поваря́т
я сно́ва возврати́лся к чертёжнику, пото́м торгова́л   15
ико́нами, служи́л на . . . желе́зной доро́ге сто́ро-
жем, был . . . бу́лочником. . . ."

Го́рький самоу́чка; самостоя́тельным путём он
приобрёл свои́ зна́ния.

В по́исках рабо́ты Го́рький был во всех угла́х   20
Росси́и. Он присма́тривался к лю́дям и к окружа́-
ющей обстано́вке, и внима́тельно изуча́л жизнь
ра́зных кла́ссов населе́ния. Э́ти наблюде́ния да́ли ему́
бога́тый материа́л для его́ произведе́ний. Осо́бенно
хорошо́ он писа́л о рабо́чих, бродя́гах и крестья́нах.   25

Произведе́ния Го́рького чита́ют мно́гие и он оди́н
из люби́мых писа́телей в СССР.

❧❧❧❧❧

NOTES

1. Есть : see note on у нас, p. 1, line 6.

2. идти (итти) пешком; ходить пешком : an idiom meaning "to go on foot."

6. у нас : "we have". The verb "to have" (иметь) is not often used; it is usually expressed by a paraphrase у меня, у вас, у нас, etc., and not by the verb иметь. This paraphrase is made up of the preposition у followed by a noun or a pronoun in the genitive case and a part of the verb "to be" (быть); the part which is most commonly used is есть ("is"). Есть is used in the present whenever it is necessary to be explicit or emphatic; it is also used in narratives and in questions. Otherwise, it is often omitted, as in such expressions: у нас, у тебя, etc.

13–14. мы богаты хлебом : The instrumental case is often used with the predicative form of the adjective. Вы довольны нами . . .

14. углём : the instrumental case of уголь. The vowel o is lost in the oblique cases.

17. На . . . берегу : A number of short masculine nouns, such as сад, пол, берег, угол, and край, have a locative singular ending of -у or -ю when used with the preposition в or на. Notice that the termination is always accented.

20. По обеим сторонам улицы : "along both sides of the street." The preposition по requires the dative case.

Page 2

6–7. избы . . . чисты : чисты is a pl. predicative adj.

15. на зиму : "for the winter". The prepositions из, за, на, до, and others take the accent from the following word in certain phrases, such as here. This is regulated by usage merely.

16. начали есть : past tense of начать (perfective). The infinitive which follows it is always imperfective.

28. бояться : takes the genitive case; see also p. 3, line 4.

Page 3

9. В . . . саду : see note on На берегу, p. 1, line 17.

10. Каждую ночь : accusative of duration.

12. возьми : imperative of взять.

13. Да ведь : "but you know that." Ведь is the imperative of the obsolete verb ведети—ведать ("to know"), and is used as a conjunction meaning "for," "you know that," and "of course."

15.   пойдём : imperative of пойти (perfective), meaning "let's go.

17–18.   пошёл . . . сказал : These perfectives indicate a succession of events.

20.   стал думать : The verb стать followed by an infinitive has the meaning of "start," "begin." It is perfective but the infinitive which follows is always imperfective. The same rule applies to начать.

24.   уж (уже) не : "no longer."

28.   Что такое ? : a common way of asking: "What is it ?", "What has happened ?", "What is the matter ?"

31.   Вот так : "here you have," "what a . . .," "here is for you."

Page 4

7.   Я должен : "I must," implying a moral obligation. Also, "I have to": я должен защищать. Должен is usually followed by the infinitive.

10.   в шесть часов : в ("at") takes the accusative (шесть). After the numerals два (две), три, четыре, the noun is in the genitive singular; but after пять, шесть, etc., the noun is in the genitive plural.

10.   в шесть часов утра : "at six o'clock in the morning." Утра is the genitive singular of утро. The stress must be on the second syllable утра when this word means a certain hour in the morning or when preceded by a preposition. E.g., с утра до вечера : "all day long."

12–13.   У каждого свой прибор : "each one has his own cover" (laid on the table), i.e., a knife, a fork, etc. The verb "to have" is usually expressed by a paraphrase with the preposition у.

13.   три раза в день : "three times a day."

16–17.   Нас учат грамоте : When учить means "to teach," the construction is: accusative of the person, dative of the thing taught, or the infinitive: нас учат читать. A similar construction is used for the reflexive verb учиться ("to teach oneself," "to learn"): мы учимся русскому языку ; я учусь писать. With the meaning of "study," учить requires the accusative: мы учим урок ("We study the lesson").

18.   работы : genitive of negation.

18–20.   мы играем в шашки или в шахматы : "we play checkers or chess"; он играет на сцене : "he plays (acts) on the stage." Играть takes в plus the accusative when it means "to play a game." E.g., я играю в мяч : "I play ball"; они играют в карты : "they play cards." To play a musical instrument is играть на plus the locative; он играет на скрипке : "he plays the violin". But "to play a waltz" is играть вальс ; "to play a role in society," играть роль в обществе. Compare in French: jouer à la balle, aux cartes; jouer du violon; jouer un rôle.

Page 5.

1.   стали спорить : see note, p. 3, line 20.

5.   ездит : Ездить is the frequentative form of ехать.

5.   бы : With the past tense, бы expresses the conditional, present and past. Пропал бы он : "He would be lost"; "he would have been lost." Без меня—если бы не я : "if it were not for me."

10. Услы́шал . . . говори́т. The use of a descriptive present after a past is very common in Russian.

12. на своём ме́сте: "in his own place." Свой can only be used when it refers to the subject of the sentence, but it can be used for any of the three persons: я люблю́ свою́ сестру́; ты со свои́м бра́том, etc.

16. быть в ссо́ре: "to be at odds."

17. друг дру́гу: "one another," "each other." In this pronominal expression, used without discrimination as to gender and number, the first term always keeps the nominative singular form. The second term is put in the case required by its use in the sentence; here, служи́ть requires the dative.

19. ходи́те: imperative of ходи́ть (II).

20. рабо́тайте: imperative of рабо́тать (I).

22. Что я за дура́к: "What kind of a fool am I?" The phrase что за followed by a noun in the nominative commonly stands for "what a," "what sort of," "what kind of." This Russian locution is said to be derived from the German: was für ein.

24. глаза́: Several masculine nouns have a nominative plural ending in -а or -я, which is always accented. In this *Reader* the following will be found: бе́рег, берега́; ве́чер, вечера́; глаз, глаза́; край, края́; ку́чер, кучера́; лес, леса́; луг, луга́; мех, меха́; стог, стога́: хо́лод, холода́; сто́рож, сторожа́.

Page 6.

8. Четы́ре жела́ния: Четы́ре takes the genitive singular.

10. домо́й: adverb, meaning "homewards," (in the direction of) "home." Cf. до́ма (adverb), "at home": я ве́чером до́ма.

10. прибежа́л . . . говори́т: see note, p. 5, line 10.

11. Я бы хоте́л: see note on бы, p. 5, line 5.

11, 16. что́бы, also чтоб: This conjunction usually introduces clauses subordinated to verbs of desire; it takes the past tense or the infinitive.

12. свою́: see note, p. 5, line 12; also see the vocabulary.

15. цвето́в: "some flowers." Partitive genitive.

16. Что за пре́лесть . . .: see note, p. 5, line 22.

19. Ми́тя с отцо́м: This is the usual way of saying "Mitya and (his) father." In this construction, с means "and." Мы с ва́ми means "you and I," literally "we with you."

21. грибо́в, я́год: partitive genitive, plural

23. и: here it means "also."

24. В саду́: see note on На берегу́, p. 1, line 17.

26. лу́чше всех: "the best," literally "best of all." This is one of the ways of expressing a superlative in Russian.

26. всех времён: genitive of comparison.

28. то же са́мое: "the very same." The particle же is not easy to translate; it usually serves to emphasize the preceding word.

Page 7.

10.   никто́ . . . не. Notice that in Russian two negatives are frequently used when in English only one is required.

10.   слу́шать : "to listen to." This verb requires the accusative.

13, 14.   смотре́ть (посмотре́ть) на : "to look at."

23.   леса́ : see note, p. 5, line 24.

Page 8.

3.   крестья́нин : A number of masculine nouns in -ин, denoting individuals, have -e as the nominative plural ending, and no ending in the genitive plural. E.g.: крестья́нин, крестья́не, крестья́н ; граждани́н, гра́ждане, гражда́н ; etc.

3–4.   не́ было : Note that the negative takes the accent in the expressions не́ был, не́ были, не́ было, but not in the expression не была́.

22.   це́лую неде́лю : accusative of duration.

23.   у них в избе́ : "in their hut."

24.   тоску́ет : third person singular, present indicative of тосокова́ть. Verbs in -овать have the present endings of -ую, -уешь, -уют.

26.   с утра́ до но́чи : see note, p. 4, line 10.

28.   Мно́го . . . рабо́ты : genitive after мно́го.

Page 9.

1.   Ведь : see note, p. 3, line 13.

6.   целу́ет : third person singular present indicative of целова́ть. See note on тоску́ет, p. 8, line 24.

12.   стал тяжёлым : The instrumental is used instead of the nominative for the predicate whenever any temporary or hypothetical condition is to be indicated. This is known as the *predicative instrumental*; it is used after verbs such as быть, де́латься, станови́ться, стать, счита́ться, звать, называ́ться, каза́ться. (Occasionally the nominative is used instead of the instrumental.)

19.   как : "when."

22.   ста́ями : "in flocks."

26.   во́-время : "in time"; во вре́мя : "during."

29.   встаёт : third person singular present of встава́ть (I).

30.   це́лый год : accusative of duration.

Page 10.

1.   по́льзоваться : takes the instrumental.

4.   смо́трят на : смотре́ть (посмотре́ть) на means "to look at." The same verbs with the preposition в mean "to look into."

6.   ма́леньким : predicative instrumental. See note, p. 9, line 12.

6–7.   за грибами : The instrumental is used with за, meaning "for" (to get something).

10–11.   мои́м глаза́м ста́ло бо́льно : "it hurt my eyes."

12.   что-то : "anything," "something." This form is more definite than что-нибудь. The same holds true for кто-то, as compared with кто-нибудь ("anybody").

22.   До́ма никого́ не́ было : "there was no one at home." The complement of an impersonal negative verb is always put in the genitive.

22.   хлеба : genitive after a noun expressing quantity.

24.   с : here it means "from."

26.   Что : here it means "why."

27.   Что-ж : "why then."

Page 11.

5.   по утра́м : "in the mornings."

8.   Дожди́ иду́т : "it is raining."

9.   по ноча́м : "at night" (frequently). This is a distributive dative with по.

10.   похо́жи на : быть похо́жим, "to resemble." The construction : на plus the accusative. Cf. in French : ressembler á.

16.   там и сям : "here and there."

21.   ма́ло-по́-малу : "little by little."

21.   стога́ : see note, p. 5, line 24.

30.   на : here it means "for."

31.   це́лую зи́му : see note, p. 8, line 22.

Page 12.

7.   леса́ : see note, p. 5, line 24.

12.   игра́ют в снежки́ : see note, p. 4, lines 18–20.

18.   пропита́нии : Notice that the neuter nouns in -ие take -ии in the locative singular and -ий in the genitive plural.

19.   веселе́е, бодре́е : These are the simple forms of the comparative adjective.

20.   ма́тушкой : see note, p. 9, line 12.

21, 24.   вечера́ . . . холода́ : see note, p. 5, line 24.

5.   привы́к—привы́кнул : past tense of привы́кнуть, perfective (привыка́ть, I—imperfective) meaning "to become accustomed."

Page 13.

7.   са́мый дре́вний : "the most ancient." Са́мый followed by an adjective in its long form has the force of a superlative.

8.   пра́зднуют : third person indicative of пра́здновать. See note, p. 8, line 24.

9.   язы́чниками : predicative instrumental. See note on стал тяжёлым, p. 9, line 12.

11.   со́лнце повора́чивает на ле́то : "the sun turns to the north"; literally, "the sun turns towards the summer." (Vernal equinox.)

14.   Коля́дой : see note, p. 9, line 12.

Page 14.

4–5.   счита́лась . . . краса́вицей : predicative instrumental. See note on стал тяжёлым, p. 9, line 12. Note the frequency of this construction.

12.   посмотре́ть в : see note, p. 10, line 4.

19.   се́ла за стол : "sat down at the table."

30.   она́ умрёт : "she would die."

Page 15.

2.   монасты́рь , же́нский монасты́рь : "convent."

18.   Сего́дня но́чью : "tonight."

20–21.   по кра́йней ме́ре : "at least."

26.   по́лный : "full of." This adjective can be used with either the genitive or the instrumental, but напо́лненный ("filled") always takes the instrumental.

27.   Како́й моро́з : "What an intense frost!" "How cold it is!"

31.   друг дру́га : see note, p. 5, line 17.

31.   жела́ют . . . сча́стья : жела́ть takes the genitive.

Page 16.

4.   игра́ет вальс : see note, p. 4, lines 18–20.

4.   танцу́ет : third person singular, present indicative of танцова́ть. See note, p. 8, line 24.

8–9.   ве́селы, дово́льны . . . сча́стливы : predicative adjectives.

12.   и : here, as very often, it is merely emphatic with no meaning of "and" in it.

13.   в одно́й : "in a certain."

19.   Ему́ бы́ло ску́чно : "he was bored."

Page 17.

3.   пуска́ла : The imperfective aspect here is properly used. The idea is that the mother will let the boy go to school every day.

6.   Ну́-ка : The particle -ка is often used in familiar conversation to encourage someone to do a certain thing.

7.   Хвé-и-хви : This is the way the peasants pronounce the letter ф.

21.   уж : here it means "certainly."

22.   Керосúна . . . спúчек : see note on дóма никогó нé было, p. 10, line 22.

26.   кóпоти : genitive of кóпоть (f.).

Page 19.

2.   За дровáми : The preposition за ("beyond," "behind," "after") takes the instrumental case.

9.   Не нужнá я никомý : не нужнá, predicative adjective; никомý with the dative.

10.   бывáло : "it used to be"; бывáть : "to happen, to be."

18.   Познакóмилась . . . с : "got acquainted with" (with instrumental). The verb form is the third person feminine singular past tense of познакóмиться (perfective).

Page 21.

4.   не нáдо : impersonal construction with dative. Мне не нáдо and genitive of negation: керосúна.

Page 22.

14.   молоткóм : "by means of" (instrumental).

18.   как (твой, вáши) делá ? : "how are you getting on ?"

21–22.   А тебé пóмощь не нужнá ? : "don't you want any help ?"

26.   На другóй день : "next day."

Page 23.

8.   да : here it means "and."

9.   продолжéния : genitive after ждать.

17–18.   Задáча не казáлась трýдной : The instrumental follows казаться.

30.   придётся : "one has to"; "one must do." Used impersonally, it requires the dative: e.g., мне придётся.

Page 24.

4.   позвоню́ по телефóну : with dative; e.g., вам, емý, Вúте, etc.

Page 25.

15.   в бýдни, в воскресéнье : accusative of time.

16.   берýтся за кнúги : "(they) turn to the books."

18.   ты́сяч детéй : genitive after нéсколько.

19.   Бóльше тогó : "moreover."

24–25. говоря́т на ра́зных языка́х : "speak different languages." Cf. говори́ть по-ру́сски, по-англи́йски.

30. в снегу́ : see note, p. 1, line 17.

Page 26.

1–2. у́чатся . . . одному́ и тому́ же : see note, p. 4, lines 16–17.

4. э́того не́ было : see note on до́ма никого́ не́ было, p. 10, line 22.

6. В уче́нии : see note, p. 12, line 18. Note that the locative case can only be used after the following prepositions: в, на, о, но, при.

13. Два больши́х то́ма : When an adjective comes between the numeral and the noun, it can be either in the nominative plural or in the genitive plural, but not in the singular.

·14. Путеше́ствий : see note, p. 12, line 18.

24. с : here it means "on."

31. коле́но : "knee." The word has three forms in the plural: коле́на, коле́ни, and коле́нья, each with a different meaning.

Page 27.

3. лет девяти́ : "about nine years old." The numeral follows the noun when it is intended to be vague.

9. Пре́жде чем написа́ть : "before writing." The construction of пре́жде чем with the infinitive, although very common, is not recommended by grammarians. Strict syntax would require here: пре́жде чем он написа́л.

9–10. не́сколько раз : "several times." Nouns having a genitive plural similar to the nominative singular are not too many: челове́к, солда́т, глаз, and several others.

13. Константи́н Мака́рович. Russian people have three names: (1) their Christian name (и́мя); (2) their patronymic (о́тчество); and (3) their surname (фами́лия). The patronymic is formed by adding to the father's и́мя the termination -ович or -евич for a man, and -овна or -евна for a woman. Russians usually address each other by the Christian name and the patronymic.

18. за то, что : "because," literally "for this that."

19–20. надо мно́й смею́тся : "(they) laugh at me." The verb смея́ться takes the prepositions над, надо.

21. хле́ба, ка́ши : partitive genitive.

22. се́ни : "a vestibule" (without windows and unheated).

24. сде́лай ми́лость : "be so good," "do (me) a favor."

Page 28.

3. кла́няюсь Алёне, Его́ру : dative after кла́няться.

Page 29.

11. учатся ремеслу́ : see note, p. 4, lines 16–17.

20. занима́ться : takes the instrumental.

23–24. то́неньким голоско́м : "in a shrill voice."

24. Газе́т : genitive after жела́ть.

Page 30.

1. Па снегу́ : see note, p. 1, line 17.

5. во всё го́рло : "at the top of his voice."

16. разноцве́тная : The first of the two adjectives forming a composite adjective has the adverbial ending o or e.

Page 31.

14. дрожа́щим го́лосом : "in a trembling voice."

25. приба́вила ша́гу : "she quickened her pace."

32. далеко́-далеко́ : "very far away." The adverb is repeated for emphasis.

Page 32.

12. (па́лец) ма́мин : possessive adjective.

17. верь, ве́рьте : imperative of ве́рить.

Page 34.

6–7. Удало́сь takes the dative. Ей удало́сь : "she succeeded."

14–15. добива́ться-доби́ться : "to strive for," "to achieve (a) success."

Page 35.

13. про : "about," "concerning," with the accusative.

Page 36.

21. Как нам быть ? : "What are we to do?"; literally, "How are we to be (live) (go about)?"

Page 37.

8, 10. Умо́лкни, серди́ : imperative forms.

27. Размести́вшись : past gerund of размести́ться; "having placed (themselves)": размести́вшись . . . кни́жки смо́трят . . .

Page 40.

22–23.   **игра́л на скри́пке :** "(he) played the violin"; see note, p. 4, lines 18–20.

24.   **во рту :** "in the mouth." See note, p. 1, line 17.

Page 41.

2.   **обраща́ть внима́ние на :** "to pay attention"; construction requires **на** plus the accusative.

21–22.   **Э́то знамени́тый музыка́нт :** "this (he) is a famous musician." **Э́то** is used to mean "this," "these," "those," "he," "she," or "they," when the verb "to be" follows it immediately (or is understood); e.g., **э́то но́вый слова́рь :** "this is a new dictionary"; **э́то ста́рое пра́вило** "this is an old rule"; **э́то моя́ сестра́ :** "she is my sister"; **э́то ру́сские :** "they are Russians." Here the function of **э́то** is merely to introduce the logical subject of the sentence.

29–30.   **бы́ло ей (ей бы́ло) четы́ре го́да :** "she was four years old." Note the construction with the dative: **Ско́лько вам лет ? Мне два (три, четы́ре) го́да. Мне пять (шесть) лет.**

30–31.   **За де́сять дней :** "in (within) ten days"; construction requires **за** plus the accusative.

Page 45.

23.   **челове́к :** is in the genitive plural (after **ты́сячи**), the only case in which it can appear in the plural. It is only used after numerals and after **ско́лько, не́сколько.** The plural form **челове́к** is otherwise expressed by **лю́ди.**

26.   **два конце́ртных за́ла :** On this construction, see note, p. 26, line 13.

27.   **шестисо́т :** In **шестьсо́т** and in other such compound numerals, both **шесть** and **сто** are declined.

Page 46.

13.   **полу́чше . . . поху́же :** По prefixed to a comparative usually intensifies its meaning.

Page 47.

31.   **лет шести́ :** see note, p. 27, line 3.

Page 48.

1.   **не́сколько раз :** see note, p. 27, lines 9–10.

25–26.   **огне́й, бума́жек, я́блок :** genitive plural after the adverb of quantity, **ско́лько,** meaning "how many," "how much."

Page 49.

14.   **что э́то его́ мать :** "that this was his mother." See note, p. 41, lines 21–22.

Page 50.

6.   в пе́рвый раз : "for the first time."

8–9.   полна́ наро́дом : "full of people." See note, p. 15, line 27.

17–18.   ти́хо-ти́хо : "very quietly." See note, p. 31, line 32.

Page 51.

4.   чему́ . . . у́чится : On this construction, see note, p. 4, lines 16–17.

11.   Вёрст : genitive plural after the numeral.

18.   спроси́л он у . . . сосе́да : Спроси́ть (or спра́шивать) что (acc.) у кого́ (gen.) means "to ask somebody something"; спроси́ть (or спра́шивать) кого́ (acc.) о чём (loc.) means "to question somebody about something."

20–21.   с кем име́ет де́ло : "with whom he was talking"; literally, "with whom he has dealings."

26.   каково́ мне лежа́ть : "how I like to lie (here)."

30.   то : used here emphatically. This neuter pronoun то added to any word lays emphasis on that word. In this use то is never accented.

Page 52.

17.   Сла́ва Бо́гу : "thank God."

17.   одни́м дурако́м ме́ньше : "one fool less."

22.   Да вот что : "there is what." This expression is used to announce the explanation that is going to follow.

27.   вы́учился гра́моте : see note, p. 4, lines 16–17.

32.   не то что : "not exactly that," "not like."

Page 53.

28.   напо́лнен покло́нами : "filled with greetings." See note, p. 15, line 27.

Page 55.

22.   ночь напролёт : "all night through."

Page 56.

7.   Никуда́ не пойдёт : After such words as никуда́, никогда́, and нигде́, не is placed before a verb.

Page 59.

11.   сел за уро́ки : "sat down to study."

15.   Я . . . погляде́л . . . и ду́маю : see note, p. 5, line 10.

18.   Мне . . . нéкогда: "I have no time." (With the dative.)

Page 60.

3.   поделить на два: "to divide by two."

Page 62.

24.   лéзет с задáчами: "pesters (me) with (his) problems."

25.   прости (те): imperative of простить (perfective).

Page 64.

31–32.   Быть . . . на виду́: "to be prominent."

Page 67.

12–13.   Признаю́ вину́: "I admit (my) fault."

Page 69.

8–9.   зáнятых . . . никому́ не ну́жными: зáнят-ый takes the instrumental.

16.   предстáвить себé: "to imagine," "to picture to oneself."

17–18.   стать . . . бéдствием: with the instrumental.

Page 71.

7.   вавилóнянин: see note, p. 8, line 3.

17.   чему́ удивля́ться: with dative.

18.   Поду́маешь: "What is there to wonder about!"; "That's nothing!".

24.   Попрóбуй: "try" (imperative).

Page 73.

14.   жáлко, жаль: with dative.

Page 75.

2.   зáпер: third person masculine singular, past tense of заперéть (perfective).

30.   Назвáли . . . насекóмыми: назвáть takes the instrumental.

Page 77.

5.   уби́йца: feminine, but note он—уби́йца, and уби́йца убежáл.

Page 78.

29.   чем попа́ло : "with anything," "carelessly," "just anyhow."

Page 79.

1.   Смотри́те же ! : "now, you, look out !"; "or else" . . . (a threat).

Page 80.

18.   Распусти́лись : "you are (have been) spoiled (children)."

Page 81.

4.   Так, мол, и так : "this, they say, and that . . . "; "we, they say . . . : (мол).

Page 87.

15.   уже́ не : "no longer."
18.   привы́к : "accustomed" (m.), past : привы́кнуть (perfective).
35.   не́сколько необы́чная : "somewhat unusual."

Page 88.

17.   чуть в пруду́ не вы́купали : "almost dunked him into the pond."
18.   Уйми́ : imperative of уня́ть, meaning "calm (him) down," "put a stop (to it)."
30–31.   Вы бы . . . пошли́ домо́й, отдохну́ли : subjunctive mood. "(I wish) you would go home and rest."

Page 90.

19.   озёр . . . рек : genitive plural after the adverb of quantity мно́го, "many."

Page 91.

9.   ме́дленной : predicative instrumental. See note, p. 9, line 12.
13.   На э́том пути́ : "on this road." Путь is the only masculine noun in -ь which is declined like ло́шадь (f.), except that the instrumental singular is путём and the instrumental plural путя́ми.
28–29.   по желе́зной доро́ге : "by rail."

Page 92.

31–32.   ста́ла столи́цей : On the use of the predicative instrumental, see note, p. 9, line 12.

Page 93.

16. большими селе́ниями : "in large settlements."
25. занима́ться : takes the instrumental.

Page 94.

1. древне́йший : "the most ancient." The superlative adjective.
3. на . . . берегу́ : see note, p. 1, line 17.
6–7. называ́ется ма́терью : see note, p. 9, line 12.
14. ты́сячами : "in thousands."
18. семисо́т : see note, p. 45, line 27.
24. Росси́ей : управля́ть takes the instrumental.

Page 96.

7. Длино́ю : "in length." In some expressions of measurements the instrumental is used.
12. земледе́лием : see note, p. 93, line 26.

Page 97.

7–8. меха́ . . . шелка́ : On these plural forms, see note, p. 5, line 24.
26. на Кавка́зе : "in the Caucasus."
30. Вот мы : "here we are."
32. Казбе́к : a peak in the Caucasus mountains, 16,546 feet high.

Page 98.

18. ове́ц : genitive plural after a collective noun expressing quantity.
26. В полови́не второ́го : "at half-past one"; literally, "at half of the second."

Page 99.

26. поступи́л на вое́нную слу́жбу : "entered the military service."
27. славя́нской областью : instrumental after управля́ть.

Page 100.

4. В . . . году́ : see note, p. 1, line 17.
20. не́ было : see note, p. 8, lines 3–4.

29.   Тот же: "the same," "the very same." The particle же is always enclitic; here it is emphatic and identifies.

Page 102.

7.   что ему делать : "what he should do."
10.   кто : here it means "one."
11.   Богу : dative after служить.
32.   вступать (вступить) в брак : "to marry."

Page 103.

16.   путём : see note, p. 91, line 13

Page 104.

8.   пошёл на юг : "went south."
11.   В три года : "in three years' time."
14.   татар : genitive after бояться.
30.   огню : dative after поклоняться, "to bow to."

Page 105.

1.   Ивану Грозному было только три года : "Ivan the Terrible was only three years old." See note, p. 41, lines 29–30.
4.   властью : instrumental after пользоваться.
5–6.   на глазах у мальчика : "in the boy's presence."
31.   работы и доходов : genitive after лишать, "to deprive."

Page 106.

19.   на : here it means "to."
31.   дойти до : "to reach."

Page 107.

15.   тишайшего : "the mildest." The superlative adjective.

Page 108.

6.   одним словом : "in a word," "briefly."
16.   играл в шахматы : "played chess"; see note, p. 4. lines 18–20.

30. Петру́ шел четвёртый год : "Peter was about four years old."

32. При э́том царе́ : "during (under) the reign of this tsar."

Page 109.

6. на чи́стом во́здухе : "in the open air."

11–12. учи́лись . . . пе́нию : see note, p. 4, lines 16–17.

12. Когда́ Петру́ бы́ло семь лет : "When Peter was seven years old." See note, p. 41, lines 29–30.

Page 110.

1. поте́шным : predicative instrumental.

4. просты́ми солда́тами : "as simple soldiers"; "as common soldiers."

11. рядовы́м : "as a private."

12–13. стоя́л под ружьём : "remained under arms."

20. обрати́л внима́ние на : see note, p. 41, line 2.

31. на : here it means "for."

Page 113.

21. ложи́ться спать : "to go to bed."

24. ро́скоши : dative after удивля́ться.

35. Держа́вин (1743–1816): one of the most original Russian poets of the eighteenth century.

Page 114.

27. челове́к : see note, p. 45, line 23.

28. ра́за : genitive after три с полови́ною.

Page 117.

6. револю́ции : genitive after боя́ться.

17. Бори́с Годуно́в (1552–1605): ruled Russia from 1598 to 1605.

32. по два го́да : "for two years at a stretch." По governs the accusative of the numeral when followed by два, три, четы́ре, which take the genitive singular after them (по два, три, четы́ре го́да); when followed by оди́н, одна́, or одно́, по governs the dative of both the numeral and the substantive (по одному́ рублю́, по одно́й кни́ге, по одному́ перу́); but followed by пять, де́сять, etc., по governs the dative of the numeral: по пяти́ рубле́й (genitive after пять); по десяти́ книг (genitive after де́сять).

Page 118.

11. переме́н : genitive after ждать.

Page 119.

20.   Сперáнский, Михаил (1772–1839): a well-known Russian statesman.

26.   Грибоéдов, Алексáндр (1795–1829): the author of a famous Russian comedy, Гóре от Умá ("The Misfortune of Being Clever").

Page 121.

34.   доведéния: genitive after трéбовать.

Page 123.

2.   латинским языкóм, чтéнием: instrumental after интересовáться.

Page 124.

10.   лет пятидесяти: "about fifty years old."

20–21.   без сáхару: Masculine nouns denoting divisible matter, such as сáхар, have a genitive ending in -y or -ю, known as the partitive genitive.   This has been extended to cases where there is no idea of partition; see полнá нарóду, p. 125, line 1.

Page 125.

6.   на себя: "for yourselves."

6.   рукá óб руку: "hand in hand."

Page 126.

11.   Правительству: dative after вéрить.

Page 128.

11.   Шкóлы . . . нé было: see note, p. 8, lines 3–4.

30.   копéек: genitive plural after нéсколько.

31.   хлéба и квáса: partitive genitive.

Page 129.

8–9.   емý акадéмия не понрáвилась: "he did not like the academy."   In this type of construction, the noun or pronoun is in the dative.   E.g., Он мне нрáвится: "I like him"; Я нрáвлюсь емý: "He likes me."

Page 130.

21.   Четырнадцати лет: "at the age of fourteen."

Page 131.

5.　Фёдоровна : "the daughter of Theodore." See note, p. 27, line 13.

28.　счастья : genitive after искать.

29.　по два рубля : On this construction, see note, p. 117, line 32.

33.　басен : A few feminine nouns in -я, such as басня, песня, спальня, etc., lose the -ь in the genitive plural.

Page 132.

17–18.　приходил . . . садился : repeated action, therefore imperfective aspect.

28.　Родионовна : daughter of Rodion. See note, p. 27, line 13.

29.　песен : see note, p. 90, line 19.

Page 133.

9.　на : here it means "in."

Page 135.

4.　играл на скрипке : On this construction, see note, p. 4, lines 18–20.

27–28.　ещё мальчиком : "when still a boy."

31.　двенадцати лет : see note, p. 130, line 19.

Page 136.

9.　службы : see note, p. 131, line 28.

Page 140.

8.　Этой правды : For the reason of this genitive, see note, p. 131, line 28.

30.　которыми : instrumental after владеть.

Page 141.

16.　За : here it means "during."

Page 142.

7.　по : here it means "for," "after."

29.　известностью : instrumental after пользоваться.

30–31.　Он пишет уже сорок лет : "he has been writing for forty years." The present tense is used here to indicate that the action has been carried on from the past into the present.

VOCABULARY

СЛОВАРЬ.

This vocabulary is limited to the needs of this book.

The gender of the nouns can be deduced from their termination. Those ending in consonants or in **-й** are masculine; those in **-a** or **-я**, mostly feminine; those in **-o** or **-e**, neuter. The gender has therefore only been indicated in a few ambiguous cases and in the case of those nouns ending in **-ь**, which may be either masculine or feminine; thus: (m.) or (f.).

Of the adjectives, the full (attributive) and the short (predicative) forms are generally given: **богатый, -ая (богатая), -ое (богатое), -ые (богатые); богат, -а (богата), -о (богато), -ы (богаты).**

The aspects of the verbs are indicated by I. (imperfective aspect) and P. (perfective aspect).

The verbs with a prefix that has a hard sign before a vowel are listed under the verbs with an apostrophe after the prefix, i.e., **подъехать** follows **под'ехать**, etc.

ABBREVIATIONS

acc.	= accusative		indecl.	= indeclinable
adj.	= adjective		instr.	= instrumental
adv.	= adverb		loc.	= locative
compar.	= comparative		m.	= masculine
conj.	= conjunction		n.	= neuter
dat.	= dative		nom.	= nominative
dim.	= diminutive		P.	= perfective aspect
f.	= feminine		pl.	= plural
gen.	= genitive		prepos.	= preposition
I.	= imperfective aspect		pron.	= pronoun
imp.	= impersonal		s.	= singular
imper.	= imperative		superl.	= superlative

A

a, but, and

а то, and then, or else, otherwise

абажу́р, lamp shade,

а́вгуст, August

Авраа́мий, Abraham

автомоби́ль (m.), automobile

а́втор, author

авторите́т, prestige, authority

ад, inferno, hell

а́дрес, nom. pl. **адреса́**, address

адреса́т, addressee

а́збука, alphabet, primer

азиа́тский, -ая, -ое, -ие, Asiatic; **сре́дне-азиа́тский**, Central-Asian (Asiatic)

А́зия, Asia

акаде́мик, academician

акаде́мия, academy

акаде́мия нау́к, Academy of Sciences

акаде́мия худо́жеств, Academy of Arts

акти́вный, -ая, -ое, -ые, active, industrious

Акули́на, Aquilina

Алекса́ндр, Alexander

Алекса́ндра, Alexandra

Алекса́ндро-Не́вский, -ая, of Alexander-Nevsky

Алексе́й, Alexis

Алёна, Helen

аллéя, avenue
аллó, hello
алмáз, diamond
алтáрь (m.), altar
алфáвит, alphabet
Амазóнка, Amazon (river)
амбáр, barn
Амéрика, America
американец, gen. s. американца, American
Амýр, Amour river
ананáс, pineapple
áнгел, angel
англúйский, -ая, -ое, -ие, English
Андрéевич, son of Andrew
Андрéй, Andrew
Áнна, Anna
антéнна, antenna (aerial)
антú-религиóзный, -ая, -ое, -ые, anti-religious
Антóн, Anthony
аппарáт, apparatus
апрéль (m.), April
Арáвия, Arabia
арестóван, -а, -о, -ы, arrested
арифмéтика, arithmetic
áрмия, army
аромáт, fragrance
артиллéрия, artillery
артúст, actor, артúстка, actress
Архáнгельск, Archangel
архитектýра, architecture
ассамблéя, assembly
ассирúец, Assyrian, n. pl. ассирúйцы
Áстрахань (f.), Astrakhan
асфáльт, asphalt
атаковáть, атакýю, -ешь, -ют, I., to attack, advance
атамáн, hetman, Cossack chieftain
ательé, fashion shop, studio
атмосфéра, atmosphere
áтомный, -ая, -ое, -ые, atomic
  áтом, atom
аудитóрия, auditorium, audience
афúша, poster, advertisement
ах! ah!
áхать, I., áхнуть, P., to gasp, exclaim

Б

бáба, country woman
бáбочка, gen. pl. бáбочек, butterfly
бáбушка, gen. pl. бáбушек, grandmother

багрóвый, -ая, -ое, -ые, purple
Бáден, Baden
Байкáл, Lake Baikal
бакалéя, grocery, groceries
бакалéйная лáвка, grocery store
балагýр, merry fellow, jester
Балтúйское мóре, Baltic Sea
банáн, banana
банк, bank
бант, bow
бáня, bath-house
баобáб, baobab
бáржа, barge
бáрин, pl. бáре, бар, master, nobleman
бáрхат, velvet
баснопúсец, баснопúсца, fabulist
бáсня, gen. pl. бáсен, fable
Батýм, Batum
Батый, Baty
бáшня, gen. pl. бáшен, tower
бéгать, -аю, -ешь, -ют; бéгал, -а, -о, -и, I., to run
бегемóт, hippopotamus
бéгло, fast, smoothly
бегýт, see бежáть
бедá, misfortune, bad luck
бéдность (f.), poverty
бéдный, -ая, -ое, -ые; бéден, беднá, беднó (бéдно), бедны (бéдны), poor
  бéдные лю́ди, poor folk
бедня́га, poor wretch, poor soul
бéдственно, adv., fatally, disastrously
бéдствие, misfortune, disaster
бежáть, бегý, бежúшь, бегýт; бежáл, -а, -о, -и, I., побежáть, -ал, -áла, -áли, P., to run, escape, flee
без, prepos. with the gen., without
безвóльный, -ая, -ое, -ые; безвóлен, безвóльна, -о, -ы, lacking firmness
бездéльник, loafer
бездéтный, -ая, -ые; бездéтен, бездéтна, -ы, childless
беззабóтный, -ая, -ое, -ые; беззабóтен, беззабóтна, -о, -ы, light-hearted, careless
безóблачный, -ая, -ое, -ые; безóблачен, безóблачна, -о, -ы, cloudless
безобрáзие, ugliness, deformity
  безобрáзие! outrage!
  прямо безобрáзие! it's simply a disgrace (scandal)!

безору́жный, -ая, -ое, -ые, unarmed
беле́ть, беле́ю, -ешь, -ют: беле́л, -а, -о, -и, I., to grow white, appear white
бе́лый, -ая, -ое, -ые; бел, -а́, -о́, -ы́, (бе́ло, бе́лы) white
бе́рег, pl. берега́, river bank, seashore
    (на) берегу́, loc. of бе́рег
береги́сь, береги́тесь, imper. of бере́чься
бере́чься, I., to look out, beware
бе́режно, adv., carefully, cautiously
берёза, birch
берёт, see брать
бери́те, imper. of брать
беру́тся, see бра́ться
бесе́да, conversation
бесе́дка, arbor, bower
бесе́довать, бесе́дую, бесе́дуешь, бесе́дуют; бесе́довал, -а, -и, I., to converse
бесконе́чный, -ая, -ое, -ые; бесконе́чен, бесконе́чна, -о, -ы, endless
беспло́дный, -ая, -ое, -ые; беспло́ден, беспло́дна, -о, -ы, sterile, fruitless
беспоря́док, беспоря́дка, disorder, riot
беспреста́нно, adv., incessantly
беспризо́рный, -ая, -ые, homeless, without guidance
бесприю́тный, -ая, -ые, homeless
Бессара́бия, Bessarabia
бессты́дно, shamelessly
бестолко́вый, -ая, -ое, -ые, silly, dull-witted, senseless
бесчи́сленный, -ая, -ое, -ые, innumerable, countless
библиоте́ка, library
биле́т, ticket
би́тва, battle
бить, бью, бьёшь, бьют; бил, би́ла, -о, -и, I., поби́ть, P., to beat, strike
бла́го, welfare
благода́рность (f.), gratitude
благодаря́, thanks to
благополу́чие, well-being
благоро́дный, -ая, -ое, -ые; благоро́ден, благоро́дна, -о, -ы, noble, nobly born
благоро́дный пансио́н, school for the nobility
благоуха́ть, I., to perfume, diffuse

fragrance
бланк, blank
блеск, glitter, brilliance
блесну́ть, блесну́, блеснёшь, блеснёт; блесну́л, -а, -о, -и, P. of блесте́ть, блещу́, блести́шь, блестя́т (бле́щут); блесте́л, -а, -о, -и, to shine, glitter, flash
бле́щут, see блесну́ть
ближа́йший, -ая, -ее, -ие, superl. of бли́зкий
близ, prepos. with the gen., near to
бли́зкий, -ая, -ое, -ие; бли́зок, близка́, -о, -и́, near, close, related
блокно́т, writing pad
бля́шка, badge, plate
Бог, God
богате́ть, богате́ю, -ешь, -ют, I., to get rich
бога́тство, wealth, riches
бога́тый, -ая, -ое, -ые; бога́т, -а, -о, -ы, rich
бога́ч, pl. богачи́, богаче́й, rich man
богомо́лец, богомо́льца, pilgrim
богосло́вие, theology
богослуже́ние, Church service
бодре́е, compar. of бо́дрый
бо́дрый, -ая, -ое, -ые; бодр, бодра́, -о, -ы́, vigorous; бо́дро, cheerfully, energetically, spiritedly
Бо́жие, Lord's
бо́йница, battery
бо́йня, slaughter, slaughter-house
бок, pl. бока́, side
бока́л, tumbler
Болга́рия, Bulgaria
бо́лее, more
боле́зненный, -ая, -ое, -ые, ailing, sickly
боле́знь (f.), illness, disease
боле́ть, боле́ю, -ешь, -ют; боле́л, -а, -о, -и, I., to be ill; заболе́ть, P., to fall ill
боло́то, marsh, bog
болта́ть, I., to prattle
болтли́вый, -ая, -ое, -ые; болтли́в, -а, -о, -ы, talkative
болтовня́, chatter
боль (f.), pain, ache
больни́ца, hospital
бо́льно, adv., painfully; it hurts
больно́й, -ая, -ое, -ые, ill, sick (person)

бо́лен, больна́, -о, -ы́, ill, sick
бо́льше, compar. of бельшо́й, greater, larger
бо́льше, compar. of мно́го, more
бо́льше всего́, most of all
большеви́к, Bolshevik
большо́й, -а́я, -о́е, -и́е, big, great, large
Бори́с, Boris
бормота́ть, бормочу́, бормо́чешь, -ут, I., to mumble, mutter
борода́, beard
борода́тый, bearded
Бороди́нский, -ая, -ое, -ие, of Borodino
боро́дка, gen. pl. боро́док, dim. of борода́
борона́, harrow
боро́ться, борю́сь, бо́решься, бо́рются : боро́лея, I., to struggle
борьба́, struggle
боси́к, tramp, vagabond
боти́нок, боти́нка, shoe
боя́рин, pl. боя́ре, боя́р, boyar, old-Russian nobleman
боя́ться, бою́сь, бои́шься, боя́тся ; боя́лея, боя́лась, -лись, I., to fear, to be afraid
Брази́лия, Brazil
брак, marriage
брани́ть, браню́, брани́шь, -ят ; брани́л, -а, -и, I., to scold
брат, pl. бра́тья, бра́тьев, бра́тьям, бра́тьями, бра́тьях, brother; бра́тец, dim.; pl. бра́тцы, fellows
брать, беру́, берёшь, берёт, берём, берёте, беру́т ; бери́, бери́те— imper.; брал, -а́, -о, -и, I., to take
бра́ться, беру́сь, берёшься, беру́тся ; бра́лся, брала́сь, -лись, I., to turn to, take up
брига́да, brigade
броди́ть, брожу́, бро́дишь-ят, I., to wander, roam
бродя́га (m.), tramp
бро́нзовый, -ая, -ое, -ые, (of) bronze
броса́ть, -а́ю, -а́ешь, -а́ют, I.; бро́сить, бро́шу, бро́сишь, бро́сят ; бро́сил, -а, -о, -и, P., to throw away, to cast
бро́ситься, бро́шусь, бро́сишься, бро́сятся ; бро́сился, бро́силась, -ились, P., to rush, rush upon, toward
брусни́ка, red bilberry

брюзжа́ние, grumbling
бу́дет, see быть
бу́дешь, see быть
бу́дни, pl. of бу́день (m.), working day
бу́дто, как бу́дто, as if
бу́ду ⎱ see быть
бу́дут⎰
бу́дущий, -ая, -ее, -ие, future
бу́дьте, imper. of быть
бу́дьте уве́рены, rest assured
бу́ква, letter (of alphabet)
буква́льно, literally
буква́рь (m.), primer
буке́т, bouquet
бу́лка, bun, white bread
бу́лочник, baker
бульва́р, boulevard, park
бума́га, paper, note
бума́жка, gen. pl. бума́жек, dim. of бума́га
бунт, revolt, riot
бунтова́ть, бунту́ю, -ешь, -ют, I., to revolt
буржу́й, bourgeois
бу́рый, -ая, -ое, -ые, brown
бу́ря, storm
буты́лка, bottle
бы, (-б), sign of the conditional
быва́ть, быва́ю, -ешь, -ют ; быва́л быва́ла, быва́ло, -и, iterative of быть, to be, happen, take place
бы́вший, -ая, -ее, -ие, former
бы́ло, there was, there were
бы́стро adv., quickly
    быстре́е, (compar.) faster, quicker, quickly
быстрота́, speed
бы́стрый, -ал, -ое, -ые ; быстр, быстра́, -о, -ы́, quick, swift
быт, mode of life
быть, 3rd p. s. present, есть, 3rd p. pl. present, суть ; был, была́, бы́ло, бы́ли ; бу́ду, бу́дешь, бу́дет, бу́дем, бу́дете, бу́дут, I., to be, exist
бьёт, see бить
бюст, bust

В

в, во, prepos., with the loc. (without motion) or the acc. (with motion), in, to, into, on to, per, at
вавило́нянин, nom. pl. вавило́няне, Babylonian

ваго́н, car, railway carriage

ва́жный, -ая, -ое, -ые; ва́жен, важна́, -о, -ы, important

важне́йший, superl. of ва́жный

ва́ленка, pl. ва́ленки, ва́ленок, felt shoe

вальс, waltz

Ва́нька (popular), dim. of Ива́н

Ва́ня, dim. of Ива́н

Варша́ва, Warsaw

василёк, gen. s., василька́, corn flower

Ва́ся, dim. of Васи́лий, Basil Васи́льевич, son of Basil

ватру́шка, cheese-cake

ваш, ва́ше, ва́шего, ва́шему, ва́шим, ва́шем; ва́ша, ва́шей, your, yours

вбежа́ть, вбега́ть, I., to run into

вблизи́, adv., near, in proximity

вверх, adv., up above, upstairs (with motion)

вверху́, adv., up, above (without motion)

ввести́, введу́, введёшь, -у́т; ввёл, -а́, -и́, P. of вводи́ть, ввожу́, вво́дишь, -ят; вводи́л, -а, -и, to introduce, bring in

вдали́, adv., at a distance, far

вдво́е, twice

вдвоём, adv., two together

вдого́нку, after (to catch up with)

вдоль, adv., and prepos. (gen.) along

вдруг, adv., suddenly

веде́ние, leading, conduct, keeping (of)

веди́, веди́те, imper. of вести́

ведро́, pail

ведь, you see, you know, namely

везде́, adv., everywhere

везёт, see везти́

везти́, везу́, везёшь, -ёт, -у́т; вёз, везла́, -и́, I., to drive, convey

везу́т, see везти́

век, ве́ка, pl. века́, age, century

веково́й, -а́я, -о́е, -ы́е, century-old

веле́ть, велю́, вели́шь, -я́т, I., to order, command

вели́, вели́те, imper. of веле́ть

вели́, они́ вели́, see вести́

велика́н, giant

Вели́кая Война́, Great (World) War

вели́кий, -ая, -ое, -ие; вели́к, велика́, -о, -и́, great, large

вели́кий князь, prince, Grand Duke, the heir apparent

великоле́пно, adv., magnificently

великоле́пный, -ая, -ое, -ые; великоле́пен, великоле́пна, -ле́пно, -ле́пны, splendid, magnificent

великоро́сс, Great Russian

велича́вый, -ая, -ое, -ые; велича́в, -а, -о, -ы, stately, lofty

велича́йший, -ая, -ее, -ие, superl. of вели́кий

вели́чественный, -ая, -ое, -ые, majestic

вели́чие, grandeur

вельмо́жа (m.), grandee, lord

веля́т, see веле́ть

вено́к, венка́, wreath

ве́ра, faith

Ве́ра, Vera

верблю́д, camel

Ве́рбное Воскресе́нье, Palm Sunday

верёвка, gen. pl. верёвок, rope

ве́рить, ве́рю, -ишь, -ят, I., to believe, trust

ве́рно, true, truly, precisely

верну́лись, see верну́ться

верну́ться, верну́сь, вернёшься, -у́тся; верну́лся, -лась, -лись, P. of возвраща́ться, to return

вероя́тно, adv., probably

верста́, pl. вёрсты, вёрст, verst (three-quarter mile)

верх, top

верхо́вный, -ая, -ое, -ые, supreme

верши́на, peak, summit

верь, ве́рьте, imper. of ве́рить

веселе́е, compar. of весёлый

весели́ться, веселю́сь, -и́шься, -я́тся; весели́лся, -лась, -лись, I., to enjoy oneself, to make merry

ве́село, adv., cheerfully, gaily

весёлый, -ая, -ое, -ые; ве́сел, -а́, ве́село, веселы́, gay, cheerful

весе́нний, -яя, -ее, -ие, spring, vernal

весна́, spring

весно́й, in Spring

вести́, веду́, ведёшь, веду́т; вёл, вела́, -о́, -и́, I., to lead, conduct вести́ себя́, to behave

ве́стник, messenger

весть (f.), news

весь (m.), всего́, всему́, всем, всём, all, whole

ве́тер, ве́тра, wind

ве́тка, branch

ве́тряный, -ая, -ое, -ые; or

ве́треный, wind, windy

ве́чер, pl. вечера́, evening

вечери́нка, evening party

вече́рний, -яя, -ее, -ие, evening

ве́чером, adv., in the evening

ве́чно, forever, always, eternally

ве́шалка, coat-hanger, clothes-hanger, rack

ве́шать, ве́шаю, -ешь, -ют, I.; пове́сить, -ве́шу, -ве́сишь, -ве́сят : пове́сил, -а, -о, -и, P., to hang up

вещь (f.), thing

взаперти́, adv., under lock and key, shut up

взбунтова́ться, взбунту́юсь, -ешься, -ются; взбунтова́лся, -а́лась, -а́лись, P. of бунтова́ться, to rise, revolt

взгляд, look, glance, viewpoint

взгляну́ть, взгляну́, взгля́нешь, -ут; взгляну́л, -а, -и, P. of взгля́дывать, to look into, look up, glance

вздох, sigh

вздохну́ть, вздохну́, -нёшь, -ну́т; вздохну́л, -а, -и, P. of вздыха́ть, to sigh

вздра́гивать, I., вздро́гнуть, P., to shudder

взлез, взле́зла, past t. of взлезть, P. of взлеза́ть, to climb up

взро́слый, -ая, -ое, -ые, adult

взят, взя́та, взя́то, взя́ты, taken, captured

взять, возьму́, возьмёшь, -у́т; взял, -а́, -о, -и, p. of брать, to take, seize

взять в солда́ты, to take as a soldier, to recruit

взя́ться, I., to undertake

взя́ться за де́ло, to get busy

вид, look, appearance, view, sight, aspect

на виду́, (to be) in the eyes of, to be prominent

ви́деть, ви́жу, ви́дишь, ви́дит, ви́дят; ви́дел, -а, -о, -и, I., to see

ви́дит, see ви́деть

видне́ться, I., to appear, to be in sight

ви́дно, adv., apparently, evidently

ви́дный, -ая, -ое, -ые, visible, important, prominent

ви́ден, видна́, -о, -ы́, seen

ви́лка, fork

вина́, guilt, blame, fault

вини́ться, I., to plead guilty, to regret

винова́т, guilty, (I beg your) pardon, excuse (me);

я не винова́т, it is not my fault

виногра́д, grapes

висе́ть, вишу́, виси́шь, -я́т; висе́л, -а, -и, I., to hang, to be suspended

Виссарио́н, Vissarion

вися́чий, -ая, -ее, -ие, hanging

ви́ться, вьюсь, вьёшься, вью́тся; ви́лся, вила́сь, -ись, I., to curl

вишнёвый, -ая, -ое, -ые, cherry

вишнёвый сад, cherry orchard

ви́шня, gen. pl. ви́шен, cherry

вку́сен, вкусна́, -о, -ы́, tasty

владе́ть, I., to possess

владе́ть языко́м, to speak the language fluently

владе́лец, владе́льца, owner

владе́ние, possession

Влади́мир, Vladimir

власть (f.), power, authority

влета́ть, I., to fly in

влия́ние, influence

вложи́ть, вложу́, вло́жишь, -ат; вложи́л, -а, -и, P. of вкла́дывать, to put in

вме́сте, adv., together

вме́сто, instead of

вмеша́ться, вмеша́юсь, -ешься, -ются, P. of вме́шиваться, to mingle, meddle, interfere

вмеща́ть, I., to hold

вмеща́ться, I., to be placed, to be contained

внеза́пно, adv., suddenly, all of a sudden

вне́шний, -яя, -ее, -ие, external, outward

вне́шность (f.), appearance

вниз, adv., down, downstairs, below (with motion)

внизу́, down, downstairs, below (without motion)

внима́ние, attention

внима́тельно, adv., attentively

вновь, adv., again

внук (m.), вну́чка (f.), grandchild

вну́тренний, -яя, -ее, -ие, internal, inner

внутри́, inside

внуша́ть, I., to suggest

внушён, внушена́, -о́, -ы́, suggested

во, see в
во вторы́х, secondly
во что бы то ни ста́ло, at any cost
во́все не, adv., not at all
вода́, water
води́ться, вожу́сь, -ишься, ятся, I., to keep company with; to be associated with
во́дный, -ая, -ое, -ые, water, watery
водяно́й, -ая, -ое, -ые, water
воева́ть, вою́ю, вою́ешь, -ют, I., to wage war upon
вое́нный, -ая, -ое, -ые, military
во́ет, see выть
вожа́тый, conductor
вождь (m.), leader
возврати́ться, возвращу́сь, возврати́шься, -я́тся; возврати́лся, -ила́сь, -или́сь, P., to return
возвраще́ние, return
возвы́сить, P. of возвыша́ть, to elevate, raise
возвыша́ться, I., to tower, rise
во́здух, air
воззва́ние, proclamation
вози́ть, вожу́, во́зишь, во́зят; вози́л, -а, -и, I., to carry, convey
во́зле, prepos. with the gen., near, beside
возмути́ть, возмущу́, возмути́шь, -я́т; возмути́л, -а, -и, P. of возмуща́ть, to stir up to revolt, incite
возни́кнуть, возни́кну, -ешь, -ут; возни́кнул, -а, -о, -и, P. of возника́ть, to start, occur, rise, spring up
возня́, racket, bustle
возража́ть, I., to object
во́зраст, age
возьмёт, 3rd p. s. F., P. of взять
возьми́, imper. of взять
возьму́, see взять
во́ин, warrior
войди́те, imper. of войти́;
войди́те в курс, consider the matter; get into the swing of
война́, war
во́йско, army, troops
войти́, войду́, войдёшь, -ду́т; вошёл, вошла́, вошли́, P. of входи́ть, вхожу́, вхо́дишь, -ят; входи́л, -а, -и, to enter into
вокза́л, depot, station

вокру́г, adv., around
Во́лга, Volga river
волк, wolf
волне́ние, agitation, excitement
волнова́ться, волну́юсь, -ешься, -ются, I., to be excited, to be in commotion
Воло́дя, dim. of Влади́мир
волосо́к, волоска́, dim. of во́лос, pl. во́лосы, hair, filament
волше́бный, -ая, -ое, -ые, magic
вон, out, out there;
вон отсю́да, (get out) of here
воображала, conceit, from вообража́ть
воображе́ние, imagination
воображай, вообрази́те, imper. of вообрази́ть
вообрази́ть, воображу́, вообрази́шь, -я́т; вообрази́л, -а, -и, P. of вообража́ть, воображаю, -ешь, -ют; вообража́л, -а, -и, to imagine
вообще́, adv., in general, generally
вооруже́ние, arming, mobilization
вопро́с, question, problem
вопроси́тельно, questioningly
воробе́й, воробья́, pl.: воробьи́, воробьёв, sparrow
воро́та, pl. n., gate
ворча́ть, ворчу́, -и́шь, -а́т, I., to grumble, growl
ворчу́н, grumbler
во-свои́си, home (to return whence one came)
восемнадцатиле́тний, -яя, -ие, eighteen years old
восемна́дцать, eighteen
во́семь, eight
во́семьдесят, eighty
восемьсо́т, eight hundred
воскли́кнуть, воскли́кну, -ешь, -ут; воскли́кнул, -а, -н, P. of восклица́ть, to exclaim, to call out, cry out
воскресе́ние, resurrection
воскресе́нье, Sunday
воспи́тываться, воспи́тываюсь, -аешься, -аются; воспи́тывался, -алась, -ались, I., to be brought up, to be educated
воспо́льзоваться, воспо́льзуюсь, -ешься, -ются; воспо́льзовался, воспо́льзова́лась, -лись, P. of по́льзоваться, to make use of, take advantage of
воспомина́ние, reminiscence

восста́ние, revolt, sedition
восста́ть, восста́ну, -ешь, -ут; восста́л, -а, -и, Р. of восстава́ть, восста́ю, -ёшь, -ют, to rise, revolt, rebel (against)
восто́к, east
восто́рг, enthusiasm, rapture, delight
восше́ствие, accession (to the throne)
восьмидеся́тый, -ая, -ое, -ые, eightieth
восьмидеся́тые го́ды, the '80's
восьмой, восьмо́го, eighth
вот, adv., here, there, there is, here is, there are, here are
вот и всё, that's all there is
вот почему́, that is why
вот тебе́ на́, here you are (disappointment)
вот тебе́ и фи́кус, here is a fig for you ! (expressing disappointment)
вперёд, forward
впереди́, in front
впечатле́ние, impression
впечатли́тельный, -ая, -ое, -ые; впечатли́телен, впечатли́тельна, -о, -ы, impressionable
впосле́дствии, adv., later on, afterwards, subsequently
впра́во, to the right
враг, enemy, foe
врач, pl. врачи́, враче́й, physician
вреди́ть, врежу́, вреди́шь, -я́т, I., to harm, injure
вре́мени, see вре́мя
Вре́менное прави́тельство, provisional government
вре́мя, вре́мени, pl. времена́, времён, времена́м, time; вре́мя го́да, season; на вре́мя, for a certain time; по времена́м, at times; во́ время, on time; во вре́мя, during the time
вро́де, like, similar
всё, всего́, всему́, всё, всем, всём, n. of весь, all
все, всех, всем, все́ми, pl. of весь, вся; всё, all
всё ещё, still
всё же, yet
всё про́чее, and the rest
все равно́, all the same, it makes no difference
всё-таки, however, just the same, and yet, for all that
всевозмо́жный, -ая, -ое, -ые, all possible

всегда́, adv., always
всего́, see весь
всего́, adv., altogether, only
всей, see вся
всео́бщий, -ая, -ее, -ие, general, universal
всеросси́йский, -ая, -ое, -ие, all-Russian
всесторо́нний, -яя, -ее, -ие, many-sided, manifold, general
всех, gen. and loc. of все
вска́кивать, see вскочи́ть
вски́дывать, I., to throw, throw up
вско́ре, adv., soon, before long
вскочи́ть, вскочу́, вско́чишь, -ат вскочи́л, -а, -и, Р. of вска́кивать вска́киваю, -ешь, -ют, to leap, jump
вскри́кнуть, вскри́кну, ешь, -ут, Р. of вскри́кивать, to scream, cry out
вслед, adv., after (someone)
всле́дствие, adv., because, in consequence of
вслух, adv., aloud
всплесну́ть рука́ми, to wave one's hands, to clasp one's hands
вспо́мни, вспо́мните, imper. of вспо́мнить
вспо́мнить, вспо́мню, -ишь, -ят; Р. of вспомина́ть, to remember, recall
вста́вить, вста́влю, вста́вишь, -ят, Р., to put in
вставля́ть, I., to put in, insert
встаём, see встать, встава́ть
встать, вста́ну, -ешь, -ут; встал, -а, -о, -и, Р. of встава́ть, встаю́, встаёшь, встаём, -ют; встава́л, -а, -и, to get up, rise, stand up
встань-те, imper. of встать, Р., to get up, rise
встре́тить, встре́чу, встре́тишь, встре́тят; встре́тил, -а, -и, Р. of встреча́ть, to meet, encounter
встре́титься, встре́чусь, -ишься, -ятся; встре́тился, -илась, -ились, Р. of встреча́ться, to meet, encounter
встреча́ть, see встре́тить
вступи́ть, вступлю́, -ишь, -ят; вступи́л, -а, -и, Р. of вступа́ть, to enter, ascend
вступи́ть в брак, to marry
вступи́ть на престо́л, to ascend the throne

всхо́ды (m. pl.), young growth

всю́ду, adv., everywhere

вся, всей, всей, всю, всей, (всею) всей, f. of весь, all

вся́кий, -ая, -ое, -ие, anyone, anybody, each, every kind, any

вся́кого, gen. of вся́кий

вторже́ние, invasion, encroachment

вто́рник, Tuesday

второ́й, -а́я, -о́е, -ы́е, second

вход, entrance

входно́й, entrance (ticket)

входи́ть, see войти́

вчера́, yesterday

вчера́шний, -яя, -ее, -ие, yesterday's

вы, вас, вам, вас, ва́ми, вас, you

выбега́ть, I., to run out

вы́бить, P., to break, smash

вы́бор, choice, selection

вы́бран, -а, -о, -ы, chosen, selected

вы́брать, вы́беру, вы́берешь, -ут; вы́брал, -а, -и, P. of выбира́ть, to select

вы́вернуть, -верну, -вернешь, -верну́т; вы́вернул, -а, -и, P. of вывёртывать, to turn (inside) out

вы́вести, -веду, -ведешь, -ут; вы́вел, -вела, -вели, P. of выводи́ть, вывожу́, выво́дишь, выво́дят; выводи́л, -а, -и, to lead out, take out

вывози́ть, вывожу́, выво́зишь, -ят; вывози́л, -а, -и, I., to export

вы́говорить, P., of выгова́ривать, to speak out, pronounce

вы́года, profit, gain, advantage, benefit

выдава́ть, выдаю́, -ёшь, -ю́т, I., to give out, distribute, betray

выде́лываться, I., to be manufactured

вы́держать, P., to pass, succeed, endure; не вы́держать, to fail, lose control of oneself

вы́думать, P. of выду́мывать, to invent

вы́ехать, -еду, -едешь, -едут; -ехал, -а, -и, P., to drive out, leave, depart

выздоровле́ние, convalescence

вызыва́ть, I., to evoke, call forth

вы́играть, P., to win

вы́йти, вы́йду, -ешь, -ут; вы́шел,

вы́шла, вы́шли, P. of выходи́ть, выхожу́, -хо́дишь, -хо́дят, to go or come out

вы́йдет, it come out, the result is

выхо́дит, it appears, it comes out

вы́йти-выходи́ть в свет, to appear, to be published

вы́йти в отста́вку, to retire

вы́йти за́муж, to marry

вы́кинуть, вы́кину, -ешь, -ут, P. of выки́дывать, to throw out

выключа́тель (m.), switch

вы́ключить, вы́ключу, -ишь, -ат, P. of выключа́ть, to turn off, shut out, exclude

вы́купать, P. of купа́ть, to bathe, dunk

вы́лезть, P., to climb out

вы́лететь, P. to fly away

вы́лечить, P., to cure, treat

вы́лит, -а, -о, -ы, cast (of) metal

вы́мазать, вы́мажу, -мажешь, -мажут; вы́мазал, -а, -и, P. of выма́зывать, to smear

вы́мели, pl. past t. of вы́мести, P., to sweep

выме́ниваться, выме́ниваюсь, ешься, -ются; выме́нивался, -алась, -ались, I., to barter, to be exchanged

вы́мыть, вы́мою, -моешь, -моют; вы́мыл, -а, -о, -и, P. of вымыва́ть, to wash

вы́нести, вы́несу, -несешь, -несут; вы́нес, вы́несла, -несли, P. of выноси́ть, выношу́, выно́сишь, выно́сят; выноси́л, выноси́ла, выноси́ли, to bring out, carry out, endure, bear

вы́нуть, вы́ну, -ешь, -ут, P. of вынима́ть, to take out

выпи́сывать, I., to order by mail, subscribe

вы́пить, P. of пить

выполня́ть, I., to execute, carry out

выпуска́ться в свет, to be published, let out

вы́пустить, вы́пущу, вы́пустишь, вы́пустят; вы́пустил, -а, -и, P. of выпуска́ть, to let out

вырабатываться, выраба́тывается выраба́тываются; выраба́тывался ся, выраба́тывались, to be produced, to be manufactured

вы́разить, вы́ражу, вы́разишь, -ят; вы́разил, -а, -и, P. of выража́ть, to express

вы́рвать, вы́рву, -ешь, -ут; вы́р-
вал, -а, -и, Р of вырыва́ть, to
pull out, snatch
вы́ронить, вы́роню- -ишь, -ят;
вы́ронил, -а, -и, Р., to let fall,
drop
вы́рости, вы́росту, -ешь, -ут;
вы́рос, вы́росла, вы́росли, Р. of
выроста́ть, to grow up
вы́рубить, -рублю, -ишь, -ят, Р.,
to cut down
вы́скочить, вы́скочу, вы́скочишь,
-ат, Р. of выска́кивать, to jump
out, rush out
вы́слушать, вы́слушаю, -ешь,-ют,
Р. of выслу́шивать, to listen,
give ear to
вы́смеять, вы́смею, -ешь, -ют, Р.
of высме́ивать, to ridicule, mock
высо́кий, -ая, -ое, -ие; высо́к,
высока́, -о́, -и́, high, tall, ele-
vated
высоко́, adv., high, high in the air
высота́, height, eminence
вы́стрел, shot
вы́сший, -ая, -ее, -ие, compar. of
высо́кий
вы́сыпать, Р. of сы́пать, сы́плю,
-лешь, -лют, to scatter, pour out,
spill
высыха́ть, I., to dry
вы́тащить, вы́тащу, -тащишь,
-тащат, Р., to pull out, drag out
вытира́ть, I., to wipe
выть, во́ю, во́ешь, во́ет, во́ют;
выл, вы́ла, -о, -и, I., to howl
вы́учиться, see учи́ться
вы́хватить, вы́хвачу, вы́хватишь,
-т, -ят, Р., to seize, pull out,
grab
вы́ход, reception (at Court), levee,
appearance, exit
выходи́ть, выхожу́, -хо́дишь, -хо́-
дят; выходи́л, -а, -и, I., to go
out
выходи́ть за́муж, to marry, wed
вы́честь, Р. of вычита́ть, to deduct
вычита́ние, deduction
вы́ше, compar. of высо́кий and of
высоко́, higher, taller
вы́шел, see вы́йти
вышива́ть, вышива́ю, -ешь, -ют;
вышива́л, -а, -и, I., to em-
broider
выясне́ние, clarification, ascer-
taining
вью́га, snowstorm

вяза́ть, вяжу́, вя́жешь, вя́жут;
вяза́л, -а, -о, -и, I., to knit,
bind

Г

Га́га, The Hague
гада́ние, fortune-telling
гада́ть, I., to tell fortune, guess
газе́та, newspaper
газе́тчик, newsboy, newsman
га́лка, gen. pl. га́лок, jackdaw
галлере́я, gallery
гармо́ния, accordion, harmony
гва́рдия, the guards
гвозди́ка, carnation, pink
гвоздь (m.), nail
где, adv., where (without motion)
где́-нибудь, somewhere
гекта́р, hectare
географи́ческий, -ая, -ое, -ие, geo-
graph:c
геогра́фия, geography
Ге́на, dim. of Генна́дий, Gennady
гениа́льный, smart, original, gifted
гера́нь (f.), geranium
герб, coat of arms
ге́рбовый, -ая, -ое, -ые, stamped,
armorial, coat of arms, heraldic
герма́нец, герма́нца, German
Герма́ния, Germany
герои́ня, heroine
геро́й, hero
геро́йский, -ая, -ое, -ие, heroic
гимна́зия, gymnasium, secondary
school
гимнази́ческий, -ая, -ое, -ие, (of)
gymnasium (pertaining to), gymnasium
гимна́стика, physical exercise
гипотену́за, hypotenuse
глава́, chief, head, chapter
гла́вное (это гла́вное), the main
thing
главнокома́ндующий, Commander-
in-Chief
гла́вный, -ая, -ое, -ые, chief, main
гла́вным о́бразом, chiefly, mainly
гла́дить, see погла́дить
глаз, pl. глаза́, глаз, eye
гла́сный, -ая, -ое, -ые, loud,
voiced
гла́сная бу́ква, vowel
гли́няный, made of clay
гли́на, clay
глубина́, depth

глубо́кий, -ая, -ое, -ие,; глубо́к, глубока́, -о́, -и́, deep, profound
глубоко́, adv. deeply
глубь (f.), depth
глу́по, adv., foolishly
глу́пый, -ая, -ое, -ые; глуп, -а́, -о-, -ы́, stupid, dull-witted, foolish
глухо́й, -а́я, -о́е, -и́е; глух, глуха́, глу́хо, -и́, deaf, muffled, choked, dull (sound)
гляде́ть, гляжу́, гляди́шь, -я́т, I., to glance, look
гнать, гоню́, го́нишь, -ят, I., to drive, drive (away)
гнать ло́шадь, to ride a horse hard
гнездо́, nom. pl. гнёзда, nest
го́вор, talk, conversation
говори́ть, говорю́, -и́шь, -я́т; говори́л, -а, -о, -и, I., to speak, talk
год, year
годовщи́на, anniversary
голова́, head, chief
голо́вка, dim. of голова́
го́лод, hunger
голо́дный, -ая, -ое, -ые; го́лоден, голодна́, го́лодно, голодны́, hungry
го́лос, nom. pl. голоса́, voice
голосо́к, голоска́, dim. of го́лос
голубо́й, -а́я, -о́е, -ы́е, sky-blue
голу́бчик, darling
голу́бушка, darling
го́лый, -ая, -ое, -ые; гол, гола́, го́ло, голы́, bare, naked
гоне́ц, гонца́, courier
гора́, mountain
гора́здо, adv., much, by far
горба́тый, -ая, -ое, -ые, hunch-backed
горбу́н, hunch-back
го́рдость (f.),, pride, haughtiness
го́ре, woe, distress, grief
горева́ть, горю́ю, горю́ешь, -ют; горева́л, -а, -и, I., to grieve
горе́ть, горю́, -и́шь, -я́т; горе́л, -а, -и, I., to burn
го́рец, го́рца, mountaineer
го́рло, throat
го́рничная, maid-servant
го́рный, -ая, -ое, -ые, mining, mountainous
го́род, nom. pl. города́, town, city
городо́к, городка́, dim. of го́род
горшо́к, pot

го́рький, -ая, -ое, -ие; го́рек, горька́, го́рько, горьки́, bitter
го́рько, adv., bitterly
горя́чий, -ая, -ее -ие; горя́ч, горяча́, -о́, -и́, hot, warm, passionate
горячи́ться, горячу́сь, -и́шься, -атся, I., to lose one's temper, to become excited, irritated
горячо́, adv., warmly, ardently, passionately
Госпо́дь Бог, the Lord
   Го́споди бо́же мой, My Lord! Oh Lord!
гостеприи́мный, -ая, -ое, -ые, hospitable
гостеприи́мство, hospitality
гость (m.), го́стья (f.), guest
Госуда́рственная Ду́ма, State Council, Parliament
госуда́рственный, -ая, -ое, -ые, State, pertaining to the State
госуда́рственное де́ло, State affair
госуда́рство, State, Empire
госуда́рыня, sovereign, empress
госуда́рь (m.), sovereign
гото́в, -а, -о, -ы, ready
гото́вить, гото́влю, гото́вишь, гото́вят, I., to prepare
гото́виться, гото́влюсь, гото́вишься, гото́вятся, I., to get ready
гра́бить, гра́блю, гра́бишь, гра́бят; гра́бил, -а, -и, I., to plunder, rob
граждани́н (m.), гражда́нка (f.), pl. гра́ждане, гра́ждан, citizen
грамма́тика, grammar
гра́мота, reading and writing
гра́мотный, -ая, -ое, -ые; гра́мотен, гра́мотна, гра́мотно, гра́мотны, literate
грани́ца, border
   за-грани́цей, beyond the border, abroad (without motion)
   за-грани́цу, abroad (with motion)
Грано́витая Пала́та, the great reception hall in the Kremlin
граф, count
графи́ня, countess
грек, Greek
греме́ть, гремлю́, -и́шь, -я́т, I., to make noise, to rattle
греть, гре́ю, гре́ешь, -ют; грел, -а, -и, I., to warm, heat
грех, sin
гре́ческий, -ая, -ое, -ие, Greek

учи́ться по-гречёски, to study Greek
гречи́ха, buckwheat
гре́шник (m.), гре́шница (f.), sinner
гриб, mushroom
Гри́ша, Гри́шка, dim. of Григо́рий, Gregory
гробни́ца, tomb
гроза́, thunderstorm
грози́ть, грожу́, грози́шь, -я́т; грози́л, -а, -и, I., to threaten
гро́зно, adv., sternly, menacingly
гро́зный, -ая, -ое, -ые; гро́зен, грозна́, гро́зно, грозны́, terrible
грозово́й, -а́я, -о́е, -ы́е, stormy
гром, thunder
грома́дный, -ая, -ое, -ые; грома́ден, грома́дна, -о, -ы, vast, immense, enormous
гро́мкий, -ая, -ое, -ие, renowned, famous, loud
гро́мко, adv., loudly
гро́хот, roar, rumble
грош, two copecks
гроши́, a paltry sum
гру́бо, adv., rudely
гру́да, pile, heap
грудь (f.), chest, breast
груз, load, burden, freight, cargo
грузи́ть, гружу́, гру́зишь, -ят; грузи́л, -а, -и, I., to load
Гру́зия, Georgia
гру́стно, adv., sadly
гру́стный, -ая, -ое, -ые; гру́стен, грустна́, гру́стно, -ы́, sad
гру́ша, pear
гряда́, garden bed
грязнова́тый, -ая, -ое, -ые; грязнова́т, грязнова́та, -о, -ы, dirty, soiled
гря́зный, muddy, soiled
грязь (f.), mud, dirt
губа́, lip
губе́рния, province
гуде́ние (гуде́нье), peal, droning
гуде́ть, гужу́, гуди́шь, гудя́т; гуде́л, -а, -и, I., to drone, hum, peal
гудо́к, гудка́, nom. pl. гудки́, (train) whistle, ringing, tooting
гул, drone, rumble
гуля́ние (гуля́нье), walk, promenade, entertainment
гуля́ть, I., to walk
гума́нный, -ая, -ое, -ые, humane
густо́й, -а́я, -о́е, -ы́е; густ, густа́, гу́сто, -ы́, thick, dense

Д

да, adv., yes; conj., but, and
дава́ть, даю́, даёшь, даёт, даём, даёте, даю́т; дава́л, дава́ла, дава́ли, I., to give
дава́йте-ка, imper., let's
дава́ться, I., to be given, to give oneself to
давно́, adv., long, long ago, a long time
даёт, see дать
да́же, adv., even
далеко́, adv., far
далеко́-далеко́, far, far away
дало́, see дать
дальне́йший, -ая, -ее, -ие, superl. of да́льний
да́льний, -яя, -ее, -ие, distant, remote
да́льше, compar. or далёкий and of далеко́, farther, farther on, further
Да́ния, Denmark
дань (f.), tribute
да́ром, adv., gratis, for nothing; неда́ром, not in vain
дать, дам, дашь, даст, дади́м, дади́те, даду́т; дал, дала́, дало́, да́ли, P. of дава́ть, to give
даю́т, see дава́ть
два (m. and n.), две (f.), двух, двум, двумя́, двух, two
два́дцать, twenty
двадца́тый, -ая, -ое, -ые, twentieth
двадца́тые го́ды, the '20's
двена́дцать, twelve
дверь (f.), door
две́сти, two hundred
дви́гать, I., to move, push
дви́гаться, I., to move, stir
движе́ние, movement, motion
дви́нуться, P., to start off, to move
дво́йка, two (a low school grade)
двойно́й, -а́я, -о́е, -ы́е, double
двор, court, courtyard
при дворе́, at Court
на дворе́, out of doors
дворе́ц, дворца́, palace
дво́рник, janitor
дворцо́вый, -ая, -ое, -ые, palatial, of the Court
дворяни́н, pl. дворя́не, дворя́н, дворя́нам, nobleman
дворя́нский, -ая, -ое, -ие, nobleman's, of nobility

двух, see два

двухгла́вый, -ая, -ое, -ые, double-headed

двух'эта́жный, -ая, -ое, -ые, two-storied

дева́ться, I., to hide, put, put away; дева́ться не́куда, nowhere to go

де́вочка, pl. де́вочки, де́вочек, де́вочкам, girl, little girl

девчо́нка, (derogatory), bad girl

де́вушка, pl. де́вушки, де́вушек, де́вушкам, young girl, maiden

девяно́сто, ninety

девяно́стый, -ая, -ое, -ые, nine-tieth

девяно́стые го́ды, the '90's

девятиле́тний, -яя, -ее, -ие, nine years old

девятна́дцать, nineteen

девятна́дцатый, -ая, -ое, -ые, nineteenth

девя́тый, -ая, -ое, -ые, ninth

де́вять, nine

девятьсо́т, nine hundred

дед, grandfather

де́душка, dim. of дед

де́йствие, act, action

действи́тельно, adv., indeed, really

действи́тельность (f.), reality, actuality

де́йствовать, де́йствую, де́йствуешь, -уют; де́йствовал, -а, -о, -и, I., to act

де́йствующий, -ая, -ее, -ие, acting, active

де́йствующие ли́ца, the cast

декабри́ст, Decembrist

дека́брь (m.), December

де́лать, де́лаю, -ешь, -ют; де́лал, -а, -о, -и, I., to do, make

что мне де́лать, what am I to do

де́латься, I., to become, to be made; to be done

делега́ция, delegation

дели́-те, imper. of дели́ть

дели́ть, делю́, де́лишь, -ят, I., to share, divide

де́ло, business, deed, case, matter, affair

в са́мом де́ле, indeed, in reality

в чём де́ло, what's the matter

дела́ творя́тся, such doings, wonders are going on

де́ло ста́ло, matters stood still; at a standstill

за де́ло, get busy

де́ло тру́дное, a difficult matter

вам нет де́ла, it's not your concern (business)

делово́й, -а́я, -о́е, -ы́е, business, business-like

Демья́н, Damian

день, дня, дню, днём, дне; pl. дни, дней, дням, дня́ми, днях (m.), day

де́ньги, де́нег, де́ньга́м, pl. f., money

дёргать, I., to pull

дереве́нщина, country lout

дереве́нский, -ая, -ое, -ие, (of) village, rustic, rural

дереве́нь, gen. pl. of дере́вня

дере́вня, village (without church), hamlet, country

де́рево, pl. дере́вья, дере́вьев, дере́вьям, tree, wood

дере́вья, see де́рево

держа́ва, empire, dominion

держа́ть, держу́, де́ржишь, де́ржит, де́ржат; держа́л, -а, -и, I., to hold, keep

держи́-те, imper. of держа́ть

де́ржит, see держа́ть

де́рзость (f.), insolence, impertinence

дери́сь, дери́тесь, imper. of дра́ться

деся́ток, ten

де́сять, ten

деся́тый, -ая, -ое, -ые, tenth

дета́ль (f.) detail

дете́й, gen. pl. of дитя́

де́ти, nom. pl. of дитя́

де́тский, -ая, -ое, -ие, child's, children's

де́тство, childhood

деше́вле, compar. of дешёвый, -ая, -ое, -ые, cheap

де́ятель (m.), man of action

де́ятельность (f.), activity

де́ятельный, -ая, -ое, -ые, active

дива́н, divan, sofa

дика́рь (m.), savage

ди́кий, -ая, -ое, -ие, wild

Дина́мо, Dynamo

дина́мовый, pertaining to Dynamo

дина́стия, dynasty

директи́ва, instruction(s)

дире́ктор, director

дитя́, дитя́ти (n.), pl. де́ти, дете́й, де́тям, детьми́, де́тях, child

длина́, length

длинне́е, compar. of дли́нный

дли́нный, -ая, -ое, -ые, long

для, prepos. with the gen., for

Дми́трий Донско́й, Prince Demetrius of the Don

дневни́к, report book, diary

дней, see день

днём, instr. of день ; adv., by day

Днепр, river Dnieper

дни, see день

дня, see день

до, prepos. with the gen., until, up to, before, to

доба́вить, P. of добавля́ть, to add

доби́ться, добью́сь, добьёшься, добью́тся ; доби́лся, доби́лась, -и́лись, P. of добива́ться, to strive for, attain, obtain, secure

до́блестный, -ая, -ое, -ые, valiant

добра́ться, доберу́сь, доберёшься, -у́тся ; добра́лся, -а́лась, -а́лись, P., to reach

добре́е, compar. of до́брый

добрело́, 3rd p.s. past of добрести́

добрести́, P., to reach, to drag oneself up to

добро́, property, goods

доброде́тель (f.), virtue

доброду́шие, kindness, good nature

доброду́шно, adv., good-naturedly

доброду́шный, -ая, -ое, -ые, kind-hearted, good-natured

до́брый, -ая, -ое, -ые ; добр, -а́, -о, -ы́, kind, good

добыва́ть, добыва́ю, -ешь, -ют, I.; добы́ть, добу́ду, -бу́дешь, -бу́дут, P., to procure, obtain, acquire

добы́ть, see добыва́ть

доведе́ние, conclusion

доверше́ние, completion, consummation

доводи́ть, довожу́, дово́дишь, -ят, I., to lead up to; to bring

дово́лен, see дово́льный

дово́льно, adv., enough, rather, fairly

дово́льный, -ая, -ое, -ые ; дово́лен, дово́льна, дово́льно, дово́льны, content, contented, pleased

дога́дываться, -ваюсь, -ваешься, -ваются, I.; догада́ться, догада́юсь, -ешься, -ются, P., to guess, suspect, surmise

догна́ть, догоню́, -го́нишь, -го́нят ; догна́л, -а, -о, -и, P., to overtake

дого́нишь, see догна́ть

доду́маться, P., to come to a conclusion; think

до́ждик, dim. of дождь (m.), rain

дойти́, дойду́, дойдёшь, дойду́т ; дошёл, дошла́, -о, -и, P. of доходи́ть, дохожу́, дохо́дишь, -хо́дят, to come up to, reach

докла́д, report

докуме́нт, document

долг, duty, debt

до́лгий, -ая, -ое, -ие ; до́лог, долга́, до́лго, до́лги, long

до́лго, adv., for a long time, long

до́лжен, должна́, должно́, должны́, imp., ought, must

доли́на, valley

доло́й, adv., down, away

до́ля, share, lot

дом, nom. pl. дома́, house, home

до́ма, adv., at home

дома́шний, -яя, -ее, -ие, domestic, home

до́мик, dim. of дом

домово́й, family spirit

домо́й, adv., home, homeward

Дон, the (river) Don

Дон Кихо́т, Don Quixote

допу́стим, let's suppose; let's say допусти́ть, P., допуска́ть, I. to let, allow, permit

доро́га, road, way

доро́жка, dim. of доро́га, path

дорого́й, -а́я, -о́е, -и́е ; до́рог, дорога́, до́рого, доро́ги, dear, beloved, costly

дорожи́ть, дорожу́, -и́шь, -а́т, I., to value, appreciate

доса́да, vexation, spite

доса́дно, adv., provoking

мне так доса́дно, I am very sorry, I am provoked

доска́, pl. до́ски, до́сок, board

достава́ть, достаю́, -ёшь, -ют, I.; доста́ть, доста́ну, доста́нешь, -ут, P., to obtain, get

доста́точно, adv., sufficiently

доста́ть, see достава́ть

дости́гнуть, дости́гну, -ешь, -ут ; дости́г, дости́гла, дости́гли, P., to reach, attain

достиже́ние, achievement, realization

досту́пный, -ая, -ое, -ые ; досту́пен, досту́пна, досту́пно, досту́пны, easy to reach, accessible

дотяну́ться, P., to reach

дохо́д, profit

доходи́ть, see дойти́

дочь, pl. до́чери, дочере́й, daughter

дошёл, see дойти
драгоце́нный, precious
дразни́ть, дразню́, дра́знишь, дра́з-
   нят ; дразни́л, -а, -и, I., to
   tease
дра́ка, fight
драмату́рг, dramatist
дра́ться, деру́сь, дерёшься, де-
   ру́тся ; дра́лся, -а́лась, -а́лись ;
   imper. дери́сь, дери́тесь, I., to
   fight
древне́йший, -ая, -ее, -ие, superl.
   of дре́вний
дре́вний, -яя, -ее, -ие, ancient
дре́вность (f.), antiquity
дрему́чий, -ая, -ее, -ие, thick,
   dense
дробь (f.), fraction
дрова́ (pl. n.), wood, logs
дро́гнуть, дро́гну, -ешь, -ут, P. of
   дрожа́ть, дрожу́, -и́шь, -а́т, to
   shudder, shiver, tremble
дрожа́, present gerund of дрожа́ть
дрожа́ть, I., to tremble
дрожа́щий, -ая, -ее, -ие, trembling
друг, pl. друзья́, друзе́й, друзья́м,
   friend
друг дру́гу, one another, each other
друго́й, -а́я, -о́е, -и́е, other, different, second
дру́жба, friendship
дружи́на, body-guard, Militia
дружи́ть, I., to be friends
дру́жно, adv., together
дру́жно рабо́тать, to pull together
дру́жный, -ая, -ое, -ые, friendly,
   unanimous
дуб, oak
дуби́нка, dim. of дуби́на, cudgel
Ду́ма, Duma, Council, Parliament
ду́мать, ду́маю, -ешь, -ют ; ду́мал,
   -а, -и, I., to think
дура́к, fool
дура́цкий, stupid
дурно́й, -а́я, -о́е, -ы́е ; дурён,
   дурна́, ду́рно, дурны́, bad, ugly
дуть, ду́ю, ду́ешь, ду́ют, I., to blow
духове́нство, clergy
духо́вный, -ая, -ое, -ые, spiritual,
   ecclesiastical
душа́, soul
   э́то ему́ по душе́, it pleases him ;
   э́то ему́ не по душе́, it does not
      please him
душе́вный, -ая, -ое, -ые, inward,
   mental, psychical
души́стый, -ая, -ое, -ые ; души́ст,

души́ста, -о, -ы, fragrant
дуэ́ль (f.), duel
дым, smoke
ды́ня, melon
дыра́, hole
дыша́ть, дышу́, ды́шишь, -ат ;
   дыша́л, -а, -и, I., to breathe
дя́дя (m.), pl. дя́ди, дя́дей, uncle
дьяк, deacon
дья́кон, deacon

Е

Ева́нгелие, Gospel
Евге́ний, Eugene
евре́й, Jew
евре́йский, -ая, -ое, -ие, Jewish,
   Hebrew
Евро́па, Europe
европе́ец, европе́йца, European
европе́йский, -ая, -ое, -ие, European
Еги́пет, Egypt
еги́петский, -ая, -ое, -ие,
   Egyptian
его́ (него́), gen. or acc. of он or оно́
Его́р, George
еда́, food
едва́, adv., hardly
едва́ не, all but
еди́те, see есть
е́дут, see е́хать
её, (неё) acc. of она́
ежего́дно, yearly
ежедне́вно, adv., daily
езда́, ride, drive, journey
е́здить, е́зжу, е́здишь, е́здит,
   е́здят ; е́здил, -а, -и, I., to ride,
   travel
ей, dat. of она́
Екатери́на, Catherine
Еле́на, Helen
ёлка, pl. ёлки, ёлок, Christmas tree
ель (f.), fir-tree
ему́, dat. of он or оно́
ере́тик, heretic
Ерма́к, Yermak
ерунда́, rubbish, nonsense
е́сли, if
есте́ственный, -ая, -ое, -ые,
   natural
   есте́ственные нау́ки, natural
      sciences
   естествозна́ние, natural sci-
      ences
есть, ем, ешь, ест, еди́м, еди́те,
   еди́т ; ел, -а, -о, -и, I., to eat
есть, there is, there are ; yes ; ready

éхать, éду, éдешь, éдет, -ут; éхал,
-а, -о, -и, I., to go, ride, drive
ешь, imper. of есть : eat
ещё, adv., yet, more, still, further,
again, already

Ж

ж, see же
жаба, toad
жаворонок, жаворонка, lark
жадно, adv., greedily
жадность (f.), greed
жалеть, жалею, жалеешь, -ют;
жалел, -а, -о, -и, I., to regret,
pity, to be sorry for
жалко, (it is a) pity
жаль, sorry, (to be sorry) pity
жалоба, complaint, grievance, la-
mentation
жалобнее, compar. of жалобно,
sorrowfully, plaintively
жаловаться, жалуюсь, жалуешь-
ся, -уются, I., to complain
жалость (f.), pity, compassion
жаль, it is a pity,
ей жаль, she pities, she is sorry
for
жаркий, -ая, -ое, -ие; жарок,
жарка, жарко, жарки, warm, hot
жатва, harvest
ждать, жду, ждёшь, ждёт, ждут;
ждал, -а, -о, -и, I., to wait for,
to expect
же (ж), then, same, very; же- can
either identify or draw a distinc-
tion, in either case emphasizing
the preceding word
жевать, жую, жуёшь, жуёт, жуют
жевал, -а, -о, -и, I., to chew
жезл, rod, staff
желание, wish, desire
желать, желаю, желаешь, желают;
желал, -а, -и, I., to wish, desire
железный, -ая, -ое, -ые, iron, (of)
iron
железная дорога, railway
железо, iron
желтеть, желтею, -ешь, -ют, I.,
to become yellow
жёлтый, -ая, -ое, -ые; жёлт,
желта, жёлто, желты, yellow
желудок, желудка, stomach
жена, pl. жёны, жён, wife
женитьба, marriage
жениться, женюсь, женишься,
-ятся; женился, -ились, I., to
marry (of the man)

жених, suitor, bridegroom
женский, -ая, -ое, -ие, feminine
женские курсы, college for
women
женщина, woman
жертва, victim, sacrifice
жестокий, -ая, -ое, -ие; жесток,
жестока, жестоко, жестоки,
cruel
жечь, жгу, жжёшь, жжёт, жжём,
жжёте, жгут; жёг, жгла, жгло,
жгли, I., to burn
жжёт, see жечь
живём, see жить
живой, -ая, -ое, -ые; жив, жива,
-о, -ы, alive, lively, living, alert
в живых, among the living
живописный, -ая, -ое, -ые; жи-
вописен, живописна, -о, -ы,
picturesque
живопись (f.), painting
живость (f.), vivacity, liveliness
живот, stomach, belly
животное, animal
жизнь (f.), life
жили-были, once upon a time there
lived . . .
жилой, -ая, -ое, -ые, habitable,
inhabited
жильё, dwelling, abode, living
quarters
житель (m.), жительница (f.),
inhabitant
жить, живу, живёшь, живём,
живёте, живут; жил, жила, -о,
-и, I., to live
жнец, reaper
жница, reaper
жребий, (m.), lot
жужжать, I., to hum, buzz, drone
журнал, magazine
жутко, uneasy, dreadful(ly)
мне жутко, I feel uneasy, I am
awestruck
жутко стало, dread fell upon . . .
жучёк, жучка, pl. жучки, жучков,
dim. of жук, beetle

З

за, prepos., (1) with the acc., behind, beyond, for, by; (2) with
the instr., behind, beyond, after,
for
забавлять, забавляю, -ешь, -ют;
забавлял, -а, -и, I., to amuse,
entertain
забавный, -ая, -ое, -ые; забавен,

забáвна, забáвно, забáвны, amusing

забегáть, P., to run, run back and forth

забирáть, I., to take

заболéть, P., to fall ill

забóта, worry, care

забóтиться, забóчусь, забóтишься, -ятся; забóтился, забóтилась, -ились, I., to take care of

забóтливость (f.), concern, solicitude, care

забóтливый, -ая, -ое, -ые; забóтлив, забóтлива, -о, -ы, solicitous, careful

забýдем, let's forget, imper. of забы́ть

забывáть, забывáю, -ешь, -ют; забывáл, -а, -и, I.; забы́ть, забýду, забýдешь, забýдут, P., to forget

заведéние, establishment, institution

учéбное заведéние, educational institution

завéдывать, завéдую, ешь, -ют; завéдывал, -а, -и, I., to direct, administer

завернýть, завернý, завернёшь, -ут; завернýл, -а, -и, P., to turn

завести́, заведý, -ёшь, -ýт; завёл, завелá, -ó, -й, P., to take to, establish

Завéт, Testament

Вéтхий Завéт, Old Testament

Нóвый Завéт, New Testament

завещáть, I., to bequeath

завивáть кýдри, to curl (one's) hair

зáвисть (f.), envy

завлекáть, -áю, -áешь, -áют; завлекáл, -á, -и, I.; завлéчь, завлекý, завлечёшь, завлекýт; завлёк, завлеклá, -и, P., to lure, entice

завóд, plant, factory

завóдский, -ая, -ое, -ие, заводскóй, belonging to the plant or factory

завоевáть, -воюю, -воюешь, -воюют, P., to conquer, subject

заволновáться, -волнýюсь, -волнýешься, -волнýются; -волновáлся, -áлись, -áлись, P., to become agitated

зáвтра, adv., to-morrow

зáвтракать, зáвтракаю, -аешь, -ает, -аем, -аете, -ают; зáв-

тракали, I., to breakfast

завывáть, завывáю, завывáешь, -áют; завывáл, -а, -и, I.; завы́ть, завóю, завóешь, -ют; завы́л, -а, -и, P., to howl

загвóздка, difficulty

заглáвие, title, head, heading

заглáвный, -ая, initial, title (page)

заглáдить, заглáжу, заглáдишь, заглáдят: заглáдил, -а, -и, P. of заглáживать, to smooth, efface, make good

заглáдывать, заглáдываю, -ешь, -ют; заглáдывал, -а, -и, I.; заглянýть, P., to look in, into

заглушáть, I., to muffle, drown (sound)

загнáть, загоню́, загóнишь, -ят; загнáл, -а, -и, P. of загоня́ть, to drive in (cattle, game)

заговори́ть, P., to begin to talk

заговóрщик, conspirator

заготóвка, store, putting up

за-грани́цей, see грани́ца

за-грани́цу, see грани́ца

заграни́чный, -ая, -ое, -ые, foreign

загремéть, загремлю́, -греми́шь, -гремя́т; загремéл, -а, -и, P., to rumble, thunder

загудéть, P. of гудéть, to hum, hoot, buzz

задавáть, I., задáть, P., to assign

задáча, problem, proposition

вот так задáча! what a problem (That's no problem at all!)

задáчник, arithmetic book

задéрживать, I., to delay

задýмчивее, compar. of задýмчивый, -ая, -ое, -ые; задýмчив, задýмчива, -о, -ы, thoughtful, pensive

задýмываться, I., to ponder, meditate

зажáрить, P. of жáрить, to fry

зажгли́, 3rd p. past of зажéчь, зажгý, зажжешь, зажжёт, зажгýт; зажёг, зажглá, зажгли́, P., to kindle, start a fire; to turn on light

зажигáть, I., to light, set fire, burn

зажигáться, I., to light, kindle

зажмýриться, P., to blink

зайдёт, see зайти́

зайти́, зайдý, зайдёшь, зайдёт; зашёл, зашлá, -и, P. of заходи́ть, to come in, to call on

Закавкáзье, Transcaucasus

зака́з, order
заказно́е (письмо), registered letter
зака́лывать, I., to slaughter
закле́енный, -ая, -ое, -ые, glued, pasted
заключе́ние, conclusion, imprisonment
заключи́ть, заключу́, -и́шь, -а́т, P., to conclude, imprison
закля́тие, закля́тье, exorcism, incantation, charm
заколдо́ванный круг, magic (enchanted) circle
зако́н, law
Свод Зако́нов, Code of Laws
зако́нчить, зако́нчу, -ишь, -ат, P., to complete, finish
зако́нчиться, P., to be finished
закрича́ть, закричу́, -кричи́шь, -крича́т; закрича́л, -а, -и, P., to cry out
закры́ть, закро́ю, закро́ешь, -кро́ют, P. of закрыва́ть, to close, shut
заку́тывать, I., to wrap up
зал, hall
зали́ть, залью́, зальёшь, залью́т; зали́л, -а, -и, P., to overflow, flood
зали́ться, P., to burst (out), break into (laughter, song)
зама́зка, putty
замахну́ться, P., to brandish
заме́длить, заме́длю, заме́длишь, -ме́длят; заме́длил, -а, -и, P., to slow down, delay
заменя́ть, I., to substitute
замере́ть, замру́, замрёшь, -у́т; за́мер, замерла́, за́мерли, P. of замира́ть, to stand stock still, to be numb
замерза́ть, I., to freeze
замёрзнуть, замёрзну, замёрзнешь, -ут; замёрз, замёрзла, замёрзло, замёрзли, P., to freeze (to death)
за́мерли, see замере́ть
заме́тить, заме́чу, заме́тишь, заме́тят; заме́тил, -а, -и, P. of замеча́ть, to notice
заме́тка, pl. заме́тки, заме́ток, note, sign
заме́тный, -ая, -ое, -ые, marked, noticeable
замеча́ние, remark
замеча́тельно, adv., remarkably
замеча́тельный, -ая, -ое, -ые;

замеча́телен, замеча́тельна; -ы, remarkable, striking
замеча́ть, I., to notice
замеча́ться, замеча́ется, замеча́ются; замеча́лся, замеча́лась, замеча́лоеь, замеча́лись, to be noticed, to be observed
замеша́ться, P., to be confused, to be mixed in
замира́ть, I., to be numb, faint, deadened
замо́лкнуть, замо́лкну, замо́лкнешь, -ут; замо́лк, замо́лкла, замо́лкли, P., to become silent
за́муж, вы́йти, выходи́ть за́муж, to get married
за́навес, curtain
занима́ть, I., to occupy, interest, entertain, borrow
занима́ться, I., to study, to be engaged
за́нят, -а, -о, -ы, busy, engaged, occupied
заня́тие, occupation, study, work
заня́ть, займу́, займёшь, -у́т; за́нял, заняла́, за́няли, P. of занима́ть, to occupy, entertain, borrow
заня́ться, займу́сь, займёшься, займу́тся; за́нялся, заняла́сь, заняли́сь, P., to be occupied
за́пад, west
за́падно-европе́йский, -ая, -ое, -ие, Western European
за́падный, -ая, -ое, -ые, western
запа́с, stock, store
запаса́ть, I., to store up
запасти́, запасу́, запасёшь, запасу́т; запа́с, запасла́, запасли́, P., to store, provide, preserve
запа́чканный, -ая, -ое, -ые, stained, soiled
запа́ян, -а, -о, -ы, soldered
запая́ть, P., to solder, attach
за́пер, заперла́, за́перли, past t. of запере́ть, P., to lock
запе́ть, запою́, -поёшь, -пою́т; запе́л, -пе́ла, -пе́ли, P. of запева́ть, to start, to sing
запая́тан, -а, -о, -ы, sealed
запеча́тать, P., to seal
записа́ть, запишу́, -пи́шешь, -пи́шут; записа́л, -а, -и, P., to write down
записа́ться, запишу́сь, запи́шешься, запи́шутся, P., to register, enroll

записка, note
записная книжка, notebook
заплакать, заплачу, -плачешь,
-плачут; заплакал, -а, -и, P.,
to start to cry, weep
запоёт, see запеть
запомнить, запомню, -помнишь,
-помнят; -помнил, -а, -и, P.,
to remember
запретить, запрещу, запретишь,
запретят; запретил, -а, -и, P.
of запрещать, I., to forbid, pro-
hibit
запросто, adv., informally
запылённый, -ая, -ое, -ые, dusty
запыхаться, P., to get out of breath
запятая, comma
зарабатывать, зарабатываю, -ешь,
-ют; зарабатывал, -а, -и, I.;
заработать, заработаю, зара-
ботаешь, -работают; заработал,
-а, -и, P., to earn
заработать, see зарабатывать
заражённый, -ая, -ое, -ые, in-
fected, tainted
зарасти, зарасту, зарастёшь, -ут;
зарос, заросла, -и, P., to be
overgrown
зареветь, P., to sob, bawl, set up a
howl
зарыть, зарою, -роешь, -роют;
зарыл, -зарыла, -рыли, P., to
bury
заря, dawn, sunset
заслуга, merit, service
заслужить, заслужу, заслужишь,
-служат; заслужил, -а, -и, P.
of заслуживать, to deserve,
merit, earn
заслушиваться, I., to listen with
delight
засмеяться, P., see смеяться
заснуть, засну, заснёшь, -ут;
заснул, -а, -и, P., to fall asleep
заставить, see заставлять
заставлять, заставляю, застав-
ляешь, -ют, I.; заставить,
заставлю, заставишь, заста-
вят; заставил, -а, -и, P., to
force, compel
заступиться, заступлюсь, засту-
пишься, заступятся, P., to
intercede, defend
засыпать, засыпаю, засыпаешь,
-ают, I.; засыпать, засыплю,
засыплешь, засыплют, P., to fill
up, cover, shower upon

затевать, I., to devise
затем, then, after, that, because
затмение, eclipse
    на меня нашло затмение, I
    was at a loss
затопать, P., to stamp (feet)
заточить, заточу, -ишь, -ат,
    заточил, -а, -и, P., to imprison
затрещать, затрещу, затрещишь,
    затрещат, P., to begin to crack
затруднить, затрудняю, -ешь,
    -ют, I., to impede, to cause
    trouble
заутреня, Matins
заучивать, I., to memorize
захватить, захвачу, захватишь,
    захватят; захватил, -а, -и, P.,
    to hold, take, seize, grasp
захотеть, P., see хотеть
захрапеть, P., to snore
захрипеть, захриплю, -хрипишь,
    -хрипят, P., to snort, to become
    hoarse
захохотать, see хохотать
зачем, adv., why, what for
    зачем бы это ? what is this for
зашью, зашьёшь, зашьют, за-
    шить, P., to sew
защита, defense
защитник, defender
защищать, I., to defend
звать, зову, зовёшь, зовёт, зовут;
    звал, -а, -и, I., to call
звезда, pl. звёзды, звезд, star
зверь (m.), beast, animal
звон, peal, ringing
звонить, звоню, звонишь, -ят,
    I., to ring
звонко, adv., sonorously
звонок, bell
звук, sound, ringing
звуковой, -ая, -ое, -ые, sounding,
    talking
звучный, -ая, -ое, -ые; звучен,
    звучна, звучно, звучны, sonorous
здание, building, edifice
здесь, adv., here
здоровый, -ая, -ое, -ые; здоров,
    здорова, здорово, здоровы,
    sound, healthy
    здорово! that's smart! well
    done !
    здорово придумал, a clever
    (brilliant), smart idea
здоровье, health
здравствуйте, good morning, good
    day, good evening

зе́бра, zebra
зелене́ть, I., to look green, become green
зелёный, -ая, -ое, -ые, green
зе́лень (f.), verdure, green
земледе́льческий, -ая, -ое, -ие, agricultural
земледе́лие, agriculture
землеко́п, ditch digger
земля́, pl. зе́мли, земе́ль, earth, soil, land, ground
земляни́ка, strawberry
земно́й, earthly, terrestrial
зе́ркало, mirror
зерно́, pl. зёрна, зёрен, grain, seed
зима́, winter
зи́мний, -яя, -ее, -ие, winter
зимо́й, зимо́ю, in winter
зло, gen. pl. зол, evil
зло́ба, wickedness, evil
зло́й, зла́я, -о́е, -ы́е; зол, зла, зло, злы, angry, malicious, vicious
знак, sign
знако́мый, -ая, -ое, -ые; знако́м, -а, -о, -ы, familiar, acquainted, acquaintance
знамени́тейший, -ая, -ее, -ие, superl. of знамени́тый
знамени́тость (f.), celebrity
знамени́тый, -ая, -ое, -ые; знамени́т, -а, -о, -ы, well known, famous
зна́мя, pl. знамёна, знамён, знамёнам, banner
зна́ние, knowledge
зна́тный, -ая, -ое, -ые; зна́тен, зна́тна, -о, -ы, illustrious, eminent
знать, зна́ю, -ешь, -ют; знал, -а, -и, I., to know
значе́ние, meaning, significance, importance
    придава́ть значе́ние, to attach importance
зна́чит, it means
зна́чить, зна́чу, -ишь, -ат, P., to mean, signify
зной, heat
зно́йный, -ая, -ое, -ые, hot
зовёт, see звать
золоти́стый, -ая, -ое, -ые, golden color
зо́лото, gold
золото́й, -а́я, -о́е, -ы́е, gold, golden, gilt
зо́нтик, umbrella

зре́лище, sight, spectacle
зре́лый, -ая, -ое, -ые; зрел, зре́ла, зре́ло, зре́лы, ripe, mature
зри́тель (m.), зри́тельница (f.), spectator

И

и, and, also, even
Ива́н, Ivan, John
Игна́т, Ignatius
и́го, yoke
игра́, game, play
игра́ть, игра́ю, -а́ешь, -а́ют; игра́л, -а́, -и, I., to play
    игра́ть на скри́пке, to play the violin
    игра́ть в ка́рты, to play cards
игру́шка, pl. игру́шки, игру́шек, toy, plaything
идёт, see итти́
идёшь, see итти́
иде́я, idea
иди́, иди́те, imper. of итти
идио́т, idiot
и́дол, idol
идти́, see итти́
иду́т, 3rd p. pl. идёт! right! done!
из, prepos. with the gen., of, out of from
изба́, hut
изба́виться, P., to get rid of
избавле́ние, liberation
избега́ть, I., to avoid
избра́ть, изберу́, изберёшь, изберу́т; избра́л, -а, -и, P., to select, choose
изве́стен, see изве́стный
изве́стие, news, information
изве́стность (f.), fame, renown, reputation
изве́стный, -ая, -ое, -ые; изве́стен, изве́стна, -о, -ы, known, well known
извини́те, sorry, excuse me, (I) beg your pardon, imper. of извини́ть, P., to excuse, forgive, pardon
издава́ть, издаю́, ёшь, -ю́т; издава́л, -а, -и, I.; изда́ть, изда́м, изда́шь, издаду́т, P., to publish, edit
издава́ться, I., to publish, print
и́здали, adv., from afar
изда́ние, edition, publication
изда́ть, see издава́ть
изде́лие, ware, handiwork
из-за́, prepos. with the gen., from behind, because of

изжа́рить, изжа́рю, изжа́ришь, изжа́рят; изжа́рил, -а, -и, Р., to fry

изложи́ть, изложу́, изло́жишь, изло́жат, Р. of излага́ть, to expound, state

изме́на, treason

измени́ть, изменю́, изме́нишь, -ят; измени́л, -а, -и, Р., to betray, change, modify

измени́ться, изменю́сь, изме́нишься, изме́нятся; изме́нился, измени́лась, -и́лись, Р., to change, vary

изму́читься, изму́чусь, -му́чишься, -атся; изму́чился, -му́чилась, -му́чились, Р., to be weary, to wear oneself out

измя́тый, crumpled

изобража́ть, I., to depict, represent, portray

изображён, изображена́, -о́, -ы́, depicted

изображе́ние, drawing, image, representation

изо́рванный, -ая, -ое, -ые, torn, tattered

и́зредка, adv., rarely, from time to time

изумля́ться, I., to be surprised, to be amazed

изуча́ть, изуча́ю, -а́ешь, -а́ют, I.; изучи́ть, изучу́, изу́чишь, -ат, Р., to learn, study, master

изуче́ние, study

изя́щество, daintiness, beauty

ико́на, icon, image

икра́, caviar

и́ли, or

и́ли . . . и́ли, either . . . or

Ильи́ч, son of Elias

Илья́, Elias

им, dat. of они́ or instr. of он

име́ние, domain, estate, property

и́менно, adv., namely, precisely

име́ть, име́ю, име́ешь, име́ет, име́ют; име́л, -а, -и, I., to have, possess

име́ться, I., to have, to be had

и́ми, instr. of они́

импера́тор, Emperor

импера́торский, -ая, -ое, -ие, imperial

императри́ца, Empress

иму́щество, property

и́мя, и́мени, pl. имена́, имён, имена́м, имена́х, name

ина́че, adv., otherwise

инжене́р, engineer

инжене́рный, -ая, -ое, -ые, engineering

инициати́ва, initiative

иногда́, adv., sometimes, rarely, at times

ино́й } -о́го, -о́му, -ы́м, -о́м; ина́я,
ино́е } -о́й, -о́й, -у́ю, -о́й; ины́е, -ы́х, -ы́м, -ы́ми, -ы́х, other, different

иностра́нец, иностра́нца, gen. s., иностра́нка (f.), foreigner

иностра́нный, -ая, -ое, -ые, foreign

инспе́ктор, superintendent

институ́т, institute, institution

инстру́ктор, instructor, adviser

инстру́кция, instruction

инсцениро́вка, dramatization

интере́сно, adv., interestingly

интере́сный, -ая, -ое, -ые; интере́сен, интере́сна, интере́сно, -ы, interesting

интересова́ться; интересу́юсь, интересу́ешься, -ются; интересова́лся, -а́лась, -а́лись, I., to be interested, to take interest in

Ио́сиф, Joseph

Ири́на, dim. Ири́нушка, Irene

ирони́чески, ironically

Иса́акиевский, Isaac's

иска́ние, searching, search

иска́ть, ищу́, и́щешь, -ут; иска́л, -а, -и, I., to seek, look for

исключён, исключена́, -о́, -ы́, expelled

исключе́ние, exception, expulsion

исключи́тельно, adv., exclusively

и́скоса, askance, sidelong

искри́ться, искрю́сь, искри́шься, искря́тся; искри́лся, искри́лась, -и́лись, I., to sparkle

иску́сно, adv., cleverly, dexterously

иску́сство, art

испа́чкаться, испа́чкаюсь, -аешься, -аются, Р., to get soiled

испечём, see испе́чь

испе́чь, испеку́, -печёшь, -печём, -пеку́т; испёк, испекла́, -пекли́, Р., to bake

испо́лниться, Р., to be realized

испра́вленный, -ая, -ое, -ые; испра́влен, -а, -о, -ы, corrected, repaired исправля́ться, исправля́юсь, -ешь ся, -ются, I., to correct, to be corrected

испуга́ться, испуга́юсь, -а́ешься, -а́ются, P., to be frightened

испыта́ние, trial, test

и́стинно, adv., really, truly

исто́рик, historian

истори́ческий, -ая, -ое, -ие, historical

исто́рия, history, incident, scandal
вот исто́рия, what a mess (there'll be trouble)

истрепа́ть, P., of трепа́ть, to wear out, tear

исчеза́ть, -а́ю, -а́ешь, -а́ют, I.; исчезну́ть, исче́зну, исче́знешь, -нут; исче́з, исче́зла, исче́зли, P., disappear, vanish

исчерти́ть, P. of черти́ть, to streak, line up, to doodle, to draft

ита́к, conj., therefore, so then

италья́нец, италья́нца, (m.) Italian

и т. д., и так да́лее, and so forth

и т. п., и тому́ подо́бное, and the like

итти́, иду́, идёшь, идёт, иду́т; шёл, шла, шли, I.; пойти́, пойду́, пойдёшь, пойду́т; пошёл, пошла́, пошли́, P., to go
идет, all right

их, gen. and acc. of они́

и́щут, see иска́ть

ию́ль (m.), July

ию́нь (m.), June

К

к (ко), prepos. with the dat., towards, to, to the house of

ка, a particle often used with the imperative for emphasis (do!)

кабине́т, study

Кавка́з, Caucasus

кавка́зский, -ая, -ое, -ие, Caucasian

ка́ждый, -ая, -ое, -ые, each, each one, every, every one

каза́к, Cossack

каза́лось, it seemed; see каза́ться

каза́нский, -ая, -ое, -ие, of Kazan

Каза́нь (f.), Kazan (city)

каза́рма, barracks

каза́ться, кажу́сь, ка́жешься, ка́жутся; каза́лся, каза́лась, каза́лось, каза́лись, I., to seem, appear

Казбе́к, Kazbek

казнён, -а́, -о, -ы́, executed

казни́ть, казню́, казни́шь, казни́т, казни́т; казни́л, -а, -и, I., to execute

казнь (f.), execution
сме́ртная казнь, death penalty

как, how, as, like, when, what, in what way
как бу́дто (-бы), as if
а как мне, and what about me, and how about me
как раз, just, exactly
как-то, somehow, the other day, once
как то́лько, as soon as

каково́, adv., how

како́й, -а́я, -о́е, -и́е, what, what a, what sort of, which

како́й-нибу́дь, some, any

како́й-то, certain, some sort

кале́ка (m. & f.), cripple

кале́чить, I., to cripple, maim

Ка́лка, river Kalka

кало́ша, galosh, rubber shoe

ка́менный, -ая, -ое, -ые, (of) stone, stony

ка́менный у́голь, coal

ка́мень, ка́мня, (m.) pl., ка́мни, камне́й, stone

кана́л, canal, channel

кани́кулы (pl. f.), vacation

Ка́нин нос, Kanin Peninsula (in the north)

ка́пать, I., to trickle, drip

ка́пля, pl. ка́пли, ка́пель, ка́плям; ка́пелька, dim., drop

капу́ста, cabbage

кара́кулька, pl. кара́кульки, кара́кулек; dim. of кара́куля, scrawl, scribble, bad writing

каранда́ш, pl. карандаши́, карандаше́й, pencil

карау́лить, I., to guard, watch

карау́льщик, watchman

каре́та, carriage

ка́рий, -яя, -ее, -ие, hazel, brown

карма́н, pocket

карма́нный, -ая, -ое, -ые, (of) pocket

карма́нная кни́жка, notebook

ка́рта, map, card

карти́на, picture

карти́нка, gen. pl. карти́нок, dim. of карти́на

карти́нная галлере́я, picture gallery, art gallery

карти́нно, adv., pictorially, picturesquely

карто́н, cardboard

карто́фель (m.), potatoes

карто́шка, potato

Каспи́йское мо́ре, Caspian Sea

ката́лся see ката́ться

ката́ть, I., to roll, bowl, drive

ката́ться, ката́юсь, -а́ешься,-а́ют-ся; ката́лся, ката́лась, -а́лись, I., to drive, ride, skate

кати́ть, качу́, ка́тишь, -ят; кати́л, -а, -о, -и, I., to roll, bowl

ка́торжная рабо́та, hard labor, penal servitude

каучу́к, india rubber, rubber

кафта́н, peasant coat

кача́ть, I., to swing, rock

кача́ться, I., to swing, sway

ка́ша, gruel, porridge, mush

каю́та, stateroom

ка́яться, I., to confess, repent, to be sorry

кварта́л, quarter, block (of a town)

кварте́т, quartet

кварти́ра, apartment, lodging

квас, beverage prepared from rye bread and malt

кенгуру́, kangaroo

кероси́н, petroleum

Ки́ев, Kiev

Ки́ево-Пече́рская Ла́вра, Kiev Monastery of the Caves

ки́евский, -ая, -ое, -ие, (of) Kiev

ки́но-теа́тр, cinematograph, motion picture theatre

ки́нуться, P., to rush (headlong)

ки́па, pile, heap

кипе́ть, киплю́, кипи́шь, кипи́т, кипя́т; кипе́ла, кипе́ло, -и, I., to seethe, boil

кипяти́ть, кипячу́, кипяти́шь, кипяти́т, -я́т,; кипяти́л -а, -и, I., to boil

кипя́щий, -ая, -ее, -ие, boiling, bubbling

Кири́лл, Cyril

Кита́й, China

кла́дбище, cemetery

кладёт, see класть

кла́няться, кла́няюсь, -ешься, -ются; кла́нялся, -нялась, -ня-лись, I., to bow, greet, salute

класс, class, form, classroom

кла́ссик, classic

кла́ссный, -ая, -ое, -ые, class

класть, кладу́, кладёшь, кладёт, кладу́т; клал, кла́ла, кла́ли, I., to lay, put, put in, put down

клеёнка, oilcloth

клеймо́, label, brand, stamp, mark

кли́нья, pl. of клин, wedge, (cuneiform writing), tablet

клуб, club

ключ, key

кни́га, book

книгопеча́тание, book-printing

кни́жка, dim. of кни́га

княги́ня, princess

вели́кая княги́ня, Grand duchess, duchess

князь, pl. князья́, князе́й, prince

ко, see к

ковёр, ковра́, rug, carpet

когда́, adv., when

когда́-то, once, once upon a time, at one time

кое́-где, somewhere, here and there, in places

ко́жа, skin, hide, leather

ко́жаный, -ая, -ое, -ые, leather

козёл, козла́, goat

козя́вка, insect

колбаса́, sausage

коленко́р, calico

коле́но, pl. коле́ни, knee

на коле́ни! on (your) knees!

ста́вить на коле́ни, to make one kneel

колесо́, pl. колёса, колёс, wheel

коле́чко, dim. of кольцо́

коли́чество, quantity, amount

ко́локол, pl. колокола́, bell

колоко́льня, pl. колоко́льни, коло-ко́лен, belfry

ко́лос, pl. коло́сья, коло́сьев, ear of grain

колосса́льный, -ая, -ое, -ые, colossal

колхо́з, коллекти́вное хозя́йство, collective farm, farming

колхо́зный, -ая, -ое, -ые, belonging to колхо́з

кольцо́, pl. ко́льца, коле́ц, ко́ль-цам, ring

колыбе́ль (f.), crib, cradle

Ко́ля, dim. of Никола́й

коля́да, dim. коля́дка, Christmas carol

кома́нда, team, crew, order

команди́р, commander (of the regiment)

комéдия, comedy
коммýна, commune
коммунистúческий, -ая, -ое, -ие,
    Communist, communistic
кóмната, room
композúтор, composer
комý, dat. of кто
конвéрт, envelope
конéц, концá, end, conclusion
    в концé концóв, at long last,
    in the long run
конéчно, adv., of course, indeed
кóнный, -ая, -ое, -ые, equestrian
конопля́, hemp
консéрвный, -ая, -ое, -ые, can-
    ning, canned
Константúн, Constantine
Константинóполь (m.), Constan-
    tinople
конститýция, constitution
контóра, office
конурá, kennel
конфéта, sweetmeat, candy
концéрт, concert
концéртный, -ая, -ое, -ые, (for)
    (of) concert
кончáться, кончáется, кончáются;
    кончáлся, кончáлась, -áлись, I.,
    to end, come to an end
кóнчен, -а, -о, -ы, ended, finished,
    completed
кóнчить, кóнчу, кóнчишь, кóнчит,
    кóнчат; кóнчил, -а, -и, P. of
    кончáть, to finish, end
конь (m.), horse, steed
копáть, I., to dig
копáться, I., to dawdle, linger
копéйка, pl. копéйки, копéек,
    copeck
копнá, pl. кóпны, кóпен, rick, heap
кóпоть (f.). soot, smoke-black
коптéть, копчý, коптúшь, коптúт,
    коптя́т; коптúл, -а, -и, I., to
    smoke, cure, emit smoke and soot;
    to work hard
корáбль (m.), vessel, ship
кóрень (m.), кóрня, root
корешóк, dim. of кóрень, root;
    also: back of the book
корм, food, fodder
кормúлица, nurse, benefactress
кормúть, кормлю́, кóрмишь, кóр-
    мит, кóрмят; кормúл, -а, -и, I.,
    to feed
кормлю́, see кормúть
кóрмят, see кормúть
корóва, cow

корóль (m.), king
корóна, crown
коронáция, коронoвáние, corona-
    tion
короновáться, коронýюсь, -ешься,
    ется, -ются; короновáлся, -á-
    лась, -áлись, I., to be crowned
корóткий, -ая, -ое, -ие; корóток,
    короткá, корóткó, коротки́, short
кóрпус, building
косá, scythe
Костромá, Kostroma (city)
Кóстя, dim. of Константúн
котёл, котлá, boiler, kettle
котóрый, -ая, -ое, -ые, which, who
кочéвник, nomad
кóчка, bump, hillock
кóшка, cat
край, pl. края́ (m.), end, rim, edge,
    border, country
крáйний, -яя, -ее, -ие, extreme
красáвица, beauty, belle
красúво, adv., beautifully, nicely
    handsomely
красúвый, -ая, -ое, -ые; красúв,
    красúва, -о, -ы, beautiful, hand-
    some
красúльщик, dyer
краснéть, I., to redden, blush
красноармéец,   красноармéйца,
    Red Army soldier (officer)
крáсный, -ая, -ое, -ые; крáсен,
    краснá, -о, -ы́, red, crimson
красотá, beauty
крáткий, -ая, -ое, -ие; крáток,
    краткá, -о, -и́, brief, short
кратчáйший, superl. of крáткий
крáшеный, -ая, -ое, -ые, died,
    colored
кремлёвский, -ая, -ое, -ие, (of)
    Kremlin
Кремль (m.), Kremlin, acropolis,
    citadel
крепúться, креплю́сь, крéпишься,
    -ятся, I., to restrain oneself, take
    courage
крéпкий, -ая, -ое, -ие; крéпок,
    крепкá, -о, -и́, hard, strong, firm
крéпко, adv., strongly
крéпли, see крéпнуть
крéпнуть, крéпну, -ешь, -ут;
    креп, крéпла, крéпли, I., to
    gather strength
крепостнóе прáво, bondage, serf-
    dom
крепостнóй, -áя, -óе, -ы́е, serf
    (bound to the soil), (of) fortress

крéпость (f.), fortress
крéпче, compar. of крéпкий
крест, cross
крéстик, dim. of крест
крестúсь, imper. of креститься
крестúть, крещу́, крéстишь, крé-
    стят; крестúл, -а, -и, I., to
    baptize
крестúться, крещу́сь, крéстишься,
    -ятся; крестúлся, -úлась,
    -úлись; imper.: крестúсь, крес-
    тúтесь, I., to be christened, to
    make the sign of the Cross
крестья́нин, pl. крестья́не, крес-
    тья́н, peasant
крестья́нство, peasantry
крещéние, christening, baptism,
    Epiphany
кривóй, crooked, wry, crippled
крик, cry, outcry, shout
крúкнуть, крúкну, крúкнешь, -ут,
    P., to cry out, shout, exclaim,
    shriek
крúтик, critic
критиковáть, критику́ю, крити-
    ку́ешь, -у́ют; критиковáл, -а,
    -и, I., to criticize
критúческий, -ая, -ое, -ие, critical
кричáть, кричу́, кричúшь, кричáт;
    кричáл, -а, -и, I., to shout,
    clamor, cry
кричúшь, see кричáть
кровáть (f.), bedstead
крокодúл, crocodile
крóме, prepos. with the gen.,
    besides, except, but
крóткий, -ая, -ое, -ие; крóток,
    кроткá, крóтко, -и, kind, gentle,
    meek
круг, circle
кру́глый, -ая, -ое, -ые, round
кругóм, adv. and prepos. (gen.),
    around, in a circle
кру́жево, lace
кружúться, I., to circle, whirl
кружкá, see кружóк
кружóк, кружкá, dim. of круг
крупнéйший, -ая, -ее, -ие, superl.
    of кру́пный
кру́пный, -ая, -ое, -ые, large,
    great
крутóй, -áя, -óе, -ы́е; крут, крутá
    кру́то, круты́, steep, abrupt
крыла́тый, winged
крыльцó, pl. кры́льца, крылéц,
    flight of steps (before the entrance
    door)

крылéчко, dim. of крыльцó
Крым, Crimea
Кры́мский, -ая, -ое, -ие, Crimean
крыт, -а, -о, -ы, covered
кры́ша, roof
кряхтéть, кряхчу́, кряхтúшь, -я́т,
    I., to groan
кстáти, by the way, to the point,
    opportunely
кто, когó, кому́, кем, ком, who
кто-нибу́дь, someone, anyone
кто-то, someone, somebody
ку́бик, wooden block
кудá, adv., where (to), whither
кудá-то, somewhere
кудáхтать, I., to cackle, cluck
ку́дри, кудрéй, curly hair; curls
ку́кла, pl. ку́клы, ку́кол, ку́клам,
    doll
кукуру́за, maize, Indian corn
    кукуру́зный, corn
кулáк, fist
Кулико́вская би́тва, the battle of
    Kulikovo (1380)
кулúч, tall cake
культу́ра, culture
купéц, купцá, merchant
купéческий, -ая, -ое, -ие, mer-
    chant's
купúть, куплю́, ку́пишь, ку́пит,
    ку́пят; купúл, -а, -и, P. of
    покупáть, to buy, purchase
куплю́, see купúть
ку́пол, cupola, dome
Курá, river Kura
ку́ра, ку́рица, pl. ку́ры, кур; or
    ку́рицы, ку́риц, chicken
курúть, курю́, ку́ришь, ку́рит,
    -ят; курúл, -а, -и, I., to smoke
курс, course, course of studies
куст, shrub, bush
ку́ртка, ку́ртки, ку́рток; ку́р-
    точка, dim., short coat, jacket
кусóк, кускá, piece, slice
кусóчек, кусóчка, dim. of кусóк
куст, shrub, bush
ку́таться, ку́таюсь, ку́таешься,
    ку́таются; ку́тался, -алась,
    -ались, I., to wrap up, muffle
ку́чер, nom. pl. кучерá, driver,
    cabman
кушáк, belt, sash
ку́шанье, food
ку́шать, ку́шаю, ку́шаешь, ку́-
    шает, ку́шают; ку́шал, -а, -и,
    I., to eat
кушéтка, couch

Л

ла́вка, gen. pl. ла́вок, shop, store, bench
ла́вра, monastery
лавро́вый, -ая, -ое, -ые, laurel
лад, way, tune
ла́дан, incense
ла́дно, well! very well! (familiar)
лазу́рь (f.), azure
ла́мпочка, gen. pl. ла́мпочек, dim. of лампа, lamp, bulb
ла́па, paw
ла́ска, caress, kindness
ла́сково, adv., caressingly
ла́сковый, -ая, -ое, -ые; ла́сков, ла́скова, -о, -ы, gentle, gracious, kind-hearted
ла́сточка, gen. pl. ла́сточек, swallow
лати́нский, -ая, -ое, -ие, Latin
ла́ять, I., to bark
Лев, Льва, Leo
ле́вый, -ая, -ое, -ые, left
лёг, see лечь
лёгкий, -ая, -ое, -ие; лёгок, легка́, легко́, легки́, light, easy
легко́, adv., easily
ле́гче, compar. of лёгкий and of легко́
лёд, льда, ice
Ледови́тый океа́н, the Arctic Ocean
ледяно́й, -а́я, -о́е, -ы́е, icy, of ice, ice
лежа́ть, лежу́, лежи́шь, -а́т; лежа́л, -а, -и, I., to lie
лезть, ле́зу, ле́зешь, -ут, I., to climb, butt in, intrude
лека́рство, medicine
ле́кция, lecture
лён, льна, flax
Ле́на, Lena river
Ленингра́д, Leningrad
лени́сь, лени́тесь, imper. of лени́ться
лени́ться, леню́сь, ле́нишься, -ятся; лени́лся, лени́лась, лени́лись; imper. лени́сь, лени́тесь, I., to be idle
лентя́й, loafer, sluggard
Лёня, dim. of Леони́д, Leonidas
лес, pl. леса́, forest, woods
ле́сенка, dim. of лестница, ladder, stairs
ле́сом, through the woods
лет, see ле́то

на скло́не лет, in one's old (advanced) age
лет две́сти, about 200 years
лета́ть, лета́ю, лета́ешь, -ют; лета́л, -а, -и, I., to fly
лете́ть, лечу́, лети́шь, летя́т; лете́л, -а, -и, I., to fly, take flight, run at full speed
ле́тний, -яя, -ее, -ие, summer
ле́то, pl. ле́та, and лета́, лет, summer
лета́, лет, pl. of год, year
ле́том, adv., in summer
летопи́сец, летопи́сца, chronicler
ле́топись (f.), chronicle, annals
летосчисле́ние, chronology
лечь, ля́гу, ля́жешь, ля́жет, ля́гут; лёг, легла́, легло́, -и́, P., to lie down
ли, particle used in questions
ли́вень (m.), ли́вня, heavy rain, downpour, shower
Ли́за, dim. of Елизаве́та, Elizabeth
лине́йка, gen. pl. лине́ек, ruler, rule
линова́ние, ruling (of paper)
ли́па, linden tree
ли́пло, see ли́пнуть
ли́пнуть, ли́пну, ли́пнешь, ли́пнет, -ут; лип, ли́пла, ли́пло, ли́пли, I., to stick, cling
ли́повый, -ая, -ое, -ые, linden
лиса́, fox
лист, pl. листы́, листо́в, sheet (of paper)
лист, pl. ли́стья, ли́стьев, ли́стьям, ли́стьями, ли́стьях, leaf, foliage
листо́к, dim. of лист
листо́чек, dim. листо́чка, sheet (of paper), leaf, leaflet
ли́стьями, see лист
Литва́, Lithuania
литерату́ра, literature
худо́жественная литерату́ра, belles lettres
литерату́рный, -ая, -ое, -ые, literary
лито́вец, лито́вца, Lithuanian
ли́ться, льюсь, льёшься, льётся, льются; лился, лила́сь, лило́сь, ли́лись, I., to pour
лихора́дка, fever
лице́й, lyceum
лицо́, nom. pl. ли́ца, face, person, personage
лиша́ть, I., to deprive
лишён, -ный, deprived

ли́шний, -яя, -ее, -ие, superfluous
лишь, merely, only
лоб, лба, pl. лбы, лбов, forehead
лови́ть, ловлю́, ло́вишь, -ят;
лови́л, -а, -и, I., to catch
ло́вко, adv., adroitly
ло́дка, gen. pl. ло́док, small boat,
canoe
ло́жа, box (theatre); lodge
ложи́ться, ложу́сь, ложи́шься,
ложи́тся, -а́тся; ложи́лся, ло-
жи́лась, -и́лись, I., to lie down
ложь (f.), gen. s. лжи, deceit, lie
ло́зунг, slogan, motto, catchword
лом, crowbar
лопа́та, shovel, spade
ло́пнуть, ло́пну, ло́пнешь, ло́пнет,
-ут; ло́пнул, -а, -и, P., to burst
лоша́дка, pl. лоша́дки, лоша́док,
dim. of ло́шадь
ло́шадь (f.), horse
луг, лу́га, nom. pl. луга́, meadow
лу́жа, puddle
лук, onion
луна́, moon, sickle
луч, beam, ray
лу́чше, compar. of хорошо́
лу́чший, compar. of хоро́ший
львы, pl. of лев, lion
льётся, see ли́ться
любе́зный, -ая, -ое, -ые; любе́зен,
любе́зна, -о, -ы, polite, dear,
dear fellow
люби́мец, люби́мца (m.), люби́-
мица (f.), favorite
люби́мый, -ая, -ое, -ые; люби́м,
люби́ма, -о, -ы, beloved, dear
люби́тель (m.), amateur
люби́ть, люблю́, лю́бишь, лю́бит,
-ят; люби́л, -а, -и, I., to love,
like
люблю́, see люби́ть
любова́ться, любу́юсь, -ешься,
-ется, -ются; любова́лся, -а́л-
ась, -а́лись, I., to admire
любо́вь, любви́ (f.), love
любозна́тельный, -ая, -ое, -ые;
любозна́телен, любозна́тельна,
-о, -ы, curious, eager to learn
любо́й, -а́я, -о́е, -ы́е, which (you)
please, any, whichever
любопы́тный, -ая, -ое, -ые; лю-
бопы́тен, любопы́тна, -о, -ы,
curious
любопы́тство, curiosity
лю́бящий, -ая, -ее, -ие, loving,
tender

лю́ди, люде́й, лю́дям, людьми́,
лю́дях, pl. of челове́к, people,
folk
Людми́ла, Ludmilla
людско́й, -а́я, -о́е, -и́е, people's,
human
людьми́, see лю́ди
лю́лька, gen. pl. лю́лек, crib, cradle

M

мавзоле́й, mausoleum
магази́н, store, shop
магомета́нин, pl. магомета́не,
магомета́н, Mohammedan
магомета́нство, Mohammedanism
май, May
Мака́рий, Macarius
Мака́рович, son of Macarius
Мака́рьевский, -ая, -ое, -ие, of
Macarius
Македо́ния, Macedon
Макси́м, Maxim
Макси́мович, son of Maxim
мал, see ма́лый
ма́ленький, -ая, -ое, -ие, dim. of
ма́лый
мали́на, raspberry
ма́ло, adv., few, little, not enough
малова́то, not quite enough
малогра́мотный, illiterate
ма́ло-по́-малу, little by little
малоле́тний, -яя, -ее, -ие, minor,
young
малоро́сс, Little Russian
Малоро́ссия, Little Russia
ма́лый, -ая, -ое, -ые; мал, мала́,
ма́ло, ма́лы, little, small
ма́льчик, boy
мальчи́шка, derogatory of ма́льчик
малю́тка, gen. pl. малю́ток, the
little one, child
ма́ма, mamma
ма́мин, poss. adj. of ма́ма, mamma's
ма́мочка, dim. of ма́ма
манифе́ст, manifesto
ма́рка, stamp
почто́вая ма́рка, postage stamp
Марс, Mars
март, March
марты́шка, gen. pl.: марты́шек,
monkey
марш!: go! march! (command)
марширо́вка, marching
маршру́т, route, itinerary
ма́сло, butter, oil

масляни́стый, -ая, -ое, -ые, oily
ма́сса, mass, masses
ма́стер, nom. pl. мастера́, craftsman, handicraft
мастери́ца, woman exercising a
handicraft
мастерска́я, workshop
математи́ческий, -ая, -ое, -ие,
mathematical
ма́тери, gen. dat., or loc. of мать
материа́л, material, stuff
матери́нский, -ая, -ое, -ие,
mother's, maternal
матёрия, cloth, stuff, textile fabric
ма́тушка, dim. of мать
матч, match
мать, ма́тери, ма́терью, pl. ма́тери,
матерёй, mother
ма́чеха, stepmother
маши́на, machine, engine
мгнове́ние, instance, moment
ме́бель (f.), furniture
мёд, honey
медве́дь (m.), bear
медици́на, medicine, medical pro-
fession
медици́нский, -ая, -ое, -ие, medical
ме́дленный, -ая, -ое, -ые, slow
медли́тельный, -ая, -ое, -ые,
медли́телен, медли́тельна, -о,
-ы, slow
ме́длить, ме́длю, ме́длишь, -ят;
ме́длил, -а, -и, I., to delay
ме́дный, -ая, -ое, -ые, copper
медь (f.), copper
меж, see ме́жду
ме́жду, prepos. with the gen. or the
instr., among, between
ме́жду тем, meanwhile
междуца́рствие, interregnum
ме́лкий, -ая, -ое, -ие; ме́лок,
мелка́, ме́лко, мелки́, shallow,
petty, fine, trivial
ме́лкий до́ждик, drizzling rain
мелькну́ть, мелькну́, мелькнёшь,
-ут; мелькну́л, to
flash, flit, gleam; мелька́ть, I.
ме́льница, mill
ме́ньше, compar. of ма́ло, less
меня́, gen. or acc. of я
меня́ть, I., to change, exchange,
shift
ме́ра, measure, gauge, standard
приня́ть ме́ры, to take
measures
мёртвый, -ая, -ое, -ые; мёртв,

мертва́, мёртво, -ы́, dead
Мёртвый Дом, the House of
the Dead
местоиме́ние, pronoun
ме́стность (f.), locality
ме́сто, place, position
ме́сяц, month, new moon
мета́лл, metal
металли́ческий, -ая, -ое, -ие,
metal, metallic
мета́ть икру́, to spawn
метёлка, broom
мете́ль (f.), snowstorm
метр, metre
складно́й метр, folding measuring
stick
Мефо́дий, Methodius
мех, nom. pl. меха́, fur
мечта́, dream, day-dream, fancy
мечта́тельный, -ая, -ое, -ые,
dreamy
мечта́ть, мечта́ю, -ешь, -ют;
мечта́л, -а, -и, I., to dream
меша́ть, I., to hinder, prevent
мешо́к, мешка́, мешо́чек, dim.,
bag, sack
ми́гом, instantly, right away
милиционе́р, militiaman
миллио́н, million
ми́лость (f.), favor, grace
ми́лостыня, alms
ми́лый, -ая, -ое, -ые; мил, мила́,
ми́ло, ми́лы, dear, pleasing, nice
ми́мо, adv. and prepos. (gen.), past,
by, missed
министе́рство, ministry
ми́нус, minus
мину́та, minute
мир, world, peace
ми́рно, adv., peacefully
мирово́й, -а́я, -о́е, -ы́е, (of) world,
worldly
митрополи́т, metropolitan
Ми́тя, dim. of Дими́трий or Дми́-
трий, Demetrius
Михаи́л, Michael
Миха́йлович, son of Michael
Ми́ша, dim. of Михаи́л
Ми́шка, a nickname (also for a bear)
мла́дший, -ая, -ее, -ие, compar.
of молодо́й
мне, see я
мне́ние, opinion
мно́гие, many
мно́го, adv., much, many
мно́гое, much

многолю́дный, -ая, -ое, -ые, popu-
lous, crowded
мно́жество, multitude, lots
мной, мно́ю, see я
мог, see мочь
моги́ла, grave
мо́гут, see мочь
могу́чий, -ая, -ее, -ие, powerful
мо́да, fashion, mode, vogue
моде́ль (f.), model
мо́дница, fashionable lady
моего́, gen. and acc. of мой
мо́жет-быть, perhaps
мо́жешь, see мочь
мо́жно, one can, one may, it is
possible
    как мо́жно бо́льше, as much
    as possible
мой, моя́, моё, моего́, мое́й; pl.
мои́, мои́х, мои́м, мои́ми, мои́х,
my, mine
мо́крый, -ая, -ое, -ые, wet
мол, from мо́лвить, I., he says, they
say
моле́ние, praying
моли́тва, prayer
моли́ться, молю́сь, мо́лишься,
мо́лятся; моли́лся, моли́лась,
-и́лись, I., to pray
мо́лния, lightning
молодёжь (f.), youth
молоде́ц, молодца́, clever, brave
fellow, smart person
молодо́й, -а́я, -о́е, -ы́е; мо́лод,
молода́, мо́лодо, молоды́, young,
fresh
молоко́, milk
молото́к, молотка́, hammer; моло-
то́чек dim. of молото́к
мо́лча, adv., silently
молчали́вый, -ая, -ое, -ые; мол-
чали́в, молчали́ва, -о, -ы, silent,
quiet
молча́ние, silence
молча́ть, молчу́, молчи́шь, -а́т;
молча́л, -а, -и, I., to be silent
моме́нт, moment
мона́рхия, monarchy
монасты́рь (m.), monastery
    Страстно́й монасты́рь, Holy
    monastery
мона́х, monk
монго́л, Mongol
монго́льский, -ая, -ое, -ие, Mongol, Mongolian
моне́та, coin
Мора́вия, Moravia

мора́льный, -ая, -ое, -ые, moral
мо́ре, sea
мо́рем, by sea
морко́вь (f.), carrot
моро́з, frost, cold
моро́зный, -ая, -ое, -ые, frosty
морско́й, -а́я, -о́е, -и́е, (of) sea,
naval, marine
морска́я сви́нка, guinea-pig
Москва́, Moscow
моско́вский, -ая, -ое, -и, -е (of)
Moscow, Moscovite
мост, bridge
мох, moss
мочáло, bast, (loofah-sponge)
мочь, могу́, мо́жешь, мо́гут; мог,
могла́, могло́, могли́, I., (смочь,
P.), to be able
мо́ют, see мыть
мра́морный, -ая, -ое, -ые, marble
мудре́йший- -ая, -ее, -ие, superl.
of му́дрый
мудрёный, difficult, complicated
му́дрый, -ая, -ое, -ые, wise
муж, pl. мужья́, муже́й, husband
мужи́к, peasant
мужчи́на (m.), man
музе́й, museum
му́зыка, music
музыка́льный, -ая, -ое, -ые,
musical
музыка́нт, musician
мука́, flour
мукомо́льный, -ая, -ое, -ые, belonging to a flour-mill
мураве́й, pl. (nom.) муравьи́, ant
му́чить, му́чу, -ишь, -ат; му́чил,
-а, -и, I., to torment
мча́лось, 3rd p.s. past of мча́ться
мчи́тся, 3rd p. of мча́ться, мчусь,
мчи́шься, -а́тся, I., to rush,
hurry along
мы, нас, нам, на́ми, нас, we
мы́сленно, adv., mentally
мы́слимый, -ая, -ое, -ые, think-
able, conceivable
мысль (f.), thought
мыть, I., see вы́мыть
мя́гкий, -ая, -ое, -ие; мя́гок,
мягка́, мя́гко, мягки́, mild,
meek, soft
мя́со, meat, flesh
мяч, ball

Н

на, prepos. with the loc. (without
motion), on, at, in, upon

на, with the acc. (with motion), to, on to, on, into, for

набира́ть, I., to gather, collect

набира́ть ци́фры, to dial a telephone number

наблюда́тельность (f.), keenness of observation

наблюда́ть, I., to watch, observe

наблюде́ние, observation

на́божный, ая, -ое, -ые, pious, devout

набо́р, type-setting, collection

набо́рщик, type-setter

набра́ть, наберу́, -берёшь, -беру́т; набра́л, -а, -и, P. of набира́ть, to gather, collect

набро́ситься, набро́шусь, -ишься, -ится, -ятся; набро́силея, -и-лась, -ились, P., to rush (upon)

наве́рно, наве́рное, adv., surely

наве́рх, adv. (with motion), at the top of, above

наверху́, adv. (without motion), at the top of, above

наве́с, canopy, shed

нага́йка, gen. pl. нага́ек, whip

нагну́ться, нагну́сь, нагнёшься, нагну́тся; нагну́лея, нагну́лась, -у́лись, P., to stoop down, bend

нагоня́ть, I., to overtake, bring on

награ́да, reward

награди́ть, награжу́, награди́шь, награди́т; награди́л, -а, -и, P. of награжда́ть, to reward

над (на́до), prepos. with the instr., over, above

надава́ть, P., to give

надава́ть по ше́е, to hit, to thrash, pummel

надева́ть, I., to put on

наде́жда, hope

наде́яться, наде́юсь, -ешься, -ются; наде́ялся, наде́ялась, -ялись, I., to hope, aspire

на́до, it is necessary

так на́до, so must one do

надое́сть, надое́м, надое́шь, надо-е́ст, надоеди́м, надоеди́те, надо-едя́т; надое́л, -а, -и, P., to bore, annoy, bother, weary, tire

на́дпись (f.), inscription

нажима́ть, I., to press, press down

наза́д, back, backward

лет . . . тому́ наза́д, some . . . years back

назва́ние, name, title

назва́ть, назову́, назовёшь, -зову́т

назва́л, -а, -и, P. of называ́ть, to call

назна́чен, -а, -о, -ы, appointed

назна́чить, назна́чу, -ишь, -ат; назна́чил, -а, -и, P., to appoint

называ́емый, designated

так называ́емый, so-called

называ́ть, see назва́ть

называ́ться, I., to be called

наизу́сть, adv., by heart, by rote

найти́, найду́, найдёшь, найдёт, найдём, найдёте, найду́т; нашёл нашла́, нашли́, P. of находи́ть, to find

наказа́ние, punishment

наказа́ть, накажу́, нака́жешь, нака́жет, нака́жут; наказа́л, -а, -и, P. of нака́зывать, I., to punish

накану́не, adv., the day before, on the eve

наки́нуться, P. to fall upon, throw, oneself

накле́ен, накле́ена, -о, -ы, pasted, glued on

накле́ить, накле́ю, -ишь, -ят, P., to paste on

наклони́ться, наклоню́сь, накло-нишься, -ится, -ятся; накло-ни́лся, -и́лась, -и́лись, P., to bend over, stoop

наконе́ц, adv., at least, finally

накорми́ть, P. of корми́ть

накры́ть, накро́ю -кро́ешь, -кро́-ют; -кры́л, -а, -и, P., to cover

нале́во, adv., to the left

налепи́ть, P. to paste

налете́ть, P. of лете́ть, to swoop down, to rush upon

нам, dat. of мы

на́ми, instr. of мы

нанима́ть, I., to hire

напада́ть, I., to attack

напеча́танный, -ая, -ое, -ые; напеча́тан, -а, -о, -ы, pub-lished, printed

напеча́тать, P., to print, publish

напи́сан, -а, -о, -ы, written

написа́ть, P. of писа́ть

напи́ток, напи́тка, drink, bever-age, liquor

Наполео́н, Napoleon

напо́лнен, -а, -о, -ы, filled

напо́лнить, P. of наполня́ть

напо́лниться, P., to be filled

наполня́ть, наполня́ю, наполня́-ешь, наполня́ют; наполни́л, -а,

-и, I.: напо́лнить, напо́лню,
напо́лнишь, -ят; напо́лнил, -а,
-и, P., to fill
напомина́ть, I., to remind
направле́ние, direction
направля́ть, I., to direct
направля́ться, направля́юсь, на-
правля́ешься, -я́ется, -я́ются;
направля́лся, направля́лась,
-я́лись, I., to wend one's way
напра́во, adv., to the right
напра́сно, adv., in vain, uselessly
наприме́р, adv., for instance
напряга́ть, I., to strain, make effort
напуга́ть, P., to frighten
наравне́, adv., on an equal footing
нарва́ть, нарву́, нарвёшь, -у́т;
нарва́л -а́, -и, P., to pick,
gather
нарисо́ван, -а, -о, -ы, drawn
нарисова́ть, see рисова́ть
наро́д, people
наро́дный, -ая, -ое, -ые, people's,
popular
наро́ем, see нары́ть
наро́чно, adv., on purpose, inten-
tionally
нару́жный, -ая, -ое, -ые, outward,
external
нары́ть, наро́ю, наро́ешь, наро́ет,
наро́ем, наро́ете, наро́ют; на-
ры́л, -а, -и, P., to dig, dig up,
dig out
наря́д, pl. наря́ды, dress, clothes,
finery, adornment
наря́дно, adv., smartly
наря́дный, -ая, -ое, -ые, smartly
dressed
нас, gen. or acc. or loc. of мы
насеко́мое, insect
населе́ние, population
насле́дник, heir, heir apparent
насле́дство, inheritance
на́смех, jeeringly, mocking(ly)
    на́смех ку́рам, (he) would make
    even a chicken laugh; ridi-
    culous
наста́вник, tutor, instructor
наста́ть, наста́ну, наста́нешь,
-ут; наста́л, -а, -о, -и, P., to
approach, come, arrive
на́стежь, adv., wide open
настоя́щий, -ая, -ее, -ие, present,
real
    по-настоя́щему, earnestly, in-
    deed, really
настро́ить, настро́ю, -ишь, -ят;

настро́ил, -а, -и, P., to tune
наступа́ть, I., to come (of time,
season), advance
наступи́ть, наступлю́, насту́пишь,
-ят; наступи́л, -а, -и, P., to
step, tread upon, enter
насу́щный, -ая, -ое, -ые, urgent,
necessary
    насу́щное пропита́ние, daily
    bread
на́сыпь (f.), mound
Ната́лья, Natalie
нау́ка, science, learning
научи́ть, P. of науча́ть, see учи́ть
научи́ться, P., to learn, to be
trained
нау́чный, -ая, -ое, -ые, scientific
находи́ть, нахожу́, нахо́дишь, -ят;
находи́л, -а, -и, I., to find
находи́ться, I., to find oneself, to be
начала́сь, see нача́ться
нача́ло, beginning
нача́льник, chief, commander, gov-
ernor
нача́льный, -ая, -ое, -ые, first,
elementary
нача́льство, authority
нача́ть, начну́, начнёшь, начну́т;
на́чал, начала́, -о, -и, P. of
начина́ть, to begin
начнём, imper.: let us begin
нача́ться, начнётся, начну́тся;
нача́лся, начала́сь, начало́сь,
нача́лись, P. of начина́ться,
начина́ется, начина́ются; начи-
на́лся, начина́лась, начина́лось,
начина́лись, to start, begin
начи́танный, -ая, -ое, -ые; на-
чи́тан, -а, -о, -ы, well-read
начнём, see нача́ть
наш, на́ша, на́ше, на́шего, на́шей,
на́шу; pl. на́ши, на́ших, на́шим
на́шими, на́ших, our, ours
    на́ше вам! Greetings! (to you)
    на́ше вам почте́ние, (Our)
    respects to you! Yours truly!
на́шей, gen., dat., loc. of на́ша
нашёл, see найти́
на́шему, dat. of наш
наше́ствие, invasion
нашли́, 3rd p. s. past of найти́
не, not
небе́сный, heavenly
не́бо, pl. небеса́, небе́с, sky, heaven
небольшо́й, -а́я, -о́е, -и́е, little,
small

небре́жно, adv., negligently, carelessly

Нева́, river Neva

нева́жно, adv., bad, badly; it does not matter; of no importance

неве́жа (m. and f.), rude person, boor, churl

неви́димый, -ая, -ое, -ые, unseen, invisible

невозмо́жно, impossible, it is impossible

нево́льно, adv., involuntarily

Не́вский проспе́кт, Nevsky prospect, formerly the main street in St. Petersburg

него́, see его́

неда́вно, adv., recently

недалёкий, -ая, -ое, -ие, dull, near, not far, short-witted

недалеко́, adv., not far

неде́ля, week

недобросо́вестный, -ая, -ое, -ые, unscrupulous

недово́льный, -ая, -ое, -ые; недово́лен, недово́льна, недово́льно, -ы, displeased, discontented

недо́лго, adv., not a long time

недоразуме́ние, misunderstanding

недоста́ток, недоста́тка, defect, fault, failing

неё, see её

Не́жин, Nezhin (city)

не́жный, -ая, -ое, -ые; не́жен, нежна́, не́жно, -ы, gentle, tender

незаме́тно, adv., imperceptibly

незапа́мятный, -ая, -ое, -ые, immemorial

нездоро́вый, -ая, -ое, -ые, ill, sickly, unhealthy

незнако́мец, незнако́мца, stranger

ней, ей, dat. and loc. of она́

не́когда, there is no time, once, once upon a time

   мне не́когда, I have no time

не́кому, there is no one who, to whom

не́который, -ая, -ое, -ые, certain, some

некраси́вый, -ая, -ое, -ые, homely, ungainly, ugly

нельзя́, it is impossible, it is forbidden

нём, loc. of он and оно́

не́мец, не́мца, German

неме́цкий, -ая, -ое, -ие, German

немно́го, adv., a little

немно́гое, -о́гого, n., not much;

pl. немно́гие, not many, few

немно́жко, adv., dim. of немно́го

немощёный, -ая, -ое, -ые, unpaved

не́нависть (f.), hatred

необходи́мый, -ая, -ое, -ые, necessary

необыкнове́нно, adv., extraordinarily, unusually

необы́чный, -ая, -ое, -ые, unusual, uncommon

неограни́ченный, -ая, -ое, -ые, absolute, limitless, boundless

неожи́данно, adv., suddenly, unexpectedly

неожи́данный, -ая, -ое, -ые, unexpected, sudden

неохо́тно, adv., unwillingly

неподгото́вленный, -ая, -ое, -ые, unprepared

непра́вда, deceit, lie, untruth

непра́вильно, adv., incorrectly, wrong(ly)

непреме́нно, adv., by all means, certainly, without fail

непреры́вно, adv., incessantly, uninterruptedly

непреры́вный, -ая, -ое, -ые, incessant, uninterrupted

неприя́тель (m.), неприя́тельница (f.), foe, enemy

непротивле́ние, nonresistance

непроходи́мый, -ая, -ое, -ые, impassable

нереши́тельность (f.), indecision, reluctance

нерукотво́рный, -ая, -ое, -ые, not made with human hands

неря́ха, an untidy person

не́сколько, several, somewhat

несме́тный, -ая, -ое, -ые, innumerable

несмотря́ на, (with acc.), in spite of

несмотря́ на то, что, in spite of the fact that

несно́сный, -ая, -ое, -ые, unbearable, insufferable

несправедли́вость (f.), injustice

нести́, несу́, несёшь, -у́т; нёс, несла́, -о́, -и́, I., to carry, bear

Не́стор, Nestor

несча́стный, -ая, -ое, -ые; несча́стен, несча́стна, несча́стно, несча́стны, unhappy, unfortunate

несча́стье, misfortune, bad luck

нет, no, there is not

нетерпе́ние, impatience

нетру́дно, adv., not difficult, not hard

неугомо́нный, -ая, -ое, -ые, tireless, indefatigable

неуда́ча, failure

неуда́чник, failure, unlucky person

неуда́чный, -ая, -ое, -ые, unsuccessful, unlucky

неудо́бный, -ая, -ое, -ые, inconvenient, cumbersome

неуже́ли, is it possible, can it be

не́уч, ignoramus, dunce

нефть (f.), naphtha, oil

нехорошо́, adv., it is bad, badly, ill

нечаянно, adv., unexpectedly, unintentionally

не́чем, nothing

ни . . . ни, neither . . . nor ни бе, ни ме не поймёт, confusing, one cannot make head or tail

нибу́дь, see како́й

ни́ва, field

нигде́, adv., nowhere (without motion)

ни́жний, -яя, -ее, -ие, lower, ground floor

Ни́жний-Но́вгород, Nizhny-Novgorod (city)

низ, bottom, lowest part

ника́к, by no means, in no wise

никако́й, -а́я, -о́е, -и́е, no, none

Ники́та, Nicetas

никогда́, adv., never

никого́, see никто́

Никола́евич, son of Nicholas

Никола́й, Nicholas

никому́, dat. of никто́

никто́, никого́, никому́, нике́м, ни о ком, no one, nobody

никуда́, nowhere, anywhere

ним (им), dat. of они́

ниспосла́ть, ниспошлю́, -пошлёшь, -пошлю́т; ниспосла́л, -а, -и, P. of ниспосыла́ть, to send down (from heaven)

нить (f.), thread, filament

них (их), gen. and loc. of они́

ничего́, it does not matter; nothing; never mind; that's all right
    ничего́ не выхо́дит, nothing comes of it; no results
    ничего́ себе́, so-so, tolerably (well)

ничко́м, face downwards, prone, prostrate

ничто́, ничего́, ничему́, ниче́м, ни о чём, pron. nothing

ни́щий, -ая, -ее, -ие, beggar

но, but, yet

нововведе́ние, innovation

новгоро́дский, -ая, -ое, -ие, (of) Novgorod

но́вость (f.), news

но́вый, -ая, -ое, -ые; нов, нова́, но́во, новы́, new

новь (f.), virgin soil

нога́, foot, leg

но́жка, gen. pl. но́жек, dim. of нога́

ноль (m.), zero

но́мер, number; hotel room
    но́мер за́нят, the line is busy

нос, nose

носи́ть, ношу́, но́сишь, но́сят; носи́л, -а, -и, I., to wear, carry

носоро́г, rhinoceros

но́та, note, declaration

ночь (f.), night
    по ноча́м, at night, by night

но́чью, during the night

ноя́брь (m.), November

нрав, temper, disposition

нра́виться, нра́влюсь, нра́вишься, -ятся; нра́вился, нра́вилась, -ились, I., to please, like
    мне нра́вится, I like

ну, well ! now then !

нужда́, want, need

нужда́ющийся, нужда́ющаяся, нужда́ющееся, нужда́ющиеся, needy, indigent

ну́жное, necessary

ну́жный, -ая, -ое, -ые; ну́жен, нужна́, ну́жно, -ы́, necessary, wanted
    что тебе́ ну́жно ? что вам ну́жно ? what do you want ?

ну́-ка, well now !

ня́ня, nurse

О

о, об (о́бо), prepos. with the acc. (with motion), against, on; with the loc. (without motion), about, concerning, of

о ! oh !

о́ба (m. and n.), обо́их, обо́им; о́бе (f.), обе́их, обе́им, both

обвиня́ть, I., to accuse

обду́мывать, I., to think over

обе́д, dinner
    в обе́д, at noon, at dinner

обе́дать, I., to dine

объедине́ние, union, unification

об'еднийтесь, imper. of об'еди-
ня́ться, I., to unite
обе́дня, liturgy
обёртка, gen. pl. обёрток, wrapping
обеспе́чнть, P., to secure, provide
обе́т, vow
об'е́хать, объе́хать, P., to ride
around, all over
обеща́ть, I., to promise
обзо́р, survey
оби́да, offence
обижа́ть, I., to offend
оби́жен, -а, -о, -ы; оби́женный,
-ая, -ое, -ые, hurt, offended
облада́ть, I., to possess
о́бласть (f.), province
облегчи́ть, облегчу́, облегчи́шь,
-а́т; облегчи́л, -а, -и, P., to
ease, facilitate
облете́ть, P., to fly (all over)
обли́т, -а, -о, -ы, watered, drenched
обли́т слеза́ми, steeped in tears
обма́зать, P., to smear
обмакну́ть, P. of обма́кивать, to
dip, wet
обману́ть, P. of обма́нывать, to
deceive
обни́ть, обниму́, обни́мешь, -ут;
о́бнял, -а, -и, P. of обнима́ть,
to embrace
ободря́ть, I., to encourage
ободря́ющий, -ая, -ее, -ие, en-
couraging
обойдёмся, we'll manage; we'll do
(without)
обойти́сь, P., обходи́ться, I., to
manage; to treat
обора́чиваться, обора́чиваюсь,
-ешься, -ются, I., to turn
обо́рка, flounce, fold
обраба́тывать, обраба́тываю,
-аешь, -ают; обраба́тывал, -а,
-и, I., to manufacture, produce
обра́доваться, обра́дуюсь, -ешься,
-ются; обра́довался, -алась,
-ались, P., to rejoice
о́браз, о́браза, pl. о́бразы, о́бразов,
form, figure, portrait, manner;
pl. образа́, образо́в, icon, sacred
image
образе́ц, образца́, sample, example,
specimen
образова́ние, education
образо́ванный, -ая, -ое, -ые;
образо́ван, -а, -о, -ы, educated
ма́ло образо́ванный, little
educated

обрати́ть, обращу́, обрати́шь, об-
ратя́т; обрати́л, -а, -и, P. of
обраща́ть, to turn
обрати́ть or обраща́ть
внима́ние, to give, pay attention
бы́ло обращено́ внима́ние
attention was given
обрати́ться, P. of обраща́ться, to
turn, look to, address
обра́тно, adv., back
обраща́ть, see обрати́ть
обре́жет, 3rd p. s. of обре́зать, P.,
to cut (off)
обря́д, ritual
обстано́вка, setting, background,
furniture
о́бувь (f.), foot-wear
о́бувная фа́брика, shoe factory
обходи́тельность (f.), affability,
sociability
обши́рный, -ая, -ое, -ые, vast
обще́ние, contact, dealing
обще́ственный, -ая, -ое, -ые,
public
о́бщество, society
о́бщий, -ая, -ее, -ие, common,
general
в о́бщем, in general
обы́денный, customary
обыкнове́нно, adv., usually
обы́чай, custom
обы́чно, adv., usually
об'яви́ть, об'явлю́, об'я́вишь, -ят;
об'яви́л, -а, -и, P., to announce
об'явле́ние, announcement, advertisement
обя́зан, -а, -о, -ы, indebted,
obligated
обяза́тельно, adv., without fail,
surely, of course
об'ясне́ние, explanation
об'ясни́ть, об'ясню́, об'ясни́шь,
-я́т; об'ясни́л, -а, -и, P., to
explain
об'я́тие, embrace
ове́с, овса́, oats
овра́г, guilty, ravine
овца́, pl. о́вцы, ове́ц, о́вцам, sheep
огля́дывать, I., to look around
огляну́ться, огляну́сь, -ешься,
-утся; огляну́лся, -лась, -лись,
P., to look around
ого́нь (m.) огня́, огню́, pl. огни́,
огне́й, огня́м, fire, light, ardor
заже́чь ого́нь, развести́ ого́нь,
to light, start the fire

огоро́д, kitchen garden
ограни́чиваться, I., to limit oneself
огро́мный, -ая, -ое, -ые, enormous, huge, vast
огуре́ц, огурца́, cucumber
одарённый, -ая, -ое, -ые : одарён, -а́, -о́, -ы́, gifted, endowed, talented
одева́ть, одева́ю, -ешь, -ют; одева́л, -а, -и, I., to put on, dress
    оде́ть, P., to clothe, dress
оде́жда, clothes, dress
Оде́сса, Odessa
оде́тый, -ая, -ое, -ые; оде́т, -а, -о, -ы, dressed
оде́ться, оде́нусь, оде́нешься, оде́нутся; оде́лся, -лась, -лись, P. of одева́ться, to dress oneself
одея́ние, dress, attire
оди́н, одного́, одному́, одни́м, одно́м, one, alone, sole, single
одина́ковый, -ая, -ое, -ые, similar, equal
оди́ннадцать, eleven
одино́чка, single person
    в одино́чку, alone, by oneself
одна́, одно́й, одну́, одно́й, one, alone, sole, single
одна́жды, adv., once
одна́ко, adv., however
одни́, pl. of оди́н, одна́, одно́, some
одно́, одного́, одному́, одни́м, одно́м, one
    одно́ и то́ же, the same thing
одновреме́нно, adv., simultaneously
одному́, dat. of оди́н or одно́
однообра́зный, -ая, -ое, -ые, uniform, monotonous
одобрён, -а́, -о́, -ы́, approved
одолева́ть, I., to overcome
оживлённый, -ая, -ое, -ые, lively
ожида́ть, I., to expect
озабо́ченный, preoccupied, worried
о́зеро, pl. озёра, озёр, lake
о́зимь (f.), winter grain
ока́зывать, I., to render, show
ока́зываться, I., to render, show
    ока́зывается, it appears
океа́н, ocean
окла́дистый, -ая, -ое, -ые, bushy (of beard)
окно́, gen. pl. о́кон, window
о́коло, adv. and prepos. (gen), near, about
оконча́ние, completion, conclusion, end, finish

оконча́тельно, adv., finally
око́нчиться, око́нчится, око́нчатся; око́нчился, око́нчилась, -лись, P., to end, terminate
окра́ина, suburb
окре́стность (f.), neighbourhood
окружа́ющий, -ая, -ее, -ие, surrounding
окружён, -а́, -о́, -ы́, surrounded
окружи́ть, окружу́, окру́жишь, окружа́т; окружи́л, -а, -и, P. of окружа́ть, to surround
октя́брь (m.), October
октя́брьский, -ая, -ое, -ие, October
оку́тывать, to wrap
оли́ва, olive
О́льга, Olga
О́ля, dim. of О́льга
он, его́, ему́, им, нём, he, it
оно́, его́, ему́, им, нём, it
она́, её, ей, её, ею, ней, she, it
они́, их, им, и́ми, них, they
опа́сность (f.), danger
о́пера, opera
операти́вный, operative, active, constructive
описа́ние, description
описа́тельный, -ая, -ое, -ые, descriptive
описа́ть, опишу́, -ешь, -ут, описа́л, -а, -и, P. of опи́сывать, to describe
опозда́ние, delay; being late
опоя́сать, P., to girt
опуска́ть, see опусти́ть
опусте́ть, P. of пусте́ть
опусти́ть, опущу́, опу́стишь, -ят; опусти́л, -а, -и, P. of опуска́ть, to lower, let down, droop
опустоши́ть, P., to devastate
о́пытность (f.), experience
о́пытный, -ая, -ое, -ые; о́пытен, о́пытна, о́пытно, -ы, experienced
опя́ть, adv., again
оранжере́я, nursery
организо́ванно, adv., organized
организова́ться, организу́юсь, организу́ешься, организу́ется, -ются; организова́лся, -алась, -ались, P., to organize, to be organized
орда́, horde
орёл, орла́, eagle
Оренбу́рг, Orenbourg, Orenburg
оре́х, pl. оре́хи, nut
    оре́ховый, adj., nutty, nut

оригина́льный, -ая, -ое, -ые; оригина́лен, оригина́льна, -о, -ы, original

Оруже́йная пала́та, Arsenal

ору́жие, weapon, arms

осади́ть, осажу́, оса́дишь, оса́дят; осади́л, -а, -и, P. of осажда́ть, to besiege

освежа́ть, I., to freshen

освещён, -а́, -о́, -ы́, lighted

освободи́тель (m.), liberator

освободи́ться, освобожу́сь, освободи́шься, -я́тся; освободи́лся, -и́лась, -и́лись, P. of освобожда́ться, to free oneself

освобожда́ть, I., to liberate

освобожде́ние, liberation, emancipation

осёл, осла́, donkey

осе́нний, -яя, -ее, -ие, autumn, autumnal

о́сень (f.), autumn

о́сенью, in autumn

оси́на, aspen

оско́лок, оско́лка, splinter

осме́ивать, I., to ridicule

осмотре́ть, P., to examine, observe

основа́ние, founding, establishment, base, basis

осно́ванный, -ая, -ое, -ые; осно́ван, -а, -о, -ы, founded, established

основа́ть, осную́, оснуёшь, осную́т; основа́л, -а, -и, P., to found, establish

осо́ба, individual, person

осо́бенно, adv., particularly

осо́бенность (f.), peculiarity

осо́бенный, -ая, -ое, -ые, particular

осо́бый, -ая, -ое, -ые, special, particular

остава́ться, остаю́сь, остаёшься, остаётся; остава́лся, I., to remain

остаётся, there remains

оста́вить, оста́влю, оста́вишь, оста́вят; оста́вил, -а, -и, P., to leave, abandon, leave alone

оставля́ть, I., to leave, abandon, forsake

остально́й, -а́я, -о́е, -ы́е, remaining, the rest

остана́вливаться, I., останови́ться, останолю́сь, остано́вишься, -ятся; останови́лся, -и́лась, -и́лись, P., to stop, stay

остановить, P., to stop, halt

оста́нусь, 1st p. (future) of оста́ться

оста́ться, оста́нусь, оста́нешься, оста́нется, оста́нутся; оста́лся, оста́лась, -лось -лись, P., to remain, to be left

остоло́п, blockhead

осторо́жно, adv., cautiously

о́стров, pl. острова́, island

островоконе́чный, -ая, -ое, -ые, pointed

остроу́мие, wit, sharp wit

осыпа́ть, I., to shower with favors, benefits

от, prepos. with the gen., from, from the part of

ота́пливать, I., to heat

отвезти́, отвезу́, -ёшь, -у́т; -вёз, -везла́, -везли́, P. of отвози́ть, отвожу́, отво́зишь, -во́зят; отвози́л, -а, -и, to carry, take away, drive away

отве́т, answer, reply

отве́тить, отве́чу, отве́тишь, -ят; отве́тил, -а, -и, P. of отвеча́ть, to answer, reply

отви́нчивай, imper. of

отви́нчивать, I., отвинти́ть, отвинчу́, отви́нтишь, -ят; отвинти́л, -а, -и, P., to unscrew

отвори́ть, отворю́, отво́ришь, -ят; отвори́л, -а, -и, P., to open

отдава́й, imper. of отдава́ть, I., to give, give away, give back

отда́й, imper. of отда́ть

о́тдал, see отда́ть

отда́ть, отда́м, отда́шь, отда́ст, отдади́м, -дади́те, -даду́т; -дал, -дала́, -и, P. to give back, give up

отда́ть в ма́льчики, отда́ть в ученики́, в уче́нье, to apprentice

отделе́ние, department, compartment, branch

отде́льно, adv., separately

отде́льный, -ая, -ое, -ые, separate

отделя́ть, I., to separate, divide

отдохну́ть, отдохну́, -ёшь, -у́т, P., to rest

о́тдых, rest, recreation

отдыха́ть, I., to rest

от'е́зд, departure, absence

оте́ц, отца́, father

оте́чество, fatherland

отказа́ться, откажу́сь, отка́жешься, отка́жется, -утся; отказался, -а́лась, -а́лись, P. of отка́зываться, to refuse, decline

откла́дывать, I., to put aside, put off, postpone

откры́тка, postcard

откры́тый, -ая, -ое, -ые, open, frank

откры́ть, откро́ю, откро́ешь, -ют; откры́л, -а, -и, P., to open up, discover

откры́ться, P., to open up

отку́да, adv., where from

отлича́ться, I., to distinguish oneself

отличи́тельный, -ая, -ое, -ые, distinct, characteristic

отли́чно, adv., splendid(ly), perfectly

на отли́чно, excellent (school grade)

отмени́ть, отменю́, -ишь, -ят; отмени́л, -а, -и, P., to revoke

отмеча́ться, отмеча́ется, отмеча́ются; отмеча́лся, отмеча́лась, -а́лись, I., to be marked

отнесём, 1st p. s. (future) of отнести́, P., to carry, take

относи́ться, отношу́сь, отно́сишься, -ятся; относи́лся, -лась, -лись, I., to regard, treat

отня́ть, отниму́, отни́мешь, -ут; о́тнял, -а, -и, P., to take away, deprive

отодвига́ть, I., to move away, push away

отойдёт, 3rd p. s. (future) of отойти́, P., to move away, start

ото́слан, -а, -о, -ы, sent

отосла́ть, отошлю́, -шлёшь, шлют; отосла́л, -а, -и, P., to send away, send off

отпра́вить, отпра́влю, отпра́вишь, отпра́вят; отпра́вил, -а, -и, P. of отправля́ть, to send off, dispatch

отпра́виться, P., to depart, set off

отправля́ть, see отпра́вить

отправля́ться, I., to set off

отправля́йтесь, imper., depart

отпусти́ть, отпущу́, отпу́стишь, -ят; отпусти́л, -а, -и, P., to let go, dismiss

отравля́ть, отравля́ю, отравля́ешь -ют, I.; отрави́ть, отравлю́, отра́вишь, -ят, P., to poison

отрази́ться, отражу́сь, отрази́шь-ся, отрази́тся, -я́тся; отрази́лся, -лась, -лись, P., to reflect

отре́зать, отре́жу, отре́жешь, -ут, P., to cut, cut off

отрече́ние, abdication

отре́чься, отреку́сь, отречёшься, отреку́тся; отрёкся, отрекла́сь, отрекли́сь, P., to abdicate, renounce

отро́г, ridge, branch

о́троду, adv., from birth

о́трочество, youth, adolescence, boyhood

отры́вок, отры́вка, fragment, piece, excerpt

отря́д, detachment

отста́вка, retirement

отступа́ть, I., to retreat

отсы́лка, sending off

отсюда, adv., from here

отту́да, adv., from there

отцы́, nom. pl. of оте́ц

отча́яние, despair

отча́янный, -ая, -ое, -ые, desperate

отчего́, why, therefore

офице́р, officer

офице́ром, as an officer

оформля́ть, I., to formulate; do officially

охо́тник, hunter, sportsman

охо́тно, adv., willingly, readily

охра́на, custody, safe-keeping, charge

охраня́ть, I., to guard, watch

оцени́ть, see цени́ть

очарова́тельный, -ая, -ое, -ые; очарова́телен, очарова́тельна, -о, -ы, charming, enchanting

очеви́дец, очеви́дца, eye-witness

о́чень, adv., very, very much

о́чередь (f.), turn

очки́, pl., glasses

очну́ться, очну́сь, очнёшься, -у́тся; очну́лся, очну́лась, -лись, P., to come back to one's senses

очути́ться, очути́шься, очути́тся, -ятся; очути́лся; очути́лась, -и́лись, P., to appear, find oneself

ошиба́ться, ошиба́юсь, -а́ешься, -а́ется, -а́ются,; ошиба́лся, -а́лась, -а́лись, I., to make a mistake

оши́бка, gen. pl. оши́бок, mistake, error

оштрафова́ть, P., to fine

П

Па́вел, Па́вла, Paul

Па́влович, son of Paul

па́дать, па́даю, па́даешь, -ют; па́дал, -а, -и, I.; пасть, паду́, падёшь, -у́т; пал, -а, -о, -и, P., to drop, fall down, fall dead

паке́т, parcel, packet

пала́та, stone-building, large room, hall, reception hall

пала́тка, gen. pl. пала́ток, tent

па́лец, па́льца, finger, toe

пали́ть, I., to fire (a shot), burn, scorch

па́лка, gen. pl. па́лок, stick, cane, staff

па́льма, palm, tree

пальто́ (indecl.), overcoat

па́льчик, dim. of па́лец

памфле́т, pamphlet

па́мятник, monument

па́мять (f.), memory

    в па́мять, in memory, in memoriam

пансио́н, boarding school, boarding house

па́па, dad, father

    бе́гать по па́пам и ма́мам, to run about complaining to parents

папи́рус, papyrus

пар, steam

парази́т, parasite

Пари́ж, Paris

парк, park

парово́з, locomotive, engine

парохо́д, steamboat

па́рта, school desk

па́ртия, party

па́спорт, passport

пассажи́р, passenger

пасту́х, shepherd

пасть, see па́дать

Па́сха, Easter

па́сха, Easter cheese-cake

патриа́рх, patriarch

паха́ть, пашу́, па́шешь, -ет, -ут; паха́л, -а, -и, I., to plough, till

па́шет, see паха́ть

пел, -а, -о, -и, past t. of петь

Пе́нза, Penza (city)

пе́нзенский, -ая, -ое, -ие, (of) Penza

пе́ние, singing

пе́ниться, I., to foam

первонача́льно, adv., at first, at the beginning

пе́рвый, -ая, -ое, -ые, first

    во-пе́рвых, firstly, in the first place

переведён, -а́, -о́, -ы́, translated

перевести́, переведу́, переведёшь, -у́т; перевёл, -а, -и, P., to translate

перево́д, translation, transfer

переводи́ть, перевожу́, перево́дишь, перево́дит, -ят; переводи́л, -а, -и, I., to translate

перево́дчик, translator

перевози́ть, перевожу́, перево́зишь, перево́зит, -во́зят; перевози́л, -а, -и, I., to transport

перегляну́ться, P., to exchange glances

пе́ред (пред), prepos. with the instr., before, in front of

передава́ть, передаю́, -даёшь, -даёт; -даю́т; -дава́л, -а, -о, -и, I.; переда́ть, переда́м, переда́шь, -да́ст, -дади́м, -дади́те, -даду́т; -да́л, -дала́, -да́ли, P., to deliver, give, convey

передвига́ть, передвига́ю, -а́ешь, -а́ют; передвига́л, -а, -и, I., to shift, move, move over, remove

пере́дник, dim. пере́дничек, pinafore, apron

передово́й, -а́я, -о́е, -ы́е, front, advanced

    передова́я статья́, leading article, editorial

перее́хать, -е́ду, -е́дешь, -е́дут, P., to move over

пережива́ть, пережива́ю, -жива́ешь, -жива́ет, -жива́ют; пережи́л, -а, -и, I.; пережи́ть, переживу́, -живёшь, -живёт, -живу́т; пережи́л, -жила́, -и, P., to live through, experience, survive

перейти́, перейду́, перейдёшь, -у́т; перешёл, перешла́, -шли́, P., to pass, go over, get across

перекрести́ться, see крести́ться

перели́стывать, I., to page through

переме́на, change

перемени́ть, переменю́, переме́нишь, переме́нит, -ят; перемени́л, -а, -и, P., to change, exchange, alter

перепи́ска, copying

перепи́счик, copyist

переписывать, I., to copy

переплёт, binding, cover

переправиться, переправлюсь, переправишься, -ятся; -правился, -правилась, -лись, Р., to get across

перерешáть, I., to reckon, solve; change one's mind; to alter

переспрáшивать, I., to ask again

переставáть, перестаю́, -аёшь, -аёт, -ают; переставáл, -а, -и, I.; перестáть, перестáну, перестáнешь, -ут; перестáл, -а, -и, Р., to cease, stop

переýлок, переýлка, lane, alley

переходи́ть, перехожý, -хóдишь, -хóдят; переходи́л, -а, -и, I., to cross, pass

перечитáть, -читáю, -читáешь, -читáют; -читáл, -а, -и, Р., to read over, again, through

перешагнýть, Р., to step over, go over; to overcome

перó, pl. пéрья, пéрьев, пéрьям, pen, feather

Перýн, Perun, god of thunder

перчáтка, glove

пéрья, see перó

пéсенка, dim. of пéсня

пéсня, gen. pl. пéсен, song

песóк, пескá, sand

пёстрый, -ая, -ое, -ые; пёстр, пестрá, пестрó, -ы́, motley-colored

Петербýрг, St. Petersburg

петербýргский, -ая, -ое, -ие, (of) St. Petersburg

Пётр, Peter

Петрогрáд, Petrograd

Петропáвловский, -ая, -ое, -ие, of Peter and Paul

петýх, rooster

петь, пою́, поёшь, поёт, поют; пел, пéла, -о, -и, I., to sing

печáль (f.), sorrow, sadness

печáльно, adv., sadly

печáльный, -ая, -ое, -ые, sad, mournful

печáтание, printing

печáтать, I., to print, publish

печáтаться, I., to be printed

печáтный, -ая, -ое, -ые, printed, printing

печáтник, printer

печáть (f.), seal

печёный, -ая, -ое, -ые, baked

пéчка, gen. pl. пéчек, stove

пешкóм, adv., on foot

пещéра, cave

пионéр, pioneer

пионéрский, adj., pioneer

пир, feast, banquet

писáтель (m.), writer

писáть, пишý, пи́шешь, пи́шет, -ут; писáл, -а, -и, I., to write

пи́сьменный стол, writing-desk

письмó, gen. pl. пи́сем, writing, letter

пить, пью, пьёшь, пьём, пьёте, пьют; пил, пилá, пи́ло, пи́ли, I., to drink

питьё, drink

пи́шет, see писáть

пишý, see писáть

пи́ща, food

пищевóй, -áя, -óе, -ы́е, (of) food, food

плáвать, I., to swim, float

плакáт, poster, bill

плáкать, плáчу, плáчешь, плáчут; плáкал, -а, -и, I., to cry, weep

планéта, planet

плáта, pay, payment, wages

платóк, платкá, kerchief, shawl

платфóрма, platform, pulpit

плáтье, pl. плáтья, плáтьев, плáтьям, clothes, dress

плáчет, see плáкать

плáчу, see плáкать

плáчут, see плáкать

плачь, плáчьте, imper. of плáкать

плéмя, плéмени, pl. племенá, племён, племенáм, tribe, race

племя́нник, nephew

племя́нница, niece

плéнник (m.), плéнница (f.), prisoner

плени́ть, I., to fascinate

плени́ть, Р., to captivate, fascinate

плести́, плетý, плетёшь, -ýт; плёл, плелá, -и́, I., to weave, tat

плечó, nom. pl. плéчи, shoulder

плод, fruit

плодорóдный, -ая, -ое, -ые, fertile, fruitful

плот, raft

плохóй, -áя, -óе, -ие; плох, плохá, плóхо, -и́, bad

площáдка, playground, landing

плóщадь (f.), square, platform

плуг, plough

плыть, плыву, плывёшь, плывут; плыл, -а, -и, I., to sail, navigate, swim

по, prepos., (1) with the acc., to, up, to, till; (2) with the dat., along, according to, on, at; (3) with the loc., after

побег, shoot (of plant), escape

победа, victory

победитель (m.), conqueror

победить, побежду, победишь, -ят; победил, -а, -и, P., to conquer

победный, -ая, -ое, -ые, victorious

побежал, see бежать

побежать, P., of бежать

побелеть, P. of белеть

побить, see бить

побледнеть, P., to grow pale

поближе, adv., nearer

побогаче, comparative adj. a little richer

повар, cook

поварёнок, pl. поварята, поварят, cook's help

поведение, behavior, conduct

поверить, P. of верить

повернуть, поверну, -ёшь, -ёт, -ут; повернул, -а, -и, P., to turn

повернуться, P., to turn round

поверхность (f.), surface

повесить, повешу, повесить, повесят; повесил, -а, -и, P., to hang, hang up

повесть (f.), tale, story

повидимому, adv., apparently

повлиять, P., to influence

поворачивать, I., to turn

повсюду, adv., everywhere

повторить, повторю, повторишь, -ят; повторил, -а, -и, P., ot repeat

　повториться, P., to repeat, to be repeated

повысить, повышу, повысишь, -ят; повысил, -а, -и, P., to raise

погадать, P., to tell fortune

погаснуть, погасну, -гаснешь, -гаснет, -гаснут; погас, гасла, -о, -и, P., to be extinguished, go out (of light)

погибнуть, погибну, -ешь, -ут; погиб, погибла, -о, -и, P. of погибать, to perish

погладить, поглажу, -гладишь, -гладят; погладил, -а, -и, P., to stroke, pat

поглядеть, P., to have a look

погнаться, погонюсь, погонишься, -гонятся; погнался, -гналась, -гнались, P., to run after, pursue

поговорка, gen. pl. поговорок, saying

погода, weather

погодите, imper. (подождите), of подождать, P., to wait

погост, churchyard

погреб, nom. pl. погреба, cellar

погребён, -а, -о, -ы, buried

погружён, plunged, immersed, погрузить, P., to plunge, immerse

погубить, погублю, погубишь, погубят; погубил, -а, -и, P., to ruin, destroy

погулять, P. of гулять, to take a walk

под (подо), prepos. (1) with the acc., under (motion to), before; (2) with the instr. (under rest), underneath, below

подавить, подавлю, подавишь, подавят; подавил, -а, -и, P., to suppress, put down, stamp out

подальше, a little farther away

подарить, P., to make a present, give

подарок, подарка, present, gift

подать, подам, подашь, подаст, подадим, -дадите, -дадут; -дал, -а, -о, -и, P., to hand over, serve

подбрасывать, I., to toss, throw (up), to jerk

подвал, basement

подвиг, heroic deed, feat

подвигаться, I., to push on, advance

подвинуть, P., to move up; to push

подданный, -ая, -ое, -ые, subject

поддерживать, I., to support, to hold up

подействовать, подействую, -действуешь, -действует, -ют; подействовал, -а, -и, P., to influence, to have an effect

под'езд, entrance, porch

под'езжать, подъезжать, I., to ride up to; to come up, arrive

под'ём, ascent

поделить, P., to divide, share

поди, пойди, imper. of пойти, P., to go

подклеенный, -ая, -ое, -ые, pasted, glued

подклеить, P., to glue, paste, mend

подле, prepos. with the gen., near, by the side of

подлинник, original

подмастерье, apprentice

подметать, I., to sweep

подмечать, I., to notice, observe

подниматься, I., to rise, go up, start up

подножие, (подножье) foot (of a mountain), pedestal

поднятый, -ая, -ое, -ые, upraised, lifted

поднять, подниму, поднимешь, поднимут; поднял, -а, -и, P. of поднимать, to raise, lift

подняться, поднимусь, поднимешься, -утся; поднялся, поднялась, -лись, P., to rise, go up

подобный, -ая, -ое, -ые, similar, like

подождать, P. of ждать

подожди, imper. of подождать

подозревать, подозреваю, -ешь, -ют; подозревал, -а, -и, I., to suspect, surmise

подойти, подойду, подойдёшь, -ут; подошёл, подошла, -шли, to appear, come to

подоконник, window sill

подол, hem of a skirt or a shirt

подолгу, for a long time

подошёл, see подойти

подохнуть, P., to die (animals)

подпадать, I., to fall under sway, under influence

подписать, P. of подписывать, to sign (see писать)

подпрыгнуть, P., to jump up

подражание, imitation

подробно, adv., in detail, at length

подробность (f.), detail

подруга, friend, school chum

подряд, successively, in a row

подскочить, P., to jump up

подсчитать, P., to count up

подумать, P., to think over, reflect

    подумаешь, (I) one wouldn't think (so)

подход, approach

подходить, I., to come up to, draw near, approach (see ходить)

подходит, it suits

    не подходит, unsuitable, no use, doesn't suit

подчистить, P., to clean up

подшутить, подшучу, подшутишь,

подшутит, подшутят; подшутил, -а, -и, P., to joke, play a joke

поединок, поединка, duel

поезд, train

поездка, trip, journey

поесть, P. of есть

поехать, P. of ехать

пожалей, imper. of пожалеть, P., to have pity

пожаловаться, пожалуюсь, -ешься, -уются, P., to complain

пожар, fire, conflagration

пожарник, fireman

пожелание, wish, desire

пожелать, P. of желать

пожилой, -ая, -ые, elderly, aged

позабавить, позабавлю, позабавишь, -ят; позабавил, -а, -и, P., to amuse a little

позаботиться, позабочусь, -заботишься, -ятся; -заботился, -илась, -ились, P., to take care of, to care

позавчера, the day before yesterday

позвать, P. of звать

позволить, позволю, позволишь, -ят; позволил, -а, -и, P. of позволять, to allow, let, permit

    позволь-те, imper., allow me, let me; wait (just a minute)

позвони, imper. of позвонить, P., of звонить, to ring, call up

позднее, compar. of поздний and поздно, later

поздний, -яя, -ее, ие, late

поздно, adv., late

поздравить, поздравлю, -ишь, -ит, -ят; поздравил, -а, -и, P. of поздравлять, to congratulate

поздравление, congratulation

позже, compar. of поздний

познакомить, познакомлю, познакомишь, -ят; познакомил, -а, -и, P., to acquaint

познакомиться, P., to get, become acquainted

поиски, pl. m., search

пойдём, imper. of пойти, let us go

пойди, пойди-ка, imper. of пойти

пойму, 1st p. s. future of понять, P., to understand

пойти, пойду, пойдёшь, пойдут; пошёл, пошла, -шло, -шли, P., to go

    пойти пешком, to go on foot, to walk

пока́, adv., as long as, while, until

показа́ть, покажу́, -ешь, -ут; показа́л, -а, -и, P. of пока́зывать, to show, point

показа́ться, покажу́сь, пока́жешься, -утся; показа́лся, -а́лась, -а́лись, P., to appear, seem

пока́зываться, I., to appear

покати́ла, see кати́ть

покати́ться, P., to roll

поки́нуть, поки́ну, поки́нешь, -ут; поки́нул, -а, -и, P., to forsake, abandon

покло́н, salute, compliment, regard, reverence

поклоне́ние, worship

поклоня́ться, I., to worship

поко́й, rest

покорён, -а́, -о́, -ы́, conquered

покоре́ние, conquest

покори́ть, покорю́, -и́шь, -я́т; покори́л, -а, -и, P. of покоря́ть, to conquer, vanquish, subject

поко́с, hay-meadow

покрасне́ть, P., to turn red

покриви́ть, покривлю́, покриви́шь, покриви́т, -я́т; покриви́л, -а, -и, P., to distort, twist

покри́кивать, I., to shout, cry out from time to time

покрови́тельство, protection

покрыва́ться, I., to cover

покры́ть, P. to cover

покры́тый, -ая, -ое, -ые; покры́т, -а, -о, -ы, covered

покупа́ть, I., to buy, purchase

поку́шать, P., to eat (a little)

покуше́ние, attempt (at someone's life)

пол, floor, half

по́лдень (m.), midday, noon

по́ле, field

полево́й, -а́я, -о́е, -ы́е, field

поле́зный, -ая, -ое, -ые; поле́зен, поле́зна, поле́зно, -ы, useful

поле́зть, поле́зу, поле́зешь, -ут; поле́з, поле́зла, поле́зли, P., to climb

полёт, flight

полива́ть, I., to water

политехни́ческий, -ая, -ое, -ие, polytechnic

полити́ческий, -ая, -ое, -ие, political

поли́ция, police

полк, regiment

по́лка, gen. pl. по́лок, shelf

по́лно! enough! stop!

по́лночь (f.), midnight

по́лный, -ая, -ое, -ые; по́лон, полна́, полно́, полны́, full, filled, complete

полови́на, half

полови́на второ́го, half-past one

положе́ние, position, situation

положи́ть, положу́, поло́жишь, -ат; положи́л, -а, -и, P., to put down

положи́ть коне́ц, to put an end

полоса́, bar, strip, tract

полти́нник, fifty copecks, half a rouble

полтора́ (m. and n.), полторы́ (f.), one and a half

получи́ть, получу́, -ишь, -ат; получи́л, -а, -и, P. of получа́ть, to receive

получа́ется, 3rd p. s., it comes out

получится, P., the result will be получи́лось, it came about, the result was

полу́чше, better, a little better

полушу́бок, полушу́бка, short fur coat

по́лчаса, dim.: полча́сика, half an hour

по́льза, use, benefit

в по́льзу, in favor, in behalf

по́льзоваться, по́льзуюсь, по́льзуешься, -ются; по́льзовался, -алась, -ались, I., to make use of

по́льский, -ая, -ое, -ие, Polish

По́льша, Poland

полюби́ть, P. of (see) люби́ть

полюбу́йтесь, imper. of полюбова́ться, P., to have a look; to admire; feast your eyes

по́люс, pole

Се́верный по́люс, North Pole

поля́к (m.), по́лька (f.), Pole

помести́ть, помещу́, помести́шь, помести́т; помести́л, -а, -и, P., to place

поме́щик (m.), поме́щица (f.), landowner

помидо́р, tomato

по́мнить, по́мню, -ишь, -ят; по́мнил, -а, -и, I., to remember

помно́жить, P., to multiply

помога́ть, помога́ю, -ешь, -ют, I.; помо́чь, помогу́, помо́жешь, помо́жет, -мо́гут; помо́г, помогла́, помогли́; помоги́, помоги́те, imper. P., to help

помо́щник, assistant

по́мощь (f.), assistance, help

помя́тый, -ая, -ое, -ые, crumpled, rumpled

пона́добится, 3rd p. s. of пона́добиться, P., to be needed

понеде́льник, Monday

понесло́сь, 3rd p. s. past of понести́сь, P., to rush

понима́ть, понима́ю, понима́ешь, понима́ют; понима́л, -а, -и, I.; поня́ть, пойму́, поймёшь, -у́т; по́нял, -а́, -и, P., to understand

понра́виться, P. of нра́виться

поня́тие, notion, idea

поня́тный, -ая, -ое, -ые; поня́тен, поня́тна, поня́тно, -ы, intelligible

поня́ть, see понима́ть

поодино́чке, singly, one by one

поощре́ние, encouragement

поощря́ть, I., to encourage

попада́ться, попада́юсь, -ешься, -ются; попада́лся, -а́лась, -а́лись, I., to fall into, come one's way

попа́сть, попаду́, -ёшь, -у́т; попа́л, -а, -и, P., to get in, into, fall into, reach

попади́, попади́те, imper. hit, strike чем попа́ло, at random, with anything

попече́ние, care

поплёлся, 3rd p. s. past of поплести́сь, P., to drag oneself

пополу́дни, adv., in the afternoon

попра́виться, попра́влюсь, -ишься, -ятся; попра́вился, -илась, -ились, P. of поправля́ться, to get better, well, to recover

поправле́ние, restoring

поправля́ть, I., to correct, adjust, straighten out

по-пра́здничному, festive, for a holiday

попро́бовать, P. of про́бовать; попро́буй, imper.; to try, taste

попроси́ть, P. of проси́ть

попря́таться, P., to hide

по-пусто́му, adv., in vain, uselessly

пор, see пора́

пора́, it is time, time

до сих пор, till now

до тех пор, up to that time

до тех пор пока́, so long as

с каки́х пор, since when

с тех пор, since then

поража́ть, поража́ю, -ешь, -ют; поража́л, I.; порази́ть, поражу́, порази́шь, -ят; порази́л, -а, -и, P., to impress, surprise, defeat

поражён, -а́, -о́, -ы́, overcome, surprised, defeated

пораже́ние, defeat

порази́ть, see поража́ть

пора́ньше, earlier, a little earlier

по́рванный, torn, tattered

по́ровну, equally

поро́г, threshold

поро́да, stock, breed

по́рознь, adv., apart, separately

поро́к, vice

порошо́к, powder

портно́й, tailor

портре́т, portrait

портфе́ль (m.), briefcase

поруче́ние, errand, commission, request

поручи́ть, поручу́, пору́чишь, -а́т; поручи́л, -а, -и, P., to instruct, charge

поры́вистый, -ая, -ое, -ые, violent, impetuous

поры́вистый ве́тер, strong, gusty wind

поря́док, поря́дка, order

посади́ть, посажу́, поса́дишь, -ят; посади́л, -а, -и, P., to seat, place, plant, put

поса́жен, put down

по-сво́ему, adv., in (one's) own way

посвяти́ть, посвящу́, посвяти́шь, посвяти́т, посвятя́т; посвяти́л, -а, -и, P. of посвяща́ть, to devote

посели́ться, поселю́сь, -ишься, -ятся; посели́лся, -и́лась, -и́лись, P., to settle down

посёлок, посёлка, settlement

посеща́ть, I., to attend, visit

посеще́ние, attendance, visit

поскака́ть, P. of скака́ть

поскоре́й, adv., quickly, fast

по́слан, -а, -о, -ы, sent

посла́ть, пошлю́, пошлёшь, -ют; пошли́, пошли́те, imper.; посла́л, -а, -и, P. of посыла́ть, to send, dispatch

по́сле, adv. and prepos. (gen.), after

после́дний, -яя, -ее, -ие, last, the latter

после́довать, после́дую, -ешь, -ют, после́довал, -а, -о, -и, P., to follow, take place

посло́вица, proverb
послу́шать, P. of слу́шать
послы́шаться, P., to be heard
посмотре́ть, P. of смотре́ть
посо́л, посла́, envoy, ambassador
посоли́ть, P. of соли́ть
поспева́ть, I., to ripen, to arrive in time
поспе́ть, P. of поспева́ть
поспеши́ть, P. of спеши́ть
поспо́рить, P., to argue; to bet
посреди́, adv., and prepos. (gen.), in the middle of
пост, fast
  Вели́кий пост, Lent
поста́вить, P. of ста́вить
поста́влен, -а, -о, -ы, put, erected, placed
постара́ться, P., to try, endeavor
посте́ль (f.), bed
пости́гнуть, пости́гну, -ешь, -ут; пости́г, пости́гла, -и, P., to understand, overtake, overcome
пости́ться, пощу́сь, пости́шься, постя́тся; пости́лся, пости́лась, -и́лись, I., to fast
постоя́нно, adv., always, permanently
постоя́ть, P. of стоя́ть
постро́енный, -ая, -ое, -ые; постро́ен, постро́ена, -о, -ы, built, erected
постро́ить, P. of стро́ить
постро́йка, gen. pl.: постро́ек, building
поступи́ть, поступлю́, посту́пишь, посту́пят; поступи́л, -а, -и, P. of поступа́ть, to enter
поступле́ние, entrance, entering into
постуча́ть, постучу́, -и́шь, -а́т, P., to knock
посуди́, imper. посуди́ть, P., to judge
посыла́ть, see посла́ть
посыла́ться, посыла́ется, посыла́ются; посыла́лся, to be sent, to be forwarded
посы́лка, parcel, package
пот, sweat
потёр, see потере́ть
потере́ть, потру́, потрёшь, потру́т; потёр, потёрла, -и, P., to rub
потеря́ть, P. of теря́ть
пот́еть, I., to sweat
поте́ха, fun, amusement

поте́шное во́йско, boy scouts
поте́шный, -ая, -ое, -ы, funny, amusing
потихо́ньку, adv., stealthily, quietly; in a low voice
потолку́й, imper. of потолкова́ть, P., to discuss, argue
потоло́к, потолка́, ceiling
пото́м, adv., later, after that, then
потому́, adv., therefore
  потому́-то, that is why
  потому́ что, because
потропи́ть, потороплю́, -ишь, -ят, P., to hurry, hasten
поторопи́ться, P., to hurry
поучи́тельный, -ая, -ое, -ые; поучи́телен, поучи́тельна, поучи́тельно, -ы, instructive
похвала́, praise
похвали́ть, P. of хвали́ть
похо́д, march, campaign
похо́дка, gait, walk
похо́жий, -ая, -ее, -ие; похо́ж, похо́жа, -е, -и, resembling
похорони́ть, похороню́, -хоро́нишь, -хоро́нят; похорони́л, -а, -и, P. of хорони́ть, to bury
по́хороны, pl. f., funeral
похуде́ть, P., to grow thin
поху́же, worse, poorer
по́чва, soil, ground, land
почему́, adv., why
  вот почему́, that is why
по́черк, handwriting
почеса́ться, почешу́сь, поче́шешься, поче́шутся; почеса́лся почеса́лась, -а́лись, P., to scratch oneself
почини́ть, починю́, -ишь, -ят; починИ́л, -а, -и, P., to mend
почита́ть, почита́ю, -ешь, -ют; почита́л, -а, -и, I.; поче́сть, почту́, почла́, почли́, P., to honor, respect, esteem, deem
по́чка, gen. pl. по́чек, bud
почли́, see почита́ть
почтальо́н, postman, letter carrier
почти́, adv., almost
почто́вый, -ая, -ое, -ые, mail, post, postal, postage
  почто́вая ма́рка, ' postage stamp
поцелова́ть, P. of целова́ть
пошевели́ть, пошевелю́, -ишь, -я́т; пошевели́л, -а, -и, P., to move
пошёл, see пойти́

пошёл, пошла, пошли, past of
пойти, also used as imperative
вы бы пошли домой, you'd
better go home
пошли, пошлите, imper. of послать
пощупать, P. of щупать
поэма, poem
поэт, poet
поэтический, -ая, ое, -ие, poetic
поэтому, conj. therefore
поют, see петь
появиться, появлюсь, появишься,
появятся; появился, появилась
появились, P. of появляться,
to appear
пояс, belt, sash
правда, truth, it is true
правдивый, -ая, -ое, -ые; прав-
див, правдива, -о, -ы, truthful
праведник, righteous, godly man
правильно, adv., right, correctly
правительство, government
править, правлю, правишь, пра-
вит, правят; правил, -а, -и, I.,
to rule, govern, administer
правление, administration (office),
government office
право, right, law
see крепостное право
православный, -ая, -ое, -ые,
Greek Orthodox
правый, -ая, -ое, -ые; прав,
права, -о, -ы, right
празднество, festival
праздник, holiday, feast
праздничный, -ая, -ое, -ые, festive, holiday
празднование, celebration
праздновать, праздную, -ешь,
-ют; праздновал, -а, -и, I., to
celebrate
праздноваться, I., to be celebrated
празднуют, see праздновать
пребывание, stay, sojourn
превесёлый, -ая, -ое, -ые, superl.
of весёлый, very cheerful
превосходный, -ая, -ое, -ые;
превосходен, превосходна, -о,
-ы, excellent
превратиться, превращусь, пре-
вратишься, превратятся; пре-
вратился, -илась, -ились, P., to
change, turn into
преданный, -ая, -ое, -ые; предан,
-а, -о, -ы, devoted
предвидеть, I., to foresee
предлагать, предлагаю, -аешь,

-ают; предлагал, -а, -и, I., to
offer, propose
предлог, preposition
предмет, object, subject
предок, предка, ancestor
председатель (m.), chairman
представитель (m.), representative
представить, представлю, пред-
ставишь, -ят; imper.: пред-
ставь, представьте; предста-
вил, -а, -и, P. of представлять,
to imagine, picture, represent
представление, play, performance,
presentation
представлять, see представить
предупреждать, I., to warn
предупреждение, warning, advance
notice
преемник, successor
прежде, adv. and prepos. (gen.),
formerly, before
прежде всего, first of all
прежде чем, conj., before
прежний, -яя, -ее, ие, former
презрение, contempt, scorn
преимущественно, adv., for the
most part, chiefly
прекрасно, adv., excellently, beautifully
прекрасный, -ая, -ое, -ые; пре-
красен, прекрасна, -о, -ы, beau-
tiful
прекратить, прекращу, прекра-
тишь, -ят; прекратил, -а, -и,
P., to put an end, stop, cease
прелесть (f.), charm
Преображенское (село), the village
of Preobrazhensky
преобразование, reform
преподавать, преподаю, -даёшь,
-дают; преподавал, -давала, -и,
I., to teach, instruct
прервать, P., to interrupt
преследовать, преследую, -ешь,
-ют; преследовал, -а, -и, I., to
persecute, pursue
пресса, press, print, newspaper
престол, throne
преступление, crime
преступник, criminal
при, prepos., with the loc., in the
time of, near, at, under, during
прибавить, прибавлю, прибавишь,
-ят; прибавил, -а, -и, P., to
add, increase
прибавка, raise
прибежать, -бегу, -бежишь, -бе-

гу́т; -бежа́л, -а, -и, P., to come
running

приближа́ться, приближа́юсь, -а́-
ешься, -а́ются; приближа́лся,
-а́лась, -а́лись, I., to come near,
approach

приближённый, -ая, -ое, -ые, person in attendance, retinue

прибо́р, table setting for dinner

прибра́ть, приберу́, -берёшь, -бе-
ру́т; прибра́л, -а, -и, P., to arrange

прибы́ть, прибу́ду, -бу́дешь, -бу́-
дет, -бу́дут; при́был, -а́, -и, P.,
to arrive, come

привезти́, привезу́, -везёшь, -у́т;
привёз, -везла́, везли́, P. of
привози́ть, привожу́, -во́зишь,·
-во́зят; привози́л, -а, -и, to
bring, convey, transport, ship

привести́, приведу́, приведёшь,
приведут; привёл, привела́, -и́,
P., to bring, lead, put, put in
state of, set

приве́т, greeting

приве́тливее, compar. of приве́тли-
вый, -ая, -ое, -ые; приве́тлив,
приве́тлива, -о, -ы, affable

приви́нчиваться, I., to be screwed
on

привлека́ть, I., to attract

приводи́ть, привожу́, приво́дишь,
приво́дят; приводи́л, -а, -и, I.,
to bring, lead, put, put in state
of, set

    приводи́ть в поря́док, to put
in order

привози́ть see привезти́

приво́льно, adv., comfortably

приво́льный, -ая, -ое, -ые, abun-
dant, comfortable

привы́к, привы́кла, привы́кло,
привы́кли, accustomed

привы́чка, habit

привяза́ть, привяжу́, -вя́жешь,
-вя́жут; привяза́л, -а, -и, P.,
to tie, attach

привяза́ться, P., to be attached

пригласи́ть, приглашу́, пригла-
си́шь, -я́т; пригласи́л, -а, -и,
P., to invite

при́говор, verdict, sentence

приговори́ть, P., to sentence

пригото́вить, see гото́вить

приготовля́ться, приготовля́юсь,
приготовля́ешься, -я́ется; при-
готовля́лся, -я́лась, -я́лись, I.,

to prepare oneself, to be prepared

придава́ть, придаю́, придаёшь,
-даю́т; придава́л, -а, -и, I., to
consider, give

    придава́ть значе́ние, to attach
importance

придво́рный, -ая, -ые, courtier

приде́лан, а, -о, -ы, fixed, attached

придётся, мне (нам) придётся, I
(we) shall have to, one must

приди́, imper. of придти́

приду́мать, P., to devise

приезжа́й, приезжа́йте, imper. of
приезжа́ть, I., to come, arrive

приём, reception

прие́хать, P., to arrive

прижа́ть, прижму́, прижмёшь,
-жму́т; прижа́л, -а, -и, P. of
прижима́ть, to press close to

прижима́ться, I., to cling to

призва́ть, -зову́, -зовёшь, -зову́т;
призва́л, -а, -и, P. of призыва́ть,
to summon, call

признава́ть, признаю́, -аёшь,
-аю́т; признава́л, -а, -и, I., to
recognize, acknowledge

признава́ться, признаю́сь, -ёшься,
-ю́тся; признава́лся, -а́лась,
-а́лись, I., to avow, confess,
admit

призыва́ть, see призва́ть

прика́з, order, command

приказа́ть, прикажу́, прика́жешь,
-ут; приказа́л, -а, -и, P. of
прика́зывать, to order, command

прикреплён, -а́, -о́, -ы́, attached,
fastened

приле́жно, adv., diligently

прилета́ть, прилета́ю, прилета́ешь,
-ют; прилета́л, -а, -и, I., to
arrive, by flight

прилете́ть, прилечу́, прилети́шь,
-летя́т; прилете́л, -а, -и, P., to
come flying

приме́та, omen, sign; token

принадлежа́ть, принадлежу́, -и́шь,
-а́т; принадлежа́л, -а, -и, I., to
belong

принести́, принесу́, -несёшь, -не-
су́т; принёс, принесла́, -несли́,
P. of приноси́ть, to bring

принима́ть, I., to take, accept

    принима́ть уча́стие, to take
part, participate

приноси́ть, see принести́

принуждён, -á, -ó, -ы́, forced, compelled

принцéсса, princess

при́нятый, -ая, -ое, -ые, accepted, settled

приня́ть, приму́, при́мешь, при́мут; при́нял, -á, -и, P., to accept, receive

приобрести́, приобрету́, -ёшь, -у́т; приобрёл, -á, -и́, P. of приобрета́ть, to acquire

припáс, provision, store

припáсть, припаду́, припадёшь, -у́т; припáл, -а, -и, P., to press close, cling, prostrate

приро́да, nature
    от приро́ды, from birth

присмáтриваться, -аешься, -аются; присмáтривался, -алась, -ались, I., to observe closely

присмóтр, supervision

присмотрéть, присмотрю́, -ишь, -ят; присмотрéл, -а, -и, P., to look after

приставáть, пристаю́, пристаёшь, -ю́т, I., to beg, pester
    чегó ты ко мне пристаёшь, why do you bother me?

при́стань (f.), wharf, landing

присту́кивать, I., to beat, tap, strike

прису́тствие, presence

прису́тствовать, прису́тствую, -ешь, -ют, I., to be present

присылáть, I., to send

присягáть, присягáю, -ешь, -ют; присягáл, -а, -и, I., to take oath

присягну́ть, присягну́, -ёшь, -у́т; присягну́л, -а, -и, P., to swear an oath

притащи́ть, P., to bring, drag in

притти́, приду́, придёшь, придёт, приду́т; пришёл, пришлá, пришли́, P. of приходи́ть, прихожу́, -хóдишь, -хóдят; приходи́л, -а, -и, to come, arrive

прихóдится, it is allotted; one has to (with the dat.)

прицепи́ть, P., to fasten

пришёл, пришлá, see притти́

приши́ть, P., to sew

пришлóсь, one had to

прию́т, asylum, refuge, shelter

прия́тель (m.), friend, chum, pal

прия́тно, it is agreeable

про, prepos. with the acc., about, of

пробежáть, пробегу́, -бежи́шь, -бегу́т; -бежáл, -а, -и, P., to run through, traverse

проби́ть, пробью́, -бьёшь, -бьют; прóбил, прóбило, -би́ла, -би́ли, P., to strike

прóбка, gen. pl. прóбок, cork

прóблеск, glimmer

прóбовать, прóбую, -ешь, -ют; прóбовал, -а, -и, I., to taste, try

пробы́ть, пробу́ду, -бу́дешь, -бу́дут; -был, -а, -и, P., to stay a certain time

провести́, проведу́, -ведёшь, -веду́т; провёл, -велá, -вели́, P. of проводи́ть, провожу́, провóдишь, -ят, to spend, pass

провинциáльный, -ая, -ое, -ые, provincial

прóвод, wire, conduit

проводи́ть, see провести́

проводни́к, guide

провожáть, I., to accompany

провозгласи́ть, провозглашу́, провозгласи́шь, -я́т; провозгласи́л, -а, -и, P., to proclaim

прóволока, wire

проворчáть, P., to grumble

прогнáть, прогоню́, -гóнишь, -гóнит, -гóнят; прогнáл, -а, -и, P., to chase away

прогу́лка, gen. pl. прогу́лок, walk hike

продавáть, -даю́, -даёшь, -даю́т; -давáл, -а, -и, I.; продáть, продáм, продáшь, -даду́т, P., to sell

продáжа, sale

прóдан, -а, -о, -ы, sold

продáть, see продавáть

продовóльствие, provision, food

продолжáть, I., to continue, resume, prolong, go on

продолжáться, продолжáется, продолжáются; продолжáлся, -áлась, -áлось, -áлись, I., to continue, last

продолжéние, continuation
    в продолжéние, during

продолжи́тельный, -ая, -ое, -ые, prolonged, long

проéзд, passage

проéхать, проéду, -ешь, -ут; проéхал, -а, -и, P., to go, ride through

прожи́ть, проживу́, -живёшь, -живу́т; прóжил, -а, -и, P. of прожи ва́ть, to live, live through, dwell

про́за, prose

про́звище, sobriquet, nickname

прозя́бнуть, прозя́бну, -ешь, -ут; прозя́б, прозя́бла, прозя́бли, P., to be chilled to the marrow

проигра́ть, проигра́ю, -ешь, -ют; проигра́л, -а, -и, P., to lose, lose at play

пройдёт
пройду́т } see пройти́

произведе́ние, work, production

произвести́, произведу́, -ёшь, -ут; произвёл, -а́, -и́, P. of производи́ть, произвожу́, произво́дишь, произво́дят; производи́л, -а, -и, to bring forth, produce

произойти́, произойдёт, произойду́т; произошёл, произошла́, -шли, P. of происходи́ть, происхожу́, происхо́дишь, -ят; происходи́л, -а, -и, to occur, arise, result

происше́ствие, event, occurrence

пройти́, пройду́, пройдёшь, пройду́т; прошёл, прошла́, прошло́, прошли́, P. of проходи́ть, прохожу́, прохо́дишь, -хо́дят; проходи́л, -а, -и, to pass through

прокля́тый, -ая, -ое, -ые, accursed

прокопа́ть, P., to dig

пролета́рский, -ая, -ое, -ие, proletarian

проли́в, strait, sound

проложи́ть, проложу́, -ло́жишь, -ло́жат; проложи́л, -а, -и, P., to rail, lay, pave

промо́лвить, P., to utter, say

про́мысел, про́мысла, trade, business

промы́шленный, -ая, -ое, -ые, industrial

промя́млить, P., to mumble

пропада́ть, пропада́ю, -ешь, -ют; пропада́л, -а, -и, I.; пропа́сть, пропаду́, пропадёшь, -у́т; пропа́л, -а, -и, P., to be lost, get lost, disappear

пропе́ть, P. of петь

пропита́ние, livelihood

проплы́ть, P., to swim across, to swim through

пропове́довать, пропове́дую, -ешь, -ют; пропове́довал, -а, -и, I.; пропове́дывать, -дываю, -дываешь, -дывают; пропове́дывали, I., to preach

пропове́дуй, пропове́дуйте, imper. of пропове́довать

про́поведь (f.), sermon

прорабо́тать, P., to work through

проре́зать, проре́жу, -ре́жешь, -ре́жут; проре́зал, -а, -о, -и, P., to cut through

просвеще́ние, enlightenment

проси́ть, прошу́, про́сишь, про́сят; проси́л, -а, -о, -и, I., to beg, ask, request

просла́вить, просла́влю, просла́вишь, -сла́вят; просла́вил, -а, -и, P., to make famous, glorify

просну́ться, просну́сь, проснёшься, -у́тся; просну́лся, -лась, -лись, P. of просыпа́ться, просыпа́юсь, просыпа́ешься, просыпа́ется, -ются; просыпа́лся, -а́лась, -а́лись, to awaken, wake up

про́со, millet

просо́вываться, I., to push, thrust

проспе́кт, avenue

проспо́рить, P., to argue, bet

прости́, прости́те, excuse (me), imper. of прости́ть, P., to forgive, pardon

про́сто, adv., simply

просто́й, -а́я, -о́е, -ы́е; прост, -а́, -о, -ы́, simple

просто́рный, spacious, roomy

простота́, simplicity

просту́пок, просту́пка, misconduct, fault

просыпа́ться, see просну́ться

просыха́ть, I., to dry

проте́ст, protest

противоре́чие, contradiction

протира́ть, I., to rub

про́тив, prepos. with the gen., against, opposite

противополо́жный, opposite

протя́гивать, I., to stretch, reach

протяже́ние, extent, stretch, expanse

протя́жный, -ая, -ое, -ые, drawling, long drawn out

протяну́ть, протяну́, -ешь, -ут; протяну́л, -а, -о, -и, P., to stretch out

проходи́ть, see пройти́

прохо́жий, -ая, -ие, passer-by

проце́нт, percent, interest

прочесть, прочита́ть, прочту́, прочтёшь, -у́т; прочёл, прочла́, прочли́; прочита́л, -а, -и, P. of прочи́тывать, to read through

прочитáл, see прочéсть
прочь, away, off
прошáмкать, P., to mumble, mutter
прошéние, application
прошептáть, прошепчý, прошéп-
чешь, -ут; прошептáл, -а, -и,
P., to whisper
прошлó, see пройти
прóшлый, -ая, -ое, -ые, past, last
прощáть, I., to forgive
пруд, pond
прыгать, I., to jump, skip
прямо, adv., directly, straight,
simply
прямóй, -áя, -óе, -ые; прям,
прямá, -о, -ы, straight
пряник, cookie
прясть, прядý, прядёшь, прядýт;
прял, -á, -и, I., to spin
прятаться, прячусь, прячешься,
прячутся; прятался, -алась,
-ались; прячьтесь, imper., I.,
to hide
псáрня, (dog) kennel
псевдоним, pseudonym
психóлог, psychologist
психолóгия, psychology
птица, bird
птичка, gen. pl. птичек, dim. of
птица
публичный, -ая, -ое, -ые, public
пугливо, adv., timorously
пýговица, пýговка, button
пузырёк, пузырькá, bulb
пускáть, I.; пустить, пущý, пý-
стишь, пýстят; пустил, -а, -и,
P., to let in, let go
пустить свет, to turn on the
light
пустéть, I., to become empty
пустить, see пускáть
пустóй, -áя, -ое, -ые; пуст, -á,
-о, -ы, empty, deserted
пустыня, desert
пустынный, desolate, deserted
пустырь (m.), vacant lot
пусть, see пустить
пустяк, trifle
пустякóвый, trifling
путешéствие, travel, journey
путешéствовать, путешéствую,
-ешь, -ют; путешéствовал, -а,
-и, I., to travel
путь (m.), road, way
пух, down
пчелá, pl. пчёлы, bee
пшеница, wheat

пыль (f.), dust
пытка, gen. pl. пыток, torture
пыхтéть, пыхчý, пыхтишь, пых-
тит, пыхтят; пыхтéл, -а, -и,
I., to puff and blow, to pant
пышность (f.), splendor, magnifi-
cence
пышный, -ая, -ое, -ые, magnificent, pompous
пьéса, play
пьян, пьяный, drunk, drunken
пятёрка, five (the highest school
grade)
пятёрочник, the best pupil
пятерых, gen. of пятеро, five
together
пятка, heel
пятнáдцать, fifteen
пятница, Friday
пятнó, gen. pl. пятен, spot
пять, five
пятый, -ая, -ое, -ые, fifth
пятью дéвять, five by nine
пятьдесят, fifty
пятидесятый, -ая, -ое, -ые,
fiftieth
пятьсóт, five hundred

Р

раб, slave
рабовладéлец,   рабовладéльца,
slave owner
рабóта, work
рабóтать, imper. рабóтай, ра-
бóтайте, I., to work
рабóтник, laborer, worker
рабóчий, -ая, -ее, -ие, workingman's, workingman
равнина, plain
равнодýшный, -ая, -ое, -ые,
indifferent
рáвный, -ая, -ое, -ые, equal
рад, рáда, рáды, glad
рáдио, radio
рáдостно, adv., joyfully
рáдостный, -ая, -ое, -ые, joyful,
gay
рáдость (f.), joy, rejoicing
раз, time, once
мнóго раз, many times
разбегáться, I., to scatter about;
run off
разбежáться, разбегýсь, раз-
бежишься, разбегýтся; раз-
бежáлся, -áлась, -áлись, P., to
run away, run, disperse

разбива́ть, I., to break
разби́тие, breaking
разби́тый, broken, shattered
разбо́йник, brigand, gangster
разбо́рка, sorting, pulling apart
разбрани́ть, see брани́ть
разбуди́ть, разбужу́, разбу́дишь, разбу́дят; разбуди́л, -а, -и, P., to awaken, rouse (from sleep)
разва́лина, ruin
ра́зве, is it possible, can it be
разве́шать, разве́шаю, -аешь, -ают; разве́шал, -а, -и, P., to hang up
разве́шенный, -ая, -ое, -ые; разве́шен, -а, -о, -ы, hung
разви́тие, development
разви́ть, разовью́, разовьёшь, -ют; разви́л, -а́, -и, P., to develop
разводи́ть, развожу́, разво́дишь, разво́дят; разводи́л, -а, -и, I., to cultivate, breed, make
разгова́ривать, I., to talk, converse
разгове́ться, разгове́юсь, -ешься, -ются; разгове́лся, -лась, -лись, P., to break one's fast
разговля́ться, разговля́юсь, разговля́ешься,-я́ются; разговля́л-ся, -я́лась, -я́лись, I., to break one's fast, to begin to eat meat after Lent
разгово́р, conversation
разгроми́ть, разгромлю́, разгро-ми́шь, -гро́мят; разгроми́л, -а, -и, P., to destroy, devastate
раздава́ть, раздаю́, -даёшь, -даю́т; раздава́л, -а, -и, I., to distribute, give
раздава́ться, раздаю́сь, -даёшься, -даётся, -даются; -дава́лся, -ала́сь, -али́сь, I.; разда́ться, раздаётся, раздаду́тся; разда́л-ся, раздала́сь, -ало́сь, -али́сь, P., to resound, sound
раздви́нуть, P., to push apart; draw apart
раздвое́ние, dualism
раздели́ть, P. of разделя́ть, to divide, share
разде́т-ый, undressed
раздобы́ть, P., to obtain, procure
разду́мывать, I., to ponder, think
раз'е́хаться (разъе́хаться), P., to move away; to skid
рази́нуть рот, to open the mouth wide

разли́чие, difference
разли́чный, -ая, -ое, -ы, various
разло́жен, distributed, put
разме́р, size
размести́ться, P., to be placed
разнёс, 3rd p. s., past of разнести́, P., to distribute
разнообра́зный, -ая, -ое, -ые, diverse
разноси́ть, разношу́, -но́сишь, -но́сят; разноси́л, -а, -и, I., to carry, deliver
разноси́ться, разно́сится, -ятся; разноси́лся, -лась, -лись, I., to spread, scatter
разно́счик, peddler
разноцве́тный, -ая, -ое, -ые, variegated, many-colored
ра́зный, -ая, -ое, -ые, different, various
  по-ра́зному, differently, in various ways
разобра́ться, разберу́сь, разбе-рёшься, -у́тся, P., to make out; decipher
разо́к, dim. of раз
ра́зом, at once; at one swoop
разорён, -а́, -о́, -ы́, ruined
разоруже́ние, disarmament
разоря́ть, I., to ruin, devastate
разре́зать, P., to cut
разреши́ть, P., to allow, permit
разру́шить, разру́шу, разру́шишь, -ат; разру́шил, -а, -и, P. of разруша́ть, to destroy, demolish
раз'ясни́ть, P., to explain
рай, paradise
райисполко́м: райо́нный испол-ни́тельный комите́т, district (regional) executive board
райо́нный, -ая, -ое, -ые, regional
райце́нтр: райо́нный центр, regional government; board
ра́ма, frame
ра́на, wound
ра́нний, -яя, -ее, -ие, early
ра́но, adv., early
  ра́но-ра́но, very early
ра́ньше, compar. of ра́но
раскрасне́вшийся, flushed; participle of раскрасне́ться, P., to turn red; to flush
раскры́ть, раскро́ю, -ешь, -ют; раскры́л, -а, -и, P., to open, uncover, discover
распиши́сь, распиши́тесь, imper. of расписа́ться, P., to sign

располо́жен, -á, -о, -ы́, laid out, situated, arranged, disposed
расположи́ть, расположу́, -поло́-жишь, -поло́жат ; -положи́л, -а, -и, P., to gain favor of, place, lay out, arrange
распоряже́ние, order, command, instruction
распределён, -á, -ó, -ы́, distributed
распределя́ть, I., to distribute
распространи́ть, распространю́, -и́шь, -я́т ; распространи́л, -а, -и, P., to spread
распространи́ться, P. of распространи́ться, to spread, extend
распуска́ться, I., to blossom
распусти́ться, P., to become unmanageable; to be slovenly; to bloom
расса́живаться, I., to take seats
рассве́т, dawn, daybreak
рассерди́ть, рассержу́, рассе́рдишь, рассе́рдят ; рассерди́л, -а, -и, P., to anger, make one angry
рассе́рженный, angry
рассе́ян, -а, -о, -ы ; рассе́янный, -ая, -ое, -ые, absent-minded, scattered, dispersed
расска́з, story
рассказа́ть, расскажу́, -ска́жешь, -ска́жут ; -сказа́л, -а, -и ; imper.: расскажи́, расскажи́те, P. of расска́зывать, to relate, tell
рассма́тривать, I., to consider
расспра́шивать, I., to question, interrogate
рассы́пать, I., рассы́пать, P., to scatter
растая́ть, P., to melt
расте́ние, plant
расти́, расту́, растёшь, растёт, -у́т ; рос, росла́, росло́, росли́, I., to grow, increase
растрёпанный, untidy, dishevelled
растро́гать, I., to touch, move
расходи́ться, расхожу́сь, расхо́дишься, -ятся ; расходи́лся, -и́лась, -и́лись, I., to separate
рва́нный, -ая, -ое, -ые ; рва́ный, -ая, -ое, -ые, torn, tattered
рвать, рву, рвёшь, рвём, рвут ; рвал, -á, -и, I., to tear, pick
реакционе́р, reactionary
ребёнок, ребёнка, pl. ребя́та, ребя́т, child

ревизо́р, inspector
революционе́р, revolutionist
революцио́нный, -ая, -ое, -ые, revolutionary
револю́ция, revolution
регла́н, raglan
ре́дкий, -ая, -ое, -ие ; ре́док, редка́, ре́дко, -и́, rare
ре́зать, ре́жу, ре́жешь, -ут ; ре́зал, -а, -и, I., to cut
рези́на, eraser, rubber
результа́т, result
река́, river
религио́зный, -ая, -ое, -ые, religious
ре́лье, rail
ре́льсовый, -ая, -ое, -ые, rail, track
реме́нь (m.), strap
реме́сленное учи́лище, trade school
реме́сленный, -ая, -ое, -ые, craftsman's, tradesman's
ремесло́, pl. ремёсла, handicraft, trade
ре́па, turnip
респу́блика, republic
реша́ть, I., to decide; to solve (a problem)
реше́ние, deliberation, decision
реши́тельный, -ая, -ое, -ые ; реши́телен, реши́тельна, -о, -ы, decisive, bold
реши́ть, решу́, реши́шь, -а́т ; реши́л, -а, -и, P., to decide
ре́чка, dim. of река́
речь (f.), speech
ржа́вый, -ая, -ое, -ые, rusty
ри́млянин, pl. ри́мляне, ри́млян, Roman
ри́мский, -ая, -ое, -ие, Roman
рисова́ть, рису́ю, -ешь, -ет, -ют ; рисова́л, -а, -и, I., to draw, paint
ритм, rhythm
ро́бкий, -ая, -ое, -ие, timid, shy
ро́вно, adv., evenly, just, exactly
    ро́вно ничего́, absolutely nothing
ро́вный, -ая, -ое, -ые, even
рог, nom. pl. рога́, horn
рога́тый, horny
род, species, sort, kind
роди́лся, see роди́ться
ро́дина, mother country
Родио́н, Rodion
роди́тели, parents
роди́тель (m.), father

роди́ться, роди́тся, родя́тся; роди́лся, родила́сь, роди́лись, Р., to be born

родно́й, -а́я, -о́е, -ы́е, his, her own, darling, relative, related by blood

родня́, relatives, kin

ро́дственник (m.), ро́дственница (f.), relative

Рождество́ Христо́во, Christmas

рожь (f.), rye

ро́зница, retail trade
в ро́зницу, by retail

рома́н, novel

романи́ст, novelist

рос, see расти́

ро́скошь (f.), luxury, sumptuousness

роско́шный, -ая, -ое, -ые, luxurious, sumptuous, splendid

росло́, see расти́

росси́йский, -ая, -ое, -ие, Russian

Росси́я, Russia

рост, height, size, growth

рот, рта, mouth

ро́ща, grove

рто́м, instr. of рот

руба́ха, shirt

рубль, рубля́ (m.), rouble

руга́ться, I., to scold, abuse

ружьё, pl. ру́жья, ру́жей, rifle, gun

рука́, hand, arm

руководи́тель (m.), guide, leader

руково́дство, guidance

рукоде́лие, handiwork, embroidery

рукопи́сный, -ая, -ое, -ые, manuscript

ру́копись (f.), manuscript

румя́нец, румя́нца, blush

румя́ный, -ая, -ое, -ые, red, rosy (rosy-cheeked)

ру́пор, loud speaker

Русла́н, Russian

ру́сский, -ая, -ое, -ие, Russian

ру́сый, -ая, -ое, -ые, fair-haired

Русь (f.), Russia

руче́й, ручья́, stream

ру́чка, gen. pl. ру́чек, handle, penholder

ру́чка, dim. of рука́

ры́ба, fish

рыба́к, fisherman

ры́бка, dim. of ры́ба

ры́бная ло́вля, fishing

рыда́ние, sob, sobbing

рыжева́тый, -ая, -ое, -ые, reddish

ры́жий, -ая, -ее, -ие, red-haired

ры́нок, ры́нка, market

ряд, series, row

рядово́й, soldier, private

ря́дом, adv., side by side, in a row

Рю́рик, (Prince) Rurik

С

с (со), prepos. (1) with the instr., with; (2) with the gen., from, since, from off

сава́нны, savannah

сад, garden

сади́сь, сади́тесь, imper. of сади́ться, сажу́сь, сади́шься, -я́тся; сади́лся, сади́лась, -и́лись, I., to sit down

сади́ться на парохо́д, to get on board a ship

са́жа, soot

сажа́ть, сажа́ю, -ешь, -ют; сажа́л, -а, -и, I., to seat, set, imprison

са́ло, lard, suet

сам, сама́, само́, самого́, само́й, само́ё (acc. f.), pl. са́ми, сами́х, сами́м, pron. self (myself, thyself, him-, it-, herself, oneself, themselves)

самова́р, tea-urn, samovar
ста́вить самова́р, to start the samovar

са́мое, see са́мый

самозва́нка, самозва́нец, impostor, counterfeit

само́й, see сам, са́мый

самопи́ска, ball-pen, fountain-pen

самостоя́тельный, -ая, -ое, -ые, independent

самоу́чка (m. and f.), self-taught person

са́мый, -ая, -ое, -ые, the same, -self, the very

са́мый before an adjective is used to form the superlative
то́ же са́мое, the same thing
то са́мое, that very
тот са́мый, та са́мая, that very

са́ни, сане́й, саня́м, pl. f., sled, sledge, sleigh

са́нки, са́нок, са́нкам, dim. of са́ни

сано́вник, dignitary

сапо́г, pl. сапоги́, сапо́г, boot

сапо́жник, shoemaker

сара́й, shed, barn

саркофа́г, sarcophagus

сати́ра, satire

са́хар, sugar
са́харный, -ая, -ое, -ые, sugar, sugary
Са́ша (Шу́ра), dim. of Алекса́ндр, Alexander
сби́ться, собью́сь, собьёшься, собью́тся; сби́лся, сби́лась, сби́лись, P., to stray, wander
    сби́ться с доро́ги, to lose one's way
сбрить, сбре́ю, сбре́ешь, -ют; сбрил, -а, -и, P., to shave, shave off
сбо́рник, collection
свари́ть, сварю́, -ишь, -ят; сва́рил, -а, -и, P., to cook, boil, scald
свежо́, it is fresh, cool
свёкла, beet
све́ргнуть, све́ргну, све́ргнешь, -ут; све́ргнул, -а, -и, P., to overthrow
еверка́ть, I., to sparkle, flash
сверну́ть, сверну́, свернёшь, -у́т; еверну́л, -а, -и, P. of свёртывать, to fold, roll; to turn off, away
сверху до́ низу, from top to bottom
свет, light, world
    до́ свету, at daybreak, at dawn
свети́ть, свечу́, све́тишь, све́тят; свети́л, -а, -и, I., to shine, light
Светла́на, Svetlana
светле́е, compar. of све́тлый and of светло́
Све́тлое Воскресе́нье } Easter
Све́тлый день } Sunday
све́тлый, -ая, -ое, -ые, light, bright
све́тский, -ая, -ое, -ие, worldly, fashionable
свеча́, candle, taper
свисте́ть, свищу́, свисти́шь, свистя́т; свисте́л, -а, -и, I., to whistle
свобо́да, liberty, freedom
свобо́дно, adv., freely, fluently
свобо́дный, -ая, -ое, -ые; свобо́ден, свобо́дна, свобо́дно, свобо́дны, free
    свобо́дное вре́мя, spare time
свое́й, see свой
свой, своя́, своё, своего́, свое́й; pl. свои́, свои́х, свои́м, common reflexive possessive pronoun or adj., my, mine, thy, thine, his, hers, ours, etc.

свя́зный, -ая, -ое, -ые, coherent
свя́тки, pl. f., the period from Christmas to Jan. 6
свято́й, -а́я, -о́е, -ы́е, holy, saintly
Святосла́в, Prince Sviatoslav
святы́ня, holy thing, object of worship
свяще́нник, priest
сда́ться, сда́мся, сда́шься, сдаду́тся; сда́лся, сдала́сь, сдали́сь P., to surrender
сде́лай, сде́лайте, imper. of сде́лать
сде́лан, -а, -о, -ы, made
сде́лать, P. of де́лать
сде́латься, P. of де́латься
себе́, see себя́
себя́, себе́, собо́ю ((собо́й), common reflexive pron., oneself, myself, thyself, etc.
    про себя́, (to talk) to oneself; about oneself
Севасто́поль (m.), Sebastopol
се́вер, north
се́верный, -ая, -ое, -ые, northern
се́веро-восто́чный, north-eastern
сего́дня, adv., to-day
седо́й, -а́я, -о́е, -ы́е, grey-haired, grey
седьмо́й, -а́я, -о́е, -ы́е, seventh
с'езжа́ться, I., to come down, come together, gather
сей, сия́, сиё, сего́, сей; pl. сий, сих, сим; demonstrative pron. of the object at hand: this
сейча́с, adv., now, at once, this instant
секрета́рь (m.), secretary
секу́нда, second
    на секу́нду, for a moment
сел, see сесть
селе́ние, settlement
село́, nom. pl. сёла, village (with church)
се́льский, -ая, -ое, -ие, village rustic
се́льско-хозя́йственный, -ая, -ое, -ые, rural, agricultural
семе́йный, -ая, -ое, -ые, family, belonging to a family
Семён, Simon
семена́, pl. of се́мя
Семёновский, Semeonovsky
семидеся́тый, -ая, -ое, -ые, seventieth
    семидеся́тые го́ды, the '70's

семна́дцатый, -ая, -ое, -ые, seven-
teenth
семна́дцать, seventeen
семь, seven
се́мьдесят, seventy
семьсо́т, seven hundred
се́мя, pl. семена́, семя́н, семена́м,
seed, grain
семья́, семьи́, семье́, pl. се́мьи,
семей, се́мьям, family
семьяни́н, family man
Сена́т, Senate
сена́тор, senator
се́ни, pl. f., сене́й, vestibule
сенно́й, -а́я, -о́е, -ы́е, hay
се́но, hay
сеноко́с, hay-making (mowing)
сентя́брь (m.), September
Се́ня, dim. of Семён
Се́рбия, Serbia
Серге́й, Sergius
Серге́евич, son of Sergius
серди́то, adv., angrily
серди́тый, -ая, -ое, -ые; серди́т,
-а, -о, -ы, angry
серди́ться, сержу́сь, се́рдишься,
се́рдятся; серди́лся, серди́лась,
серди́лись, I., to be angry, get
angry
се́рдце, pl. сердца́, серде́ц, серд-
ца́м, сердца́х, heart
серебро́, silver
сере́бряный, -ая, -ое, -ые,
silver
середи́на, center, middle
серп, sickle
се́рый, -ая, -ое, -ые, grey
серьга́, pl. се́рьги, серёг, earring
серьёзнее, compar. of серьёзный
серьёзно, adv., seriously
серьёзный, -ая, -ое, -ые, serious
сестёр, see сестра́
с'естно́й, -а́я, -о́е, -ы́е, eatable,
edible
с'естны́е припа́сы, foodstuffs, vict-
uals
сестра́, pl. сёстры, сестёр, сёстрам,
сёстрами, сёстрах, sister
сестри́ца, little sister
сесть, ся́ду, ся́дешь, ся́дут; сел,
се́ла, се́ло, се́ли, P. of сади́ться,
to sit down
се́тка, gen. pl. се́ток, net
се́ять, се́ю, се́ешь, се́ет, се́ют;
се́ял, -а, -и, I., to sow
сжать, сожну́, сожнёшь, сожну́т;
сжал, сжа́ла, -и, P., to reap

сжечь, сожгу́, сожжёшь, сожжёт,
сожгу́т; сжёг, сожгла́, сожгло́,
сожгли́, P. of жечь and сжига́ть,
to burn, burn up
сжига́ть, I., to burn up
сза́ди, behind
Сиби́рь (f.), Siberia
сиби́рский, -ая, -ое, -ие, Siberian
сиде́ть, сижу́, сиди́шь, сиди́т,
сидя́т; сиде́л, -а, -и, I., to sit
сиде́ть до́ма, to stay at home
сиди́, сиди́те, imper. of сиде́ть
си́ла, force, strength
Сильве́стр, Sylvester
си́льно, adv., strongly, hard
си́льный, -ая, -ое, -ые; силён,
сильна́, си́льно, -ы́, strong
Симби́рск, Simbirsk (city)
симпа́тия, sympathy
сине́ть, сине́ю, -ешь, -ют; сине́л,
-а, -и, I., to appear blue, grow
blue, bluish
си́ний, -яя, -ее, -ие, dark blue
Сино́д, Synod
сирота́ (m. and f.), orphan
сиро́тский, -ая, -ое, -ие, orphan's
си́тец, си́тца, chintz
сих, see сей
сия́, see сей
сия́ть, сия́ю, сия́ешь, -ют; сия́л,
-а, -о, -и, I., to beam, shine
ска́жем, let's say; see сказа́ть
скажи́, скажи́те, imper. of сказа́ть
сказа́ть, скажу́, ска́жешь, ска́жет,
ска́жут; сказа́л, -а, -и, P., to
say, tell
ска́зан, -а, -о, -ы, said, told
ска́зка, gen. pl. ска́зок, tale, fairy
tale
скака́ть, скачу́, ска́чешь, ска́чут
скака́л, -а, -и; скачи́, скачи́те,
imper. I., to gallop, jump
скала́, crag, rock
скаме́йка, gen. pl.: скаме́ек, dim.
of скамья́
скамья́, gen. pl.: скаме́й, bench
сканда́л, scandal
ска́терть (f.), tablecloth
скати́ться, скачу́сь, ска́тишься,
ска́тятся; скати́лся, скати́лась,
скати́лись, P., to roll down
скачи́, see скака́ть
ска́чки, races
скве́рный, -ая, -ое, -ые, bad, poor
сквозь, adv. and prepos. (gen. or
acc.), through, between
ски́петр, sceptre

скла́дка, fold, pleət
скла́дно, adv., coherently, smoothly
скла́дывать, I., to put together;
to add; to fold
склон, slope, decline
на скло́не лет, in one's declining years
склоня́ться, I., to bend over;
incline; decline
скля́нка, glass jar
ско́лько, adv., how much, how
many, as much as
скоморо́х, jester, clown, prankster
сконча́ться, сконча́юсь, сконча́-
ешься, сконча́ется, -ются;
сконча́лся, -а́лась, -а́лись, P.,
to die, decease
скоре́е, скоре́й, compar. of ско́рый
and ско́ро, more quickly, quicker
скоре́е да скоре́е, make haste,
hurry up
скоре́йший, -ая, -ее, -ие, superl.
of ско́рый
ско́ро, adv., soon, quickly
ско́рый, -ая, -ое, -ые, fast,
prompt, quick
скот, cattle, herd of cattle
скоти́на, cattle, head of cattle
скрип, creaking
скрипа́ч, violinist
скри́пка, violin
скрипя́, present gerund of скри-
пе́ть, I., to scratch, creak
скро́мный, -ая, -ое, -ые; скро́мен,
скромна́, -о, -ы́, modest
скры́ться, скро́юсь, скро́ешься,
скро́ются; скры́лся, скры́лась,
скры́лось, скры́лись, P., to vanish, hide
ску́ка, weariness, boredom
ску́чно, adv., wearily, tediously
мне ску́чно, I am weary, I am
bored
слабе́ть, I., to become weak
сла́бый, -ая, -ое, -ые, weak
сла́ва, fame, glory, renown, repute
сла́ва Бо́гу, thank Heavens,
thank the Lord
сла́вный, -ая, -ое, -ые; сла́вен,
славна́, сла́вно, -ы́, honorable,
glorious, famous
славяни́н, pl. славя́не, славя́н,
славя́нам, Slav
славя́нский, -ая, -ое, -ие, Slavic,
Slavonic
сла́дкий, -ая, -ое, -ие, sweet,
sweets

слать, шлю, шлёшь, шлёт, шлют;
слал, -а, -и, I., to send
слегка́, adv., slightly, lightly
следи́ть, слежу́, следи́шь, следи́т,
следя́т; следи́л, -а, -и, I., to
follow, watch
сле́довать, сле́дую, сле́дуешь,-ют;
сле́довал, -а, -и, I., to follow,
go after
сле́дующий, -ая, -ее, -ие, following, subsequent
слеза́, pl. слёзы, слёз, слеза́м,
слеза́х, tear
слепо́й, -а́я, -о́е, -ы́е, blind
сли́ва, plum
сли́шком, too, too much, over,
above, extra
сло́во, nom. pl. слова́, слове́чко,
dim., word
сло́вно, adv., as if
сло́вом, in short, in a word
сло́жён, see сло́женный
сло́жен, see сло́жный
сло́женный, -ая, -ое, -ые; сло́жён,
сложена́, сложены́, built (phy-
sique)
сложи́, imper. of сложи́ть
сложи́ть, сложу́, сло́жишь, сло́жит,
сло́жат; сложи́л, -а, -и, P., to
put down, give up, put together,
spell
скла́дывать, I., to add up
сложи́ться, P., to be composed
сло́жный, -ая, -ое, -ые; сло́жен,
сложна́, -о, -ы́, complicated,
complex, intricate
слой, layer, stratum
слома́ться, I., to break, to be
broken
сломи́ть, сломлю́, сло́мишь, сло́-
мит, сло́мят; сломи́л, -а, -о,
-и, P., to break, break down
слон, elephant
слу́жба, service, employment, job
служи́ть, служу́, слу́жишь, -ат;
служи́л, -а, -и, I., to serve
слу́чай (m.), event, incident, acci-
dent, occurrence
случа́ться, случа́ется, случа́ются;
случа́лся, случа́лась, случа́лось,
I., to happen
случи́ться, случи́тся, случи́лся,
P., to happen
слу́шай, слу́шайте, imper. of
слу́шать
слу́шать, I., to hear, listen to
слу́шаться, слу́шаюсь, -ешься,

-ется, -ются; слу́шался, -алась
-ались, I., to obey, pay heed
слы́шать, слы́шу, слы́шишь, -ат;
слы́шал, -а, -и, I., услы́шать,
P., to hear, to be told
слы́шаться, I., to resound, to be
heard
слы́шно, imp., one can hear, one
hears
смеле́е, compar. of сме́лый
сме́лый, -ая, -ое, -ые; смел,
смела́, сме́ло, -ы, bold
сме́на, shift, change, relay
сме́рить, P., to measure
смерте́льный, -ая, -ое, -ые, mortal
смерть (f.), death
сметь, сме́ю, сме́ешь, сме́ет,
сме́ют; смел, -а, -и, I., to dare
смех, laughter
    да́же смех меня́ разобра́л, I
    couldn't help laughing out
    (loud) (bursting out laughing)
смешно́й, -а́я, -о́е, -ы́е, funny
смея́ться, сме́юсь, сме́ёшься, сме-
ю́тся; смея́лся, смея́лась, сме-
я́лись, I., to laugh
смире́ние, humility
сми́рно, quietly
смо́гут, see мочь
смо́лоду, adv., from youth up
смотре́ть, смотрю́, смо́тришь, -ят;
смотре́л, -а, -и, imper.: смотри́,
смотри́те, I.; посмотре́ть, P.,
to look
сму́глый, -ая, -ое, -ые, swarthy
сму́та, disturbance, riot
    го́ды сму́ты, Time of Troubles
смуща́ться, I., to be embarrassed,
to be shy, timid
смысл, meaning, sense
смычёк, смычка́, bow
сна, see сон
снача́ла, adv., at first, from the
beginning
снег, nom. pl. снега́, snow
сне́жный, -ая, -ое, -ые, snowy
снежо́к, снежка́, snowball
снести́, снесу́, снесёшь, снесёт,
-у́т; снёс, снесла́, -о́, -и́, P., to
carry down, take away, sweep
away
сни́зу, adv., from below
снисходи́тельный, -ая, -ое, -ые,
indulgent, lenient
сно́ва, adv., again
сноп, sheaf
снять, P., to take off

соба́ка, dog
соба́чий, соба́чья, -ье, -ьи, dog's;
doggy, dog-like
собира́ть, I., to collect, gather
собира́ться, I., to gather, come
together, get ready to go
собо́й, собо́ю, instr. of себя́
    ме́жду собо́й, between, among
    themselves
    с собо́ю, with oneself
собо́р, cathedral
со́бран, -а, -о, -ы, gathered, put
together, collected
собра́ние, gathering, meeting
собра́ть, соберу́, -ёшь, -ёт, -у́т;
собра́л, -а, -о, -и, P., to as-
semble, gather, collect, put together
собра́ться, P. of собира́ться
со́бственность (f.), property
со́бственный, -ая, -ое, -ые, own
собы́тие, event
сова́ть, I., to poke, shove
соверша́ться, I., соверши́ться, P.,
to take place, occur, to be per-
formed
соверше́нно, adv., absolutely
соверши́ть, совершу́, -и́шь, -а́т;
соверши́л, -а, -и, P., to accom-
plish, make
со́вестно, adv., shamefully
    мне со́вестно, I am ashamed
со́весть (f.), conscience
сове́т, advice, counsel
Сове́т, Council, Soviet
сове́тник, adviser
сове́товать, I., to advise
сове́товаться, сове́туюсь, сове́ту-
ешься, сове́туется, -ются; со-
ве́товался, -алась, -алось, -ал-
ись, I., to take counsel, consult
сове́тский, -ая, -ое, -ие, of the
Soviet, Soviet's
совеща́ние, conference
совме́стно, adv., together
совме́стный, -ая, -ое, -ые, joint,
cooperative
совпа́л, see совпа́сть
совпа́сть, совпаду́, -дёшь, -у́т;
совпа́л, -а, -о, -и, P., to coincide
совреме́нник, contemporary
совреме́нный, -ая, -ое, -ые, contemporary
совру́, соврёшь, -ут, future of
совра́ть, P., to lie
совсе́м, adv., all together, entirely,
quite

совсе́м не, not at all
совсе́м не так, quite differently
совхо́з, Soviet State farm
сове́тское хозя́йство, Soviet National economy
согла́сен, согла́сна, согла́сны, willing, agreed
согла́сие, consent, assent, agreement
согласи́ться, соглашу́сь, согла́сишься, соглася́тся; согласи́лся, -и́лась, -и́лись, Р., of соглаша́ться, to agree
согла́сный, -ая, -ое, -ые, consenting, agreeing
   согла́сная бу́ква, consonant
соде́йствовать, соде́йствую, -ешь, -ют; соде́йствовал, -а, -и, I., to help, cooperate
содержа́ние, content, contents
соедини́ть, соединю́, -и́шь, -я́т; соедини́л, -а, -и, Р., to unite
созда́ть, созда́м, созда́шь, созда́ст, создаду́т; со́здал, -а, и, Р. of созида́ть, to create, construct
созна́ться, Р., to confess, admit
созре́ть, созре́ю, созре́ешь, -е́ют; созре́л, -а, -о, -и, Р. of созрева́ть, to ripen, mature
солда́т, gen. pl. солда́т, soldier
   в солда́ты, see взять
солда́тский, -ая, -ое, -ие, soldier's
солёный, -ая, -ое, -ые, salty, salted
соли́ть, солю́, со́лишь, со́лят, соли́л, -а, -и, I., to salt
со́лнце, sun
со́лнышко, dim. of со́лнце
солове́й, соловья́, pl. соловый, соловьёв, соловья́м, nightingale
соло́ма, straw
соль (f.) salt
сон, сна, сну, сне, pl. сны, снов, снам, снах, sleep, dream
со́нный, -ая, -ое, -ые, sleepy
сопровожда́ть, I., to accompany
сопротивле́ние, opposition
сор, rubbish
соревнова́ние, competition, contest
со́рок, forty
сороково́й, -ае, -ое, -ые, fortieth
   сороковы́е го́ды, the '40's
сосла́ть, сошлю́, сошлёшь, сошлёт, сошлю́т; сосла́л, -а, -и, Р., to banish, exile
сосло́вие, social, class
сосна́, gen. pl. со́сен, pine

сосно́вый, -ая, -ое, -ые, pine
сосе́д, pl. сосе́ди, сосе́дей, сосе́дям, neighbour
сосе́дний, -яя, -ее, -ие, neighbouring
со́слан, -а, -о, -ы, exiled
соста́вить, соста́влю, соста́вишь, -ят; соста́вил, -а, -и, Р., to make up, form, prepare
соста́влен, -а, -о, -ы, composed, made up
составля́ть, I., to represent, constitute
состоя́ние, state, condition
состоя́ть, состою́, состои́шь, -стои́т, -стои́т; состоя́л, -а, -и, I., to consist
сосчита́ть, сосчита́ю, -ешь, -ют; сосчита́л, -а, -и, Р., to count
сотворе́ние, creation
сотвори́ть, сотворю́, -и́шь, -я́т; сотвори́л, -а, -и, Р., to create
сотру́, сотрёшь, -ут, future of стере́ть, Р., to rub off; rub into
Софи́йский, -ая, -ое, -ие (from Софи́я), of Sophia
соха́, plough
сохрани́ть, сохраню́, -и́шь, -я́т; сохрани́л, -а, -и, Р., to preserve, keep
сохрани́ться, I., to be preserved
социа́л-демокра́т, Social-Democrat
социалисти́ческий, -ая, -ое, -ие, Socialist, socialistic
сочине́ние, composition, literary work
сочиня́ть, I., to compose, write
со́чный, -ая, -ое, -ые; со́чен, сочна́, -о, -ы́, juicy
сошьёт, 3rd p. s. future of сшить, сошью́, сошьёшь, -ют, Р., to sew
сою́з, union
сою́зник, ally
спа́льня, gen. pl. спа́лен, bedroom
спас, спасла́, see спасти́
спасе́нье, safety, rescue, salvage
спаси́бо, adv., thanks, thank you
спасти́, спасу́, спасёшь, спасёт, спасу́т; спас, спасла́, спасли́, Р. of спаса́ть, to save, rescue
спать, сплю, спишь, спит, спят; спал, -а́, -и, I., to sleep
спекта́кль (m.), show, play
спе́лый, -ая, -ое, -ые, ripe
спеть, спе́ю, спе́ешь, спе́ют; спел, спе́ла, -и, I., to ripen

спеши́ть, спешу́, спеши́шь, -а́т; спеши́л, -а, -и, I., to hasten, hurry

спина́, back

спит, see спать

спишь, see спать

спи́чка, gen. pl. спи́чек, match

сплоти́ть, сплочу́, сплоти́шь, сплотя́т; сплоти́л, -а, -и, P., to join

сплоти́ться, imper.: сплоти́тесь, P., to join, unite one's forces

споко́йно, adv., calmly, quietly

споко́йный, -ая, -ое, -ые; споко́ен, споко́йна, споко́йно, -ы, quiet, calm

спор, dispute, quarrel

идти́ на спор, to bet

спо́рить, спо́рю, спо́ришь, -ят; спо́рил, -а, -и, I., to dispute, quarrel

спо́риться, I., to succeed

де́ло спо́рится, things hum; everything goes well

спо́рщик, wrangler

спосо́бность, (f.) faculty, ability, talent

спосо́бный, -ая, -ое, -ые; спосо́бен, спосо́бна, -о, -ы, able, talented, gifted

споткну́ться, P., to stumble

справедли́вый, -ая, -ое, -ые; справедли́в, -а, -о, -ы, just, equitable

спра́вимся, we'll manage!

спра́виться, P., to manage; get along

спра́шивать, спра́шиваю, -ешь, -ют, I.; спроси́ть, спрошу́, спро́сишь, спро́сят; спроси́л, -а, -и, P., to ask, inquire

спрос, request, demand

без спро́су, without asking; without permission

спря́тать, спря́чу, спря́чешь, спря́чут; спря́тал, -а, -и, P., to hide, conceal

спря́таться, спря́чусь, спря́чешься, -утся; спря́тался, -алась, -ались, P., to hide oneself

спустя́, after, afterwards, later, later on

сравне́ние, comparison

сравня́ть, сравня́ю, сравня́ешь, сравня́ют; сравня́л, -а, -и, P., to level down, raze to the ground

сраже́ние, battle

сра́зу, adv., all at once, at one stroke

срам, shame, disgrace

среда́, Wednesday

среди́, prepos. with the gen., among, amidst, in the middle

сре́дний, -яя, -ее, -ие, middle

в сре́днем, in average

сре́дняя шко́ла, high school, secondary school

сре́дство, means

сро́ду, in all one's born days

сро́чный, -ая, -ое, -ые, urgent, pressing

срыва́ть, I., to tear off

ссо́ра, quarrel

ссо́риться, ссо́рюсь, ссо́ришься, -ятся; ссо́рился, ссо́рилась, -лись, I., to quarrel

СССР, Сою́з Сове́тских Социалисти́ческих Респу́блик, USSR, Union of Soviet Socialist Republics

ссы́лка, exile

ссыла́ть, I., сосла́ть, P., to exile

ста́вить, ста́влю, ста́вишь, -ят; ста́вил, -а, -и, I., to put

ста́вить, спекта́кль, спекта́кли, to stage a play (plays)

ста́до, nom. pl. стада́, herd

стал, 3rd p. s. past of стать

ста́ло быть, consequently, it means; accordingly

станови́ться, становлю́сь, стано́вишься, -ятся; станови́лся, -и́лась, -и́лись, I., to become

ста́нция, station, plant

стара́ться, стара́юсь, стара́ешься, -ются; стара́лся, -а́лась, -а́лись, I., to try, endeavor

стари́к, old man

старина́, antiquity

по стари́нке, as of old; times of yore

стари́нный, -ая, -ое, -ые, ancient, old

ста́рост., elder, monitor

ста́рость (f.), old age

стару́ха, old woman

стару́шка, gen. pl. стару́шек, dim. of стару́ха

ста́рший, -ая, -ее, -ие, older, higher

ста́рший класс, senior class

ста́рый, -ая, -ое, -ые; стар, стара́, ста́ро, -ы́, old

стать, ста́ну, ста́нешь, -ут; стал,

-а, -о, -и, P., to become, begin, start

статья́, gen. pl. стате́й, article

ста́я, flock

стеари́новый, -ая, -ое, -ые, stearing, paraffin

стека́ться, I., to gather, flock

стекло́, pl. стёкла, стёкол, стёк-лам, window pane, glass

стекля́нный, -ая, -ое, -ые, glass

стена́, wall

стенно́й, adj., wall
    стенна́я пре́сса, wall news-paper

степь (f.), steppe, plain

стира́ть, I., to rub, rub off; wash off

стих, verse
    писа́ть стихи́, to write poetry

стиха́ть, I., to quiet down, abate

стихотворе́ние, poem, piece of poetry

стихотво́рец стихотво́рца, poet

сто, hundred

стог, nom. pl. стога́, haystack

стой, imper. of стоя́ть

стои́т, see стоя́ть

сто́ить, сто́ю, сто́ишь, сто́ят; сто́ил, -а, -о, -и, I., to cost

стол, table

столе́тие, century

столи́ца, capital city

столо́вая, dining room

сто́лько, so much, as much

стон, groan, moan

сто́рож, pl. сторожа́, сторожéй, watchman

сторожи́ть, сторожу́, -и́шь, -а́т; сторожи́л, -а, -о, -и, I., to guard, watch

сторона́, side, country

сторони́ться, сторою́сь, сторо-ни́шься, -я́тся; сторони́лся, -и́лась, -и́лись, I., to shun, avoid

стоя́ть, стою́, -и́шь, -я́т; стоя́л, стоя́ла, -о, -и; imper. стой, сто́йте, I., to stand, stand by, stop
    стоя́ть на коле́нях, to kneel

страда́ние, suffering

страда́ть, I., to suffer

страна́, country

страни́ца, page

стра́нно, adv., strangely

стра́нный, -ая, -ое, -ые, strange, queer

страх, fear

стра́шный, -ая, -ое, -ые; стра́-шен, страшна́, стра́шно, стра-шны́, frightful, awful, terrible
    стра́шный суд, Doomsday, day of Judgment

стре́лка, pl. стре́лки, стре́лок, hand, needle

стро́гий, -ая, -ое, -ие; строг, строга́, стро́го, строги́, strict, stern

стро́го, adv., strictly, sternly

строй, system, formation

стро́йный, -ая, -ое, -ые; стро́ен, стройна́, стро́йно, стройны́, harmonious, shapely, stately

строи́тель (m.), builder

стро́ить, стро́ю, -ишь, -ят; стро́ил, -а, -и, I., to build

стро́иться, I., to be built

стро́чка, dim. of строка́, line

студе́нт (m.), студе́нтка (f.), student

студе́нческий, -ая, -ое, -ие, student's

стук, knock, clatter, noise

сту́льев, see стул

стул, pl. сту́лья, сту́льев, сту́ль-ям, сту́льями, сту́льях, chair

стуча́ть, стучу́, -и́шь, -а́т; стуча́л, -а, -о, -и, I., to knock, pound, rap

стуча́ться, I., to knock

сты́дно, shame, ashamed

суббо́та, Saturday

суд, court, judgment

судя́, sec су́дно

суда́рыня, (young) lady, (my) dear lady; lady

су́дно, pl. суда́, судо́в, ship, boat vessel

судьба́, fate, destiny

суёт, 3rd p. s., pres. of сова́ть (сую́, суёшь, -ют), I., to shove; poke

суета́, bustle, vanity

суме́ть, P., to be able

су́мка, gen. pl. су́мок, bag, satchel

сунду́к, trunk, coffer

су́нуть, су́ну, су́нешь, су́нут; су́нул, -а, -о, -и, P. of сова́ть, сую́, суёшь, суёт, сую́т; сова́л, -а, -и, to thrust in

супру́г, husband

суро́во, adv., sternly

суро́вый, -ая, -ое, -ые; суро́в, суро́ва, -о, -ы, stern, harsh

су́тки, су́ток (f. pl.), twenty-four hours

сухо́й, -а́я, -о́е, -и́е, dry
суши́ть, сушу́, су́шишь, -ат; суши́л, -а, -и, I., to dry
существо́, creature
существова́ть, существу́ю, -ешь, -ют; существова́л, -а, -о, -и, I., to exist
су́щность (f.), substance, main point
   в су́щности, in the main, in reality
схвати́ть, схвачу́, схва́тишь, схва́тят; схвати́л, -а, -и, P., to seize, grasp
сходи́ть, P., to descend; come down
схо́дка, gen. pl. схо́док, meeting
сце́на, scene, stage
сча́стье, happiness, luck
счастли́вейший, -ая, -ее, -ие, superl. of счастли́вый
счастли́вый, -ая, -ое, -ые; сча́стлив, -а, -о, -ы, happy
счёт, nom. pl. счета́, account, count bill
   в два счёта, right away; in two shakes
счетово́д, accountant
счёты, abacus
счита́ть, I., to consider, regard, reckon, rate
счита́ться, счита́юсь, счита́ешься, счита́ются; счита́лся, счита́лась, -а́лись, I., to be considered
сын, pl. сыновья́, сынове́й, сыновья́м, son
сыро́й, -а́я, -о́е, -ы́е, damp
сырьё, raw produce
сюда́, adv., here (with motion)
сюрту́к, frock-coat

Т

та, see тот
таба́к, tobacco
та́бель (f.), list, report card
табуре́т, табуре́тка, stool
тайко́м, adv., secretly
та́йно, adv., secretly
та́йный, -ая, -ое, -ые, secret
так, adv., so, thus
т.д., так да́лее, so forth
та́кже, adv., also, similarly
так как, since, as, because
та́к-то, so, thus
таки́м о́бразом, in this manner, thus

тако́й, така́я, тако́е, таки́е, such, that sort of
тако́й-же, the same, of the same sort
та́ктика, tactics
тала́нт, talent
тала́нтливо, adv., with talent
тала́нтливый, -ая, -ое, -ые; тала́нтлив, -а, -о, -ы, gifted, talented
там, adv., there, over there (without motion)
Та́нин, poss. adj., Tanya's
танцова́ть, танцу́ю, -ешь, -ют; танцова́л, -а, -и, I., to dance
таска́ть, I., to carry, pull, drag
тата́рин, pl. тата́ры, тата́р, тата́рам, Tartar
тата́рский, -ая, -ое, -ие, Tartar
тащи́ть, тащу́, та́щишь, та́щит, -ат; тащи́л, -а, -о, -и, I., to pull, drag
твёрдо, adv., firmly, strongly
твёрдый, hard, firm
твой, твоя́, твоё, твоего́, твоей; pl. твои́, твои́х, твои́м, thy, thine
творе́ц, творца́, creator
твори́ть-ся, I., to create
те, pl. of то, тот, та
теа́тр, theatre
театра́льный, -ая, -ое, -ые, theatrical
тебе́, dat. or loc. of ты
тебя́, gen. & acc. of ты
текли́, see течь
текст, text
телегра́ф, telegraph
телёнок, телёнка, pl. теля́та, теля́т, calf
телефо́н, telephone
телефо́нная тру́бка, telephone receiver, microphone
те́ло, body
теля́т, see телёнок
тем, see тот
те́ма, theme, topic
темно́, dark, it is dark
темнота́, darkness
темне́ть, темне́ю, темне́ешь, темне́ет, темне́ют; темне́л, -а, -и, I., to become, grow dark
тёмнору́сый, -ая, -ое, -ые, auburn
тёмный, -ая, -ое, -ые; тёмен, темна́, тёмно, темны́, dark
тень (f.), shadow, shade
тепе́рь, adv., now, at present

тепло́, warm, it is warm, hot
теплота́, warmth
тёплый, -ая, -ое, -ые; тёпел, тепла́, тепло́, теплы́, warm
терпе́ть, терплю́, те́рпишь, -ят; терпе́л, -а, -и, I., to bear, endure
теря́ть, теря́ю, теря́ешь, теря́ет, теря́ют; теря́л, -а, -и, I., to lose
те́сно, see те́сный
те́сный, -ая, -ое, -ые; те́сен, тесна́, те́сно, тесны́, narrow, crowded, close, tight
тётя, aunt
тече́ние, current, course
    в тече́ние, during, in the course of
течь, течёшь, течёт, теку́т; тёк, текла́, текли́, I., to flow
те́шить, те́шу, те́шишь, -ат; те́шил, -а, -и, I., to amuse
тигр, tiger
типогра́фия, printing-house
ти́хий, -ая, -ое, -ие; тих, тиха́, ти́хо, тихи́, mild, quiet, soft
Ти́хий Океа́н, Pacific Ocean
ти́хо, adv., quietly
тиша́йший, superl. of ти́хий
ти́ше! quiet!
тишина́, silence, calm, quiet
ткань (f.), textile, fabric
ткать, тку, тчёшь, ткут; ткал, -а, -и, I., to weave
ткнуть, P., to poke, thrust
то, n. singular of the pron. тот, that
    а то, otherwise
    то, then
    то . . . то, now . . . now
    не про то́, not about that (this)
това́р, property, goods, merchandise
това́рищ, pl. това́рищи, това́рищей, comrade
тогда́, adv., then, at that time
того́, gen. of то, тот
т.е., то́-есть, that is, that is to say
то́же, adv., also, likewise
той, see та
ток, current
толк, sense, meaning; rumor; talk
толка́ть, толка́ю, -ешь, -ют; толка́л, -а, -и, I., толкну́ть, толкну́, толкнёшь, -у́т; толкну́л, -а, -и, P., to push
толпа́, crowd, throng

толпи́ться, толпи́тся, толпя́тся; толпи́лся, толпи́лась, толпи́лись, I., to crowd
то́лстый, -ая, -ое, -ые, thick, fat
то́лько, adv., only
том, dim. то́мик, volume
тому́, dat. of тот
    тому́ наза́д, ago
    тому́ подо́бное
    и тому́ подо́бное—
    и т.п., and the like
тон, tone (of voice), intonation
то́ненький, -ая, -ое, -ие, dim. of
то́нкий, -ая, -ое, -ие; то́нок, тонка́, то́нко, -й, thin, fine, delicate, shrill (voice)
то́нко, adv., finely, delicately
тону́ть, тону́, то́нешь, то́нет, -ут; тону́л, -а, -и, I., to sink, drown
топи́ть, топлю́, то́пишь, -ят; топи́л, -а, -и, I., to heat
топта́ть, топчу́, то́пчешь-ут, I., to trample
торгова́ть, торгу́ю, торгу́ешь, -ют; торгова́л, -а, -и, I., to carry on trade, sell
торго́вец, торго́вца, dealer, huckster
торго́вля, trade, commerce
торго́вый, -ая, -ое, -ые, commercial, business
торже́ственный, -ая, -ое, -ые, solemn
торжеству́юще, adv., triumphantly
торопи́ть, тороплю́, торо́пишь, -ят; торопи́л, -а, -и, I., to hurry on, hasten
торопи́ться, I., to be in a hurry
торопли́во, adv., hastily
тоска́, melancholy, weariness, sadness, anguish
тоскли́вый, -ая, -ое, -ые; тоскли́в тоскли́ва, -о, -ы, melancholy, sad
тоскова́ть, тоску́ю, тоску́ешь, тоску́ет, -ют; тоскова́л, -а, -и, I., to grieve, yearn, long
тот(m.), то (n.), того́, тому́, тем, том; та (f.), той, той, ту, то́ю, той; pl. for all genders: те, тех, тем, те́ми, тех, demonstr. pron. of the object removed: that
то́тчас, adv., right away
то́чка, gen. pl. то́чек, point, dot
то́чно, adv., precisely
трава́, grass, weed
траги́ческий, -ая, -ое, -ие, tragic

трамва́й, street car

тре́бовать, тре́бую, тре́буешь, -ют; тре́бовал, -а, -и, I., to demand

трово́га, alarm, anxiety

тре́петный, -ая, -ое, -ые, trembling, quivering

треску́чий, -ая, -ее, -ие, pinching, sharp

тре́тий, тре́тья, -ье, -ьи, third

треть (f.), a third

третьекла́сник, third year pupil

тре́тьи, see тре́тий

Третьяко́вский, -ая, -ое, -ие, of Tretiakov

три, трёх, трём, тремя́, three

тридца́тый, -ая, -ое, -ые, thirtieth

три́дцать, thirty

трина́дцатый, -ая, -ое, -ые, thirteenth

трина́дцать, thirteen

три́ста, three hundred

тро́йка, gen. pl. тро́ек, a team of three horses abreast

тро́нуть, тро́ну, -ешь, -ут; тро́нул, -а, -и, P. of тро́гать, to touch

тропа́, path, trail

тро́пики, (pl.), tropics

трофе́я, trophy

труба́, chimney, stack

трубочи́ст, chimney sweep

труд, labor, work, writing

труди́ться, тружу́сь, тру́дишься, тру́дятся; труди́лся, -и́лась, -и́лись, I., to labor, work, toil

трудне́е, compar. of тру́дный and of тру́дно

тру́дно, with difficulty, it is difficult

тру́дность (f.), difficulty

тру́дный, -ая, -ое, -ые; тру́ден, трудна́, тру́дно, -ы́, difficult, laborious

трудолюби́вый, -ая, -ое, -ые; трудолюби́в, трудолюби́ва, трудолюби́вы, hard-working, industrious

трудя́щийся, трудя́щаяся, трудя́щиеся, worker, toiler, working masses

тру́женик, тру́женица, toiler, worker

тру́пик, dim. of труп, corpse, dead body

трясти́, трясу́, трясёшь, -ёт, -у́т; тряс, трясла́, трясло́, трясли́, I., to shake, shiver

туда́, adv., there (with motion), thither

тужи́ть, I., to grieve

Ту́ла, Tula (city)

тума́н, fog, mist

тума́нный, foggy

туре́цкий, -ая, -ое, -ие, Turkish

Ту́рция, Turkey

тут, adv., here, there (without motion), then

вот ту́т-то, that's where; that's it

ты, тебя́, тебе́, тобо́ю, тебе́, thou, thee

ты́сяча, thousand

тысячеле́тие, a thousand years

тюрьма́, gen. pl. тю́рем, prison

сажа́ть в тюрьму́, to imprison

тяжёлый, -ая, -ое, -ые; тяжёл, тяжела́, тяжело́, -ы́, heavy, hard, sad

тяну́ться, тяну́сь, тя́нешься, тя́нется, тя́нутся; тяну́лся, -лась, -лись, I., to extend, stretch

У

у, prepos. with gen. indicating proximity, possession, etc.:

у меня́, I have

у окна́, near the window

у него́ се́рдце дро́гнуло, his heart shuddered

у нас, at our house

убаю́кивать, I., to lull, to sleep

убега́ть, убега́ю, -а́ешь, -а́ют; убега́л, -а, -и, I.; убежа́ть, убегу́, убежи́шь, убегу́т; убежа́л, -а, -и, P., to run away, flee

убежда́ть, I., to persuade, convince

убеждён, -а́, -о́, -ы́, convinced

убива́ть, убива́ю, -а́ешь, -а́ют; убива́л, -а, -и, I., to kill

уби́йца, murderer

убира́ть, I., to remove, put away; take away; put things in order, straighten out

уби́тый, -ая, -ое, -ые; уби́т, -а, -о, -ы, killed

убо́рка, storing, harvest, gathering in

убра́ться, уберу́сь, уберёшься, уберу́тся; убра́лся, -а́лась, -а́лись, P., to get out, depart

убыва́ть, I., to diminish

увели́чиваться, увели́чиваюсь,
-ешься, -ются, I., to increase,
augment

уве́рен, уве́рена, -о, -ы, certain,
convinced

уви́деть, уви́жу, уви́дишь, -ят;
уви́дел, -а, -о, -и, P., to catch
sight of, see again

углём, instr. of у́голь

угова́ривать, I., to urge, exhort,
уговори́ть, P., to coax

уго́дно, as one likes
как мне уго́дно, as I like
Бо́гу уго́дно, God willing

у́гол, угла́, corner
в углу́ (loc.), in the corner

уголо́к, уголка́, dim. of у́гол

у́голь, угля́ (m.), coal

угрю́мый, -ая, -ое, -ые; угрю́м,
-а, -о, -ы, sad, stern, gloomy,
morose

удава́ться, I., уда́ться, P., to
succeed

уда́р, stroke, blow

уда́рить, уда́рю, уда́ришь, уда́рят;
уда́рил, -а, -и, P. of ударя́ть,
ударя́ю, ударя́ешь, -ют, to
strike

уда́ться, уда́стся, удаду́тся; уда́л-
ся, удала́сь, удало́сь, удали́сь,
P. of удава́ться, удаётся, -ются,
to succeed

уда́чный, -ая, -ое, -ые; уда́чен,
уда́чна, уда́чно, уда́чны, suc-
cessful, fortunate

удержа́ться, P., to control oneself

удиви́тельный, -ая, -ое, -ые,
amazing

удиви́ть, удивлю́, удиви́шь, -я́т;
удиви́л, -а, -о, -и, P. of удив-
ля́ть; удиви́ться, P. of удив-
ля́ться, удивля́юсь, удивля́-
ешься, удивля́ются; удивля́лся,
-ля́лась, -ля́лись, to astonish, to
be astonished, to be surprised

удивле́ние, surprise, amazement,
astonishment

удивля́ться, see удиви́ть

удовлетворённый, satisfied

удовлетвори́ть, P., to satisfy

удово́льствие, pleasure, amusement

удосто́ить, удосто́ю, удосто́ишь,
удосто́ит, -ят; удосто́ил, -а, -и,
P., to deign, to do honor, deem
worthy of

уе́хать, уе́ду, уе́дешь, уе́дут;

уе́хал, -а, -и, P., to go away

уж, garter-snake

у́жас, dread, horror

ужа́сный, horrible

уже́ (уж), adv., already
уже́ не, no more

у́жин, supper
в ужи́н, at supper time

у́жинать, I., to sup

у́зкий, -ая, -ое, -ие; у́зок, узка́,
у́зко, узки́, narrow, tight

узна́ть, узна́ю, узна́ешь, -ют;
узна́л, -а, -и, P., to learn, recognize

уйми́!, imper. of уня́ть, уйму́,
уймёшь-ут, P., to quiet down,
put a stop

уйти́, уйду́, уйдёшь, уйду́т; ушёл,
ушла́, ушли́, P., to go away,
walk away

ука́з, edict, decree

указа́ние, указа́нье, instruction;
direction

указа́ть, укажу́, ука́жешь, ука́жут;
указа́л, -а, -и, P. of ука́зывать,
to point out, show

укра́дкой, adv., secretly, stealthily

Украи́на, Украйна, the Ukraine

украи́нский, -ая, -ое, -ие, Ukrain-
ian

украша́ться, I., to adorn oneself,
to be adorned

украше́ние, ornament, adornment

укра́шенный, -ая, -ое, -ые; укра́-
шен, -а, -о, -ы, adorned

укрепле́ние, strengthening, forti-
fying

укреплённый, -ая, -ое, -ые; укреп-
лён, укреплена́, -о́, -ы́, forti-
fied, strengthened

укрепля́ться, I., to grow stronger

укры́ться, укро́юсь, укро́ешься,
укро́ется, -ются; укры́лся,
-лись, P., to hide, take refuge

улёгся, 3rd p. s. past of уле́чься,
P., to lie down

у́лица, street

у́личный, -ая, -ое, -ые, street

улыба́ться, -а́юсь, -а́ешься, -а́ют-
ся, I.; улыбну́ться, улыбну́сь,
улыбнёшься, -у́тся; улыбну́лся,
улыбну́лась, -лись, P., to
smile

улы́бка, gen. pl. улы́бок, smile

ум, mind, intelligence
на уме́, in (one's) mind

ума́ться, Р., to be exhausted; to be tired

уме́ренный, -ая, -ое, -ые; уме́рен, уме́рена, уме́рено, уме́рены, moderate

умере́ть, умру́, умрёшь, умрёт, умру́т; у́мер, умерла́, у́мерло, у́мерли, Р. of умира́ть, to die

умерла́, see умере́ть

умести́ться, Р., умещу́сь, уме́ст-и́шься, уместя́тся, to be placed, find room

уме́ть, уме́ю, уме́ешь, -ют; уме́л, -а, -и, I., to know how; to be able

у́мница, a smart person; clever

у́мный, -ая, -ое, -ые; умён, умна́, умно́, умны́, clever, intelligent

умолка́ть, умолка́ю, -а́ешь, -а́ют; умолка́л, -а, -и, I.; умо́лкнуть, Р., to hush down, calm down to be silent

умножа́ть, I., to multiply

умыва́ние, washing

умы́ть, умо́ю, умо́ешь, умо́ет, -ют; умы́л, -а, -и, Р., to wash

университе́т, university

университе́тский, -ая, -ое, -ие, (of) university

уничто́жение, destruction

уничто́жить, уничто́жу, -ишь, -ат; уничто́жил, -а, -и, Р., to destroy, do away

упа́сть, упаду́, упадёшь, -у́т; упа́л, -а, -и, Р., to drop down, fall

упо́рный, -ая, -ое, -ые, stubborn

употреби́ть, употреблю́, употре-би́шь, -я́т; употреби́л, -а, -и, Р. of употребля́ть, to use

употребля́ться, употребля́ется, употребля́ются; употребля́лся, -ля́лась, -ля́лись, I., to be used, to be employed

упра́ва, justice

на вас упра́ву найду́, I'll show you; I'll keep you in check

управдо́м, the manager of the apartment house

управле́ние, administration, government

управля́ть, I., to rule, govern

упрека́ть, I., to reproach

упроси́ть, упрошу́, упро́сишь, упро́-сят; упроси́л, -а, -и, Р., to entreat, urge

Ура́л, the Ural mountains

Ура́льский, -ая, -ое, -ие, (of) the Ural mountains

уро́д, monster

уро́к, lesson

урони́ть, уроню́, уро́нишь, -ят, урони́л, -а, -и, Р., to drop

ус, moustache

уса́дьба, gen. pl. уса́деб, estate

усво́ить, Р., to adopt, assimilate

усе́рдно, adv., zealously

уси́леннее, harder, more intensely

уси́ливаться, I., to increase

усло́вие, condition

услы́шать, see слы́шать

усмиря́ть, I., to pacify, put down, quell

усну́ть, усну́, уснёшь, усну́т; усну́л, -а, -и, Р., to fall asleep

Успе́нский собо́р, cathedral of Assumption

успе́ть, успе́ю, успе́ешь, успе́ют, успе́л, -а, -и, Р., to succeed, to have time

успе́х, success

уста́лость (f.), fatigue

уста́лый, -ая, -ое, -ые, tired, fatigued

установи́ть, установлю́, устано́-вишь, устано́вят; установи́л, -а, -и, Р., to set up, place

уста́ть, уста́ну, -ешь, -ут; уста́л, -а, -и, Р., to get tired

у́стно, adv., orally

устра́ивать, I.; устро́ить, устро́ю, устро́ишь, -ят; устро́ил, -а, -и, Р., to establish, arrange

устро́енный, -ая, -ое, -ые, arranged

устро́или, see устра́ивать

уступи́ть, Р., to give in

утеша́ть, утеша́ю, -ешь, -ют; утеша́л, -а, -и, I.; уте́шить, уте́шу, -ишь, -ат; уте́шил, -а, -и, Р., to console

утконо́с, duckbill (platypus)

утоми́тельный, -ая, -ое, -ые; утоми́телен, утоми́тельна, -о, -ы, fatiguing, tiresome

утомлённый, tired, exhausted

утра́м, по утра́м, in the mornings

у́тренний, -яя, -ее, -ие, morning

у́тренник, morning frost

у́тро, morning

у́тром, in the morning

ухитри́ться, Р., to contrive, to manage

у́хо, pl. у́ши, ушéй, ear
говори́ть нá ухо, to whisper in one's ear
ухóд, departure, care
учáствовать, учáствую, -ешь, -ют; учáствовал, -а, -и, I., to take part
учáстие, sympathy, compassion, participation
учáстливо, adv., sympathetically
учáсток, gen. s. учáстка, plot; district, tract of land
участкóвый, adj., district, beat
у́часть (f.), lot, fate, share
у́чат, see учи́ть
у́чатся, see учи́ться
учéбник, text-book
учéбное заведéние, school, educational institution
учéбный, -ая, -ое, -ые, educational
учéбные кни́ги, school books
учени́к (m.), учени́ца (f.), pupil
учени́ческий, -ая, -ое, -ие, pupil's
учёный, -ая, -ое, -ые, scholar, scholarly
учéнье (учéние), study, instruction, apprentice
учи́лище, school
учи́сь, учи́тесь, imper. of учи́ться
учи́тель (m.), учи́тельница (f.), teacher
учи́ть, учý, у́чишь, -ат; учи́л, -а, -и, I., to teach, learn
учи́ться, учу́сь, у́чишься, у́чится, у́чатся; учи́лся, учи́лась, учи́лись, I., to study, learn
учреди́ть, учрежý, учреди́шь, учреди́т; учреди́л, -а, -и, P., to found, establish
учреждéние, institution, Government building
ушёл, ушлá, ушлó, ушли́, past of уйти́
ущéлье, gorge, pass

Ф

Фабзаýч, фабри́чное заводскóе учи́лище, factory school
фáбрика, factory
фабрикáнт, manufacturer
фабри́чный, -ая, -ое, -ые, belonging to a factory, factory
факультéт, faculty
фами́лия, surname
фáртук, apron
феврáль (m.), February

феврáльский, -ая, -ое, -ие, February
Фёдор, Theodore
Фёдорович, son of Theodore
Фёдоровна, daughter of Theodore
фигýра, figure, statue
фи́кус, fig
Филипóк, Филипкá, dim. of Фили́пп, Philip
филосóфия, philosophy
Финля́ндия, Finland
финн, Finn
фитилёк, gen. s. фитилькá, dim. of фити́ль (m.), wick
Фóка, or Фокá, Foka
фонáрь (m.), lantern, lamp, street lamp
фóрма, form, shape, uniform
фóрменный, -ая, -ое, -ые, adj., uniform
фортепиáно, piano
фрáза, phrase
Фрáнция, France
францýз, Frenchman
францýзский, -ая, -ое, -ие, French
фрегáт, frigate
Фрегáт Паллáда, the Frigate Pallada
фруктóвый, -ая, -ое, -ые, fruit
фруктóвый сад, orchard
фурáжка, cap
футболи́ст, football player
футбóльный, -ая, -ое, -ые, adj., football
фуфáйкá, gen. pl.: фуфáек, jacket, sweater

Х

халáтик, dim. of халáт, dressing gown, robe
харáктер, character, type
хáта, hut
хвали́ть, хвалю́, хвáлишь, -ят; хвали́л, -а, -и, I., to praise
хвастýн, braggart, boaster
хватáть, хватáю, -аешь, -ают; хватáл, -а, -и, I., to snatch, seize, grasp, suffice
хвáтит, it will do; suffice; enough; sufficient
хвост, tail
хи́жина, cabin, hut
хи́трость (f.), cunning, slyness
хлеб, pl. хлебы́, хлебóв, bread, loaf of bread; pl. хлебá, хлебóв, grain, wheat

хлѐбный, -ая, -ое, -ые, grain
хлев, stall
хлòпать, I., to bang, clap
хлопкòм, instr. of хлопòк
хлопòк, хлопкà, cotton
хлопотàть, хлопочỳ, хлопòчешь, хлопòчут; хлопотàл, -а, -и, I., to busy oneself, to bustle about
хлопòчет, see хлопотàть
ходù, ходùте, imper. of ходùть
ходùть, хожỳ, хòдишь, хòдят; ходùл, -а, -и, I., to go, walk
хòдят, see ходùть
хозя́йка (f.) pl. хозя́ек, mistress of the house, hostess
хозя́ин (m.), pl. хозя́ева, хозя́ев, master, owner, host
хозя́йский, -ая, -ое, -ие, master's, owner's
холèра, cholera
холм, hillock
хòлод, cold
холодèть, I., to become cold
холодùльник, refrigerator
хòлодно, it is cold
холòдный, -ая, -ое, -ые; хòлоден, холоднà, хòлодно, холодны́, cold
холст, homespun linen, cloth
хор, chorus, choir
хоровòд, choral dance
хорòшенький, -ая, -ое, -ие, dim. of хорòший, pretty
хорòший, -ая, -ее, -ие; хорòш, хорошà, хорошò, -й, good, kind, pretty, handsome
    по-хорòшему, in a proper manner; amicably
хорошò, adv., well
хотèть, хочỳ, хòчешь, хотùм, хотùте, хотя́т; хотèл, -а, -и, I., to wish, want
    хòчешь йли не хòчешь, willy nilly; whether one likes it or not
хоть! oh if!
хоть-бы, if only
хотя́, conj. though, although
хотя́т, see хотèть
хòхот, (loud) laughter
хохотàть, хохочỳ, хохòчешь, хохòчут; хохотàл, -а, -и, I.; захохотàть, P., to laugh, burst out laughing
хочỳ, see хотèть
храм, cathedral
храм Христà Спасùтеля, cathedral of Christ the Redeemer

христианùн, pl. христиàне, христиáн, Christian
христиàнский, -ая, -ое, -ие, Christian
христиàнство, Christianity
Христòв, -а, -о, -ы, Christ's
Христòс, Христà, Христỳ, Christ
Христòс воскрèс! Christ is risen!
хромòй, -àя, -òе, -ы́е, lame
хрю́кнуть, P., to grunt, snort
хỳденький, -ая, -ое, -ие, slender, thin
худèть, I., to become thin
худòжественный, -ая, -ое, -ые, artistic, artistical
худòжество, art
худòжник, artist
хулигàн, hooligan, rowdy
хулигàнить, I., to act like a hooligan
хулигàнство, hooliganism
хỳтор, farm(stead)

Ц

царèвич, prince, tsar's son
царèвна, princess, tsar's daughter
цàрский, -ая, -ое, -ие, tsar's
Цàрское Селò, Tsar's Village
цàрство, realm, state
цàрствовать, цàрствую, -ешь, -ют; цàрствовал, -а, -и, I., to reign, rule, govern
царь (m.), tsar
цвестù, цветỳ, цветёшь, -ỳт; цвёл, цвелà, цвелù, I., to bloom, blossom
цвет, pl. цветà, color
цветнùк, flower-garden
цветовòдство, floriculture
цветòк, цветкà, nom. pl. цветы́ цветòчки (dim.), flower
цветỳт, see цвестù
цветы́, see цветòк
целовàть, целỳю, целỳешь, -ют; целовàл, -а, -и, I., to kiss
цèлый, -ая, -ое, -ые; цел, целà, цèло, цèлы, whole, entire
цель (f.), aim, purpose
ценà, price, cost
ценùть, ценю̀, цèнишь, -ят; ценùл, -а, -и, I., to value, appreciate
ценùться, I., to be valued
цèнный, -ая, -ое, -ые, valuable
центр, centre, middle
центрàльный, -ая, -ое, -ые, central

церемо́ния, ceremony
церквѐй, gen. pl. of це́рковь
церко́вный, -ая, -ое, -ые, belonging to a church, clerical
це́рковь, це́ркви, instr. це́рковью, pl. це́ркви, церквѐй, church
цивилиза́ция, civilization
цивилизо́ванный, -ая, -ое, -ые, civilized
циферблѐ́т, dial (of a clock or a watch)
ци́фра, cipher, figure, number

Ч

чай, tea
ча́йник, teapot
час, hour
    ча́сик, dim. of час
    ча́сика два, for about (a couple) two hours
часо́вня, chapel
часово́й, sentinel
часово́й, -ая, -ое, -ые, hour, hourly
ча́стный, -ая, -ое, -ые, private
ча́сто, adv., often
ча́стый, -ая, -ое, -ые, frequent
часть (f.), part, portion
часы́ (pl.), watch, clock
чего́, see что
челове́к, man; gen. pl. челове́к (не́сколько, пять, де́сять челове́к), in all other cases the plural is replaced by: лю́ди, люде́й
челове́ческий, -ая, -ое, -ие, human
чем, than (in comparisons)
чем, instr. of что
чемода́н, suitcase
чему́, dat. of что
чепуха́, rubbish, nonsense
че́рез, prep. with the acc.; across, at the end of; through; in
черепо́к, nom. pl. черепки́, potsherd
черке́с, Circassian
черне́ть, I., to turn black, show black
черни́ла (pl. n.), ink
черни́льница, inkwell
чёрный, -ая, -ое, -ые; чёрен, черна́, черно́, черны́, black
    чёрным по бе́лому, in black on white; clearly
черта́, trait
чертёжник, draftsman
че́стный, -ая, -ое, -ые; че́стен,

честна́, че́стно, -ы́, honest
    че́стное пионе́рское (сло́во), (my pioneer's) word of honor
честь (f.), honor
четве́рг, Thursday
четвёртокла́ссник, fourth year pupil
четвёртый, -ая, -ое, -ые, fourth
четы́ре, четырёх, four
четы́реста, four hundred
четы́рнадцать, fourteen
Чинги́с-хан, Chingiz-Khan
чино́вник, official, clerk
чири́кнуть, чири́кну, чири́кнешь, чири́кнут; чири́кнул, -а, -и, P. of чири́кать, to chirp, twitter
число́, gen. pl. чи́сел, number
чи́стенький, -ая, -ое, -ие, dim. of чи́стый
чи́сто, adv., purely
чи́стый, -ая, -ое, -ые; чист, чиста́, чи́сто, чисты́, pure, clear, clean, tidy
чи́стый во́здух, open air
чита́й, чита́йте, imper. of чита́ть
чита́льный, reading
    чита́льный зал, reading hall
чита́льня, reading room
чита́тель (m.), чита́тельница (f.), reader
чита́ть, чита́ю, чита́ешь, -ют; чита́л, -а, -и, I., to read
член, member, limb
чорт (чёрт), pl. че́рти, черте́й, devil
чрезвыча́йно, adv., exceedingly
чте́ние, reading
что, чего́, чему́, чем, чём, (1) pron. what, which, that which, why; (2) conj. that, as
    ни за что, not for anything
    ну во́т что! well now! this is what
чтоб, что́бы, conj., in order to, in order that
что́ же, what about, what then
что за, what a, what kind of
что нибу́дь, something, anything
что́-то, something
чу́дный, -ая, -ое, -ые; чу́ден, чудна́, чу́дно, чудны́, wonderful
чу́до, pl. чудеса́, чуде́с, miracle, wonder
чуде́сный, wonderful
чужо́й, -ая, -о́е, -и́е, foreign, strange
чуло́к, чулка́, pl. чулки́, чуло́к, чулка́м, stocking

чуть не (чуть), hardly, almost

Ш

шаг, footstep, pace
шагáть, I., to pace, step, march
    шагó--áрш! march! (command)
шалáш, cabin, hut
шаловлúвый, -ая, -ое, -ые; шаловлúв, шаловлúва, шаловлúво, шаловлúвы, mischievous
шампáнское, champagne
шáпка, pl. шáпки, шáпок, cap
шар, globe, sphere, ball
шарф, scarf
шáхматы (m. pl.), chess
шáшки, шáшек (f. pl.), checkers, draughts
    игрáть в шáшки, to play (at) draughts
швед, Swede
швейцáр, porter
швейцáрец, швейцáрца, Swiss
шёл, шла, шло, шли, 3rd p. s. and pl. past t. of идтú, иттú
шёлк, silk
шёлковый, -ая, -ое, -ые, silk, of silk
шепнýть, P. of шептáть, to whisper
шёпот, whisper
    шёпотом, in a whisper, whispering
шептáть, шепчý, шéпчешь, -ут, I., to whisper
шерстянóй, -áя, -óе, -ы́е, woollen
шестидеся́тый, -ая, -ое, -ые, sixtieth
    шестидеся́тые гóды, the '60's
шестнáдцать, sixteen
шестóй, шестóго, sixth
шесть, six
    шéстью вóсемь, six by eight
шестьдеся́т, sixty
шестьсóт, six hundred
шéя, neck
ширинá, width, breadth
ширóкий, -ая, -ое, -ие, wide, broad
шить, шью, шьёшь, шьют; шил, шúла, -и, I., to sew
шúшка, bump
шкап, cupboard
шкóла, school
шкóльник (m.), шкóльница (f.), pupil

шкýра, skin, hide
шланг, garden hose
шлёт, 3rd p. s. of слать
шлю, шлёшь, -ют, I. of слать, to send
шли, see иттú
шлю, see слать
шля́пка, hat
шпáга, sword
штýка, piece
шýба, fur coat
шум, noise
шýмный, -ая, -ое, -ые, noisy
шуршáть, шуршý, -úшь, -áт; шуршáл, -а, -и, I., to rustle
шýтка, joke
шýточный, -ая, -ое, -ые, joking

Щ

щёголь (m.), dandy
щéдрый, -ая, -ое, -ые; щедр, щедрá, щедры́, lavish
щекá, pl. щéки, щёк, щекáм, cheek
щёлк, click, flip
    щёлканье, click, snapping
щёлкать, I., to click
щéпка, chip, sliver, kindling
щетúна, bristle
щи, (pl.) щей, щам, cabbage soup
щит, shield
щýпать, щýпаю, щýпаешь, -ют; щýпал, -а, -и, I., to feel, touch

Э

экзáмен, examination
экземпля́р, specimen; copy
экономúческий, economic, pertaining to household
экспедúция, expedition
электрúческий, -ая, -ое, -ие, electric
электрúчество, electricity
электростáнция, power plant
энéргия, energy
эпидéмия, epidemic
эпóха, epoch
Эрмитáж, Hermitage (museum)
э́та (f.) э́той, э́ту, э́тою, э́той, this, that
этáж, pl. этажú, этажéй, story, floor
этажéрка, pl. этажéрки, этажéрок, book-case

э́ти, э́тих, э́тим, э́тими, э́тих, pl.
of э́тот, э́то, э́та, this, that
э́то (n.) э́тот, э́того, э́тому, э́тим,
э́том, this, that
эх! ah!

Ю

юг, south
ю́жный, -ая, -ое, -ые, southern
ю́мор humor, sense of humor
ю́ность (f.), youth
ю́ноша (m.), youth, young man
Ю́рий, George
Ю́рьевич, son of George

Я

я, меня́, мне, мной, мно́ю, мне,
I, me
я́блоко, pl. я́блоки, я́блок, apple

я́вно, adv., obviously
ягнёнок, pl. ягня́та, ягня́т, lamb
я́года, berry
язы́к, tongue, language
язы́ческий, -ая, -ое, -ие, pagan
язы́чник, pagan, heathen
яйцо́, pl. я́йца, яйц, я́йцам, egg
яи́чко, dim. of яйцо́
я́ма, pit, hole
янва́рь (m.), January
Япо́ния, Japan
я́рко, adv., brightly, colorfully
ярлы́к, label, tag
я́рмарка, pl. я́рмарки, я́рмарок,
fair
Яросла́в, Prince Yaroslav
Ясная Поля́на, Bright Glade
я́сный, -ая, -ое, -ые; я́сен, ясна́,
я́сно, ясны́, bright, clear
ячме́нь (m.), barley
я́щик, box, drawer